Mini-Tube를 활용한
교정치료의 이론과 실제

Orthodontic Treatment Using **Mini-Tube**

— Mini Tube Appliance

Mini-Tube를 활용한

교정치료의 이론과 실제

첫째판 1쇄 발행 | 2021년 01월 14일
첫째판 1쇄 인쇄 | 2021년 01월 29일

지 은 이 강대근, 김용일, 김성식, 박수병, 손우성
발 행 인 장주연
출판기획 김도성
책임편집 안경희
편집디자인 양은정
표지디자인 김재욱
발 행 처 군자출판사(주)
등록 제4-139호(1991. 6. 24)
본사 (10881) 파주출판단지 경기도 파주시 회동길 338(서패동 474-1)
전화 (031) 943-1888 팩스 (031) 955-9545
홈페이지 | www.koonja.co.kr

ISBN 979-11-5955-642-5

정가 100,000원

머릿말

코로나(COVID-19)의 전파로 어려운 시간을 보내고 있는 2021년, 새해의 시작을 알리는 1월에 소중한 한 권의 책을 출간하게 된 소식을 전하게 되어 기쁩니다.

제가 전공의 시절 시작된 KAPUOS라는 세미나(의국 세미나)가 2020년인 지금까지 계속되며 각종 임상증례와 논문의 내용이 추가되면서 그 깊이와 넓이가 어떤 자료보다 값어치 있게 탈바꿈을 하고 있었습니다. 저의 전공의 시절 당시 이병태 교수님께서 KAPUOS(의국 세미나) 자료가 어느 정도 축적이 되면 책을 편찬하는 것이 목표라고 하셨던 말씀을 아직 기억하고 있었기에 지난번 동문회 모임에서 KAPUOS(의국 세미나) 자료를 이용한 출판을 희망하는 동문이 있다면 본교실과 함께 진행해보자고 제안하였습니다. 그 첫 번째 작품으로 강대근 선생이 지난 10여 년간 기존의 브라켓에서부터 시작하여, 간단한 도구들(레진과 closed coil spring 등)을 활용한 효율적인 교정치료 증례를 공유하고 소개해왔던 자료와 경험들을 모으게 되었습니다. 그리고 KAPUOS(의국 세미나) 자료를 더하여 김용일 교수의 지원으로 책으로 발간되었습니다.

첫인상은 3초만에 결정된다고 합니다. 이러한 첫인상을 좌우하는 것 중 하나는 미소 시 보이는 가지런한 치아입니다. 외모가 중요해진 시대인 요즘은 치아의 심미적인 부분에도 관심이 높아지고 있습니다. 가지런한 치아를 위해 모든 치아에 장치를 부착하는 것도 방법일 수 있으나, 일반적인 브라켓은 부피가 크고 비심미적이라는 단점을 여전히 가지고 있습니다. 이에 따라 연령 및 총생의 양을 고려하여 미니튜브를 이용한 전치부 부분교정치료는 심미적일 뿐만 아니라 전치부의 심미를 충분히 달성할 수 있다는 점에서 그 대안이 될 수 있습니다. 따라서 본 저서에서는 미니튜브 장치 치료를 위한 진단 과정 및 계획, 치료의 과정, 미니튜브로 할 수 있는 다양한 치료 증례들을 살펴보려고 합니다. 또한 교정용 브라켓 장치와 달리 3차원적인 조절이 불가한 미니튜브 장치의 생역학적인 특성을 고려하여 3차원적인 조절을 위해 어떠한 방법들을 사용할 수 있는지도 소개하려고 합니다. 부디 본 저서가 많은 임상가들의 고민을 해결하고 심미적 목표를 달성할 수 있는 길잡이로 쓰일 수 있길 희망합니다.

이 책을 편찬하기 위해 도와주신 교정학교실 교수님들과 의국원들의 노력에 감사드리며 연이어서 앞으로도 희망 동문들께서 함께 동참하여 KAPUOS(의국 세미나) 자료들이 빛을 발하는 작업이 계속되기를 희망합니다.

2021년 새해, 보다 건강한 한해가 되기를 소망합니다.

주임교수 **박 수 병**

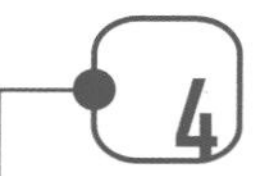

집필진

강대근 나란e 치과의원

김용일 부산대학교 치과교정학교실

김성식 부산대학교 치과교정학교실

박수병 부산대학교 치과교정학교실

손우성 부산대학교 치과교정학교실

01

미니튜브 장치

사회 경제적 여건이 향상되면서 교정치료에 대한 요구도는 지속적으로 증가하고 있다. 특히, 삐뚤한 앞니, 앞니 사이 틈 등 부분적으로 전치부만을 해결하길 원하는 성인(중장년층)부터 어린 아이들까지 다양한 연령대에서 교정치료를 원한다. 이때, 심미적 개선을 위한 방법으로 교정치료가 우선적으로 고려되어야 하나, "치료가 복잡하다", "장치가 불편하다" 그리고 "치료가 오래 걸린다" 등의 이유로 교정치료가 아닌 라미네이트같은 전치부 보철치료를 선택하는 경우를 자주 보게 된다. 그러나 보철치료의 경우, 치아를 삭제해야 하며 심한 경우, 치수 및 주위 조직의 손상이 초래될 수 있으므로 보존적인 교정치료를 우선 고려하는 것이 좋다.

최근에 비심미적이고 불편한 교정 장치의 단점을 해결하고자, 새로운 교정 장치들이 많이 소개되고 있다. 그 중 하나가 미니튜브 장치이다. 미니튜브 장치는 저렴한 가격, 짧은 교정 기간, 적은 이물감 그리고 개선된 심미성 등으로 전치부 심미교정치료 장치로의 조건을 충분히 만족시키고 있다.

성인의 교정치료에 있어서, 구치부 교합을 변화시키지 않으면서 전치부위만 교정하는 경우, 작은 크기의 미니튜브 장치를 이용하면 치료 기간이 짧고, 이물감이 적어 교정치료의 만족도가 높아진다.

간단한 치료라고 생각하여 쉽게 치료를 시작하지만, 치료 마무리 시에 공간이 남게 되는 문제나, 총생이 완벽하게 펴지지 않는 문제, 지나친 치간삭제(Inter Proximal Reduction, IPR) 후 이가 시린 증상을 호소하거나, 예상과 달리 심미성이 떨어지는 문제 등 다양한 문제들이 종종 발생하기도 한다.

그러나, 미니튜브 장치의 기본적 개념을 이해하고, 적절한 치료 증례를 선택한다면 장치가 가지는 장점을 십분 살려 치료에 적용할 수 있게 될 것이다. 본 장에서는 이러한 장치의 기본적 형태와 사용방법 등에 대해 알아보고자 한다.

미니튜브 장치

일반적인 브라켓은 여전히 부피가 크고 비심미적이다. 세라믹 또는 레진 브라켓조차도 심미적이긴 하나 금속 브라켓보다 부피가 커서 이물감이 크다. 이를 보완하기 위해 부피를 획기적으로 줄이고, 심미적으로 만든 것이 미니튜브 장치이다. 다음 그림에서 보듯이 미니튜브는 기존의 브라켓보다 상당히 작다. 브라켓은 치아의 3차원적 이동을 위해 설계된 복잡한 구조 때문에 자주 입술이나 볼 등이 헐어 불편해하는 경우가 많다. 그러나 미니튜브 장치는 작은 크기에 단순한 디자인으로 이물감이 적어 연조직에 상처를 남기는 일이 드물다.

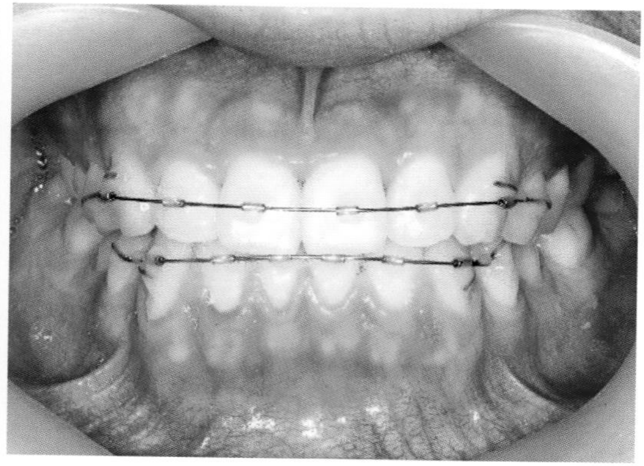

그림 1. (좌)미니튜브 장치와 브라켓, (우)미니튜브 장치를 부착한 구강내사진

미니튜브 장치의 장점

미니튜브 장치는 여러가지 장점이 있다. 첫 번째로 기존의 교정 장치에 비해 크기가 작아서 환자들의 불편감이 적고 심미적이다. 두 번째로 윗니와 아랫니가 깊게 물려 교정 장치를 부착하기 힘든 경우나 치관이 짧아 기존 장치를 붙이기 힘든 어린이들에게도 쉽게 적용할 수 있다. 또한, 칫솔질하기도 편하기 때문에 치주 질환이 있는 경우, 구강위생 조절이 좀 더 편리하여 적용 가능성을 넓힐 수 있다. 세 번째로 가는 와이어(0.010 혹은 0.012 NiTi)를 사용하기 때문에 치아 이동에 대한 통증이 아주 적다. 네 번째로 주로 전치부

만 부착하기 때문에 구치부 교합에 변화가 거의 없어 씹는 데 불편이 초래되지 않는다.

미니튜브 장치의 단점

미니튜브 장치도 여러가지 단점이 있다. 첫 번째로 장치가 간소화됨으로써 복잡한 치아 이동이나 미세한 토크 조절 등 기존의 브라켓 장치와 동일한 치아 이동을 미니튜브로 하기에는 많은 시간과 에너지가 추가로 소요된다. 두 번째로 장치의 내구성이 떨어지기 때문에 장치가 파손되거나 탈락하는 경우가 많아 장기간의 치료가 요구되는 경우에는 사용하지 않는 것이 좋다. 세 번째로 미니튜브의 직경이 작기 때문에 와이어를 튜브에 적용하기가 쉽지 않고 오픈 코일 스프링(open coil spring)같은 부가적인 장치를 적용하기가 어렵다. 네 번째로, 브라켓의 윙(wing)이나 훅(hook)이 없기 때문에 고무줄을 사용하거나 파워체인 등을 적용하기가 쉽지 않다. 다섯 번째로 크기가 작아 치아에 부착하기가 쉽지 않다.

미니튜브 장치 교정 기간

부정교합의 정도에 따라 달라지지만 일반적으로 6개월 정도의 교정 기간이면 전치부 부분교정을 마무리할 수 있다. 증례에 따라서 6개월 이상이 필요한 경우도 종종 있다. 장기간의 치료 기간과 정교한 치아 이동이 필요한 교정치료는 미니튜브 장치보다는 기존의 브라켓을 이용한 포괄적 교정치료를 고려해보는 것이 더 효율적일 수 있다.

미니튜브 장치 치료를 위한 재료

미니튜브 장치 종류 및 특징

기존의 브라켓은 치면에 붙이는 높이로 위치(leveling)를 조절한다. 정형화된 치아의 위치에 브라켓을 붙이고, 상용화된 교정용 와이어(orthodontic wire)를 결찰하면 치아의 배열(line of occlusion; In and Out)이나 치아의 경사도(tipping), 순설측 경사(Torque)가 조절되도록 브라켓 자체에 설계가 되어있다. 그에 반해 미니튜브 장치는 브라켓 베이스 부분이 없어 치아의 협설측 배열(in and out) 조절이 쉽지 않고, 브라켓 슬롯에 해당하는 튜브 내면이 원형이라 순설측 경사(Torque) 조절이 힘들다.

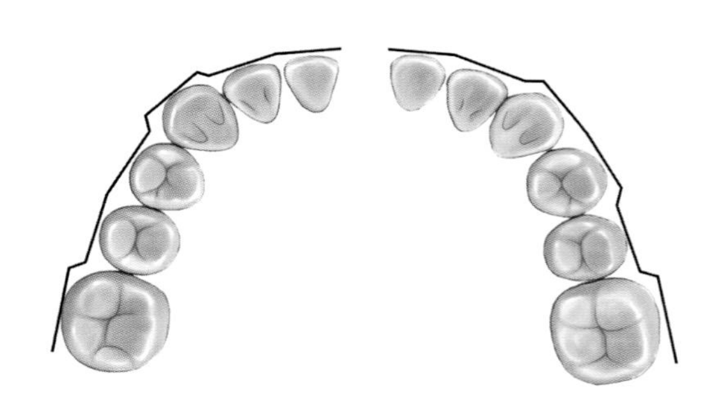
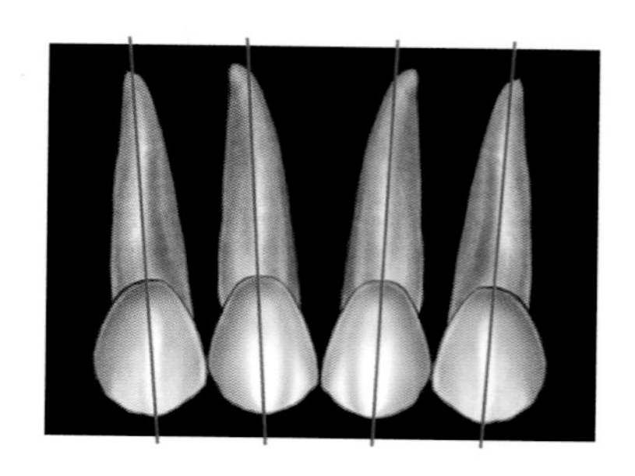
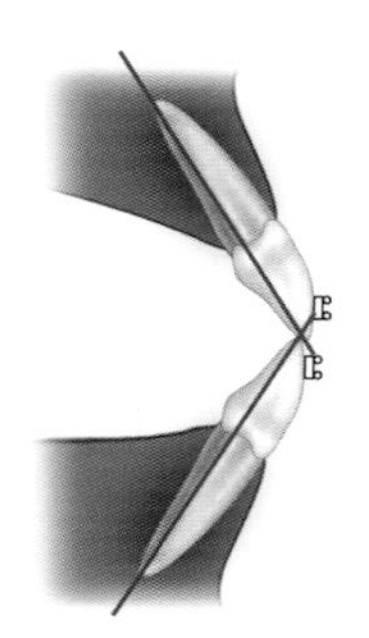

그림 2. 왼쪽부터 치아의 배열(in & out), 경사도(tip), 순설측 경사(torque)

미니튜브 장치

- **MTA tube**: 흰색의 치아 색이 나는 튜브로 상용제품으로 판매 중이다. 주로 외경이 0.71 mm, 내경이 0.46 mm인 원형 튜브이다. MTA 튜브는 길이도 다양하고, 원형 타입과 함께 반원형 등 다양한 형태의 원형 튜브이다.

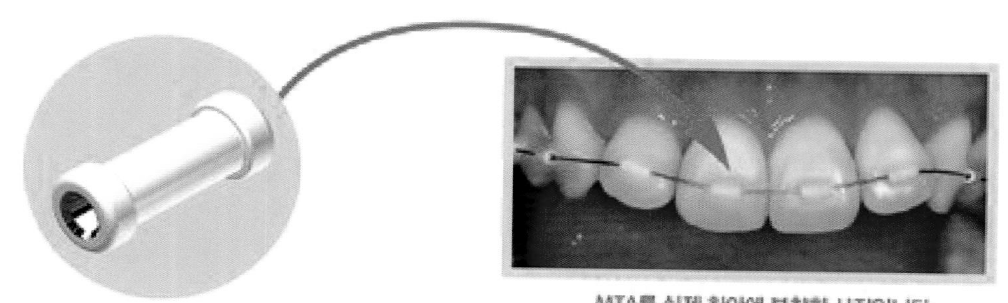

그림 3. MTA 튜브

- **큐트 브라켓**: 개방형(open)과 폐쇄형(closed)으로 되어 있다.

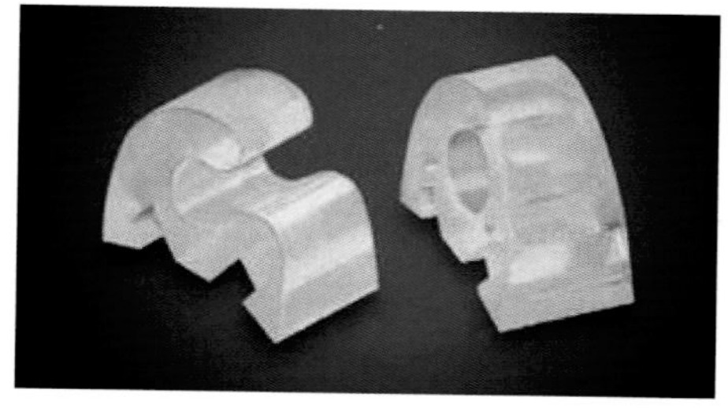

그림 4. 큐트 브라켓: 개방형(open)과 폐쇄형(closed type)

• **티끌(tiggle) 장치**: 주로 설측 장치로 소개되고 있으며, 협측 세라믹 형태로도 상용화되어 있다.

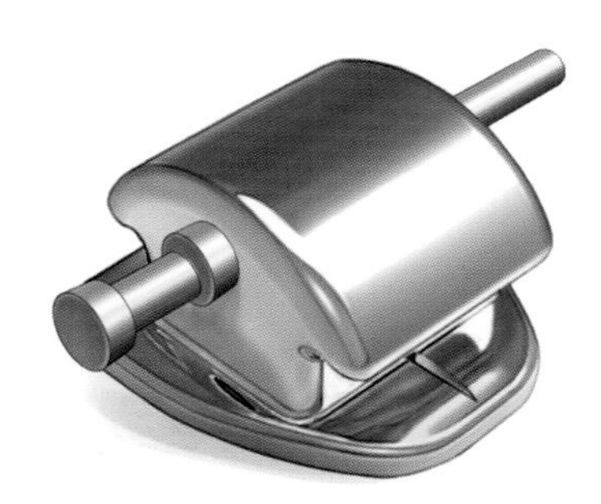

그림 5. 티끌(tiggle) 장치

• **크림퍼블 스탑(crimpable stop)**: 크림퍼블 스탑은 원래 교정용 와이어에 위치시켜 위아래로 납작하게 집어 주면 와이어가 브라켓 안에서 움직여 찌르는 것을 방지하는 용도로 사용된다. 이때 사용하는 스탑(stop)을 미니튜브 형태로 변형해서 사용 가능하다. 보통 길이는 3 mm 정도를 사용하는 것이 가장 적당하다. 그러나 필요한 경우, 치아의 폭이나 치아의 회전 등을 고려하여 더 긴 것을 사용하거나, 더 짧은 것을 사용할 수 있다.

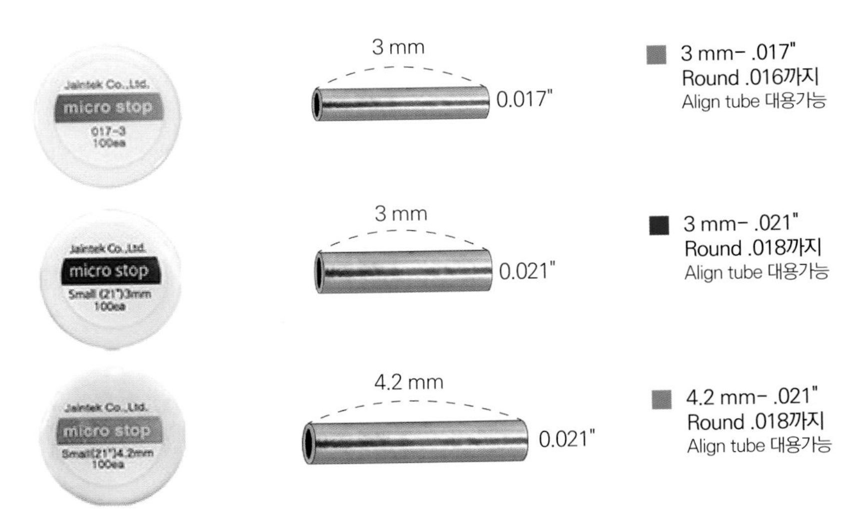

그림 6. Jaintek Co.의 micro stop

미니튜브 장치에 자주 활용하는 교정용 와이어

보통의 미니튜브를 사용하는 부분 교정치료는 상하악 6전치만 미니튜브를 붙이고, 기존의 나이타이 와이어(NiTi wire)를 사용하여 치료했다. 이때 확장 배열로 인해 견치 간 폭이 증가되는 경우가 종종 있었다. 그러나 롤(roll) 형태의 와이어(wire)는 견치 폭만큼 와이어(wire)를 잘라 펼쳐보면 일반적인 교정용 와이어보다 견치 폭이 작아 폭경 증가 방지에 조금은 도움이 된다.

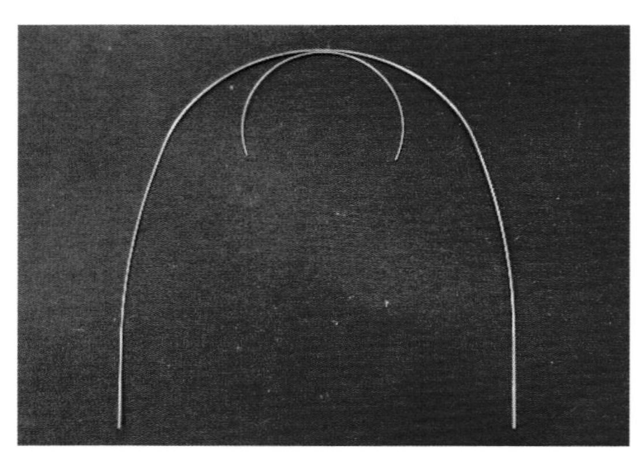

그림 7. 아치폼(arch form) 형태의 와이어(wire)와 롤(roll) 형태의 와이어
전치부 적용 시 견치 폭이 좁은 롤 형태의 와이어 사용

미니튜브 장치용으로 판매되는 롤(roll) 형태의 교정용 와이어를 사용하면 기존의 상용 와이어를 잘라서 사용하는 것보다 효율적으로 재료를 사용할 수 있다는 장점도 있다. 보통 0.010 나이타이 와이어에서 최대 0.014(주로 0.010 와이어나 0.012 와이어를 사용한다) 나이타이 와이어까지 판매되고 있다.

그림 8. 미니튜브용 롤(roll) 형태의 와이어
다양한 사이즈의 나이타이 와이어(NiTi wire)가 시판되고 있다.

고무줄(Elastic thread)과 파워체인(Power chain)

고무줄은 파워체인보다 강한 힘으로 적용할 수 있으며, 힘의 지속시간이 길고, 실 형태로 제작되어 있어 필요한 부분에 술자가 힘 조절을 하여 사용할 수 있다. 파워체인은 체인 형태의 고무줄로 교정용 와이어에 뜨개질하듯 연결시켜 사용한다. 미니튜브 장치를 이용한 교정치료는 교정용 와이어가 얇은 굵기의 나이타이 와이어이므로 부작용을 피하기 위해 보통보다 약한 힘의 파워체인을 사용해야 한다.

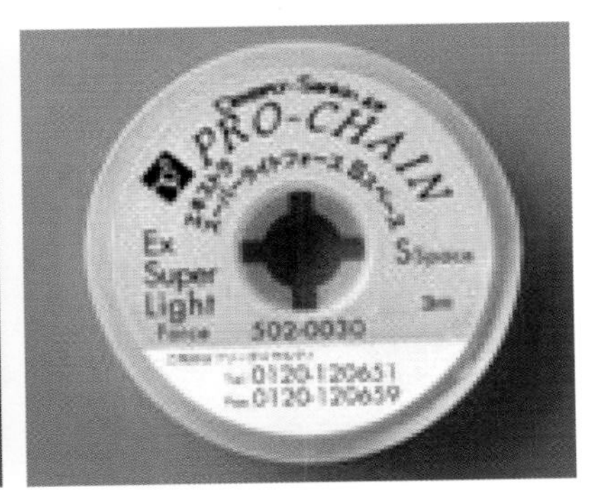

그림 9. 파워체인
일반적으로 적용하는 Medium force도 사용할 수 있지만, 미니튜브를 사용할 경우
Super light force의 파워체인을 사용하는 것이 부작용을 줄일 수 있다.

그림 10. 고무줄(elastic thread)

미니튜브 장치 치료에 필요한 기구들

기존의 교정 기구들 중에서 몇 가지만 있으면 미니튜브를 활용한 교정치료에 충분하다. 없다면 다른 것으로 대체해서 사용 가능하나, 편의상 다음의 기구들을 구비해두면 편리하다. 대표적으로 유틸리티 플라이어(utility plier) 혹은 웨인가르트 플라이어(Weingart plier), 핀커터(Pin cutter) 혹은 치과용 시저(scissors), 디스탈 엔드 커터(distal end cutter), 터커(tucker) 그리고 브라켓 포지셔너(bracket positioner) 등이다.

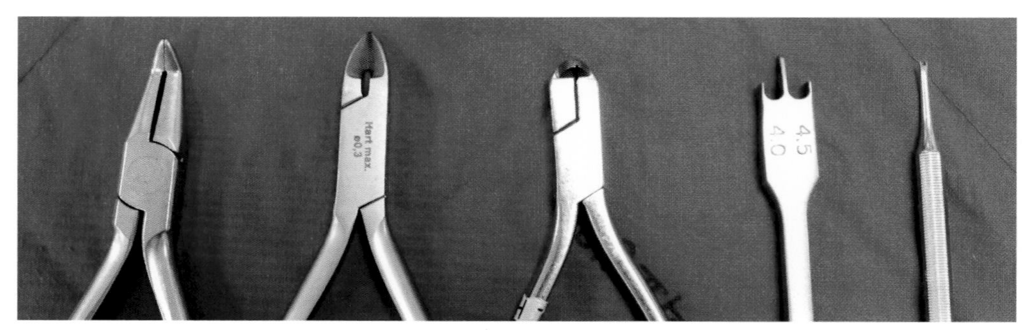

그림 11. 교정용 기구들
유틸리티 플라이어, 핀커터, 디스탈 엔드 커터, 브라켓 포지셔너, 터커

고정식 유지 장치(Fixed retainer)

움직이고 싶지 않은 치아의 유지, 고정원 강화, 또는 교정치료 완료 후 유지를 목적으로 협측 혹은 설측에 고정식 유지 장치를 부착할 수 있다. 보통 0.0195 트리플렉스(triflex) 와이어가 조작하기 쉽고, 부착도 용이해서 유지 및 고정을 목적으로 자주 사용한다.

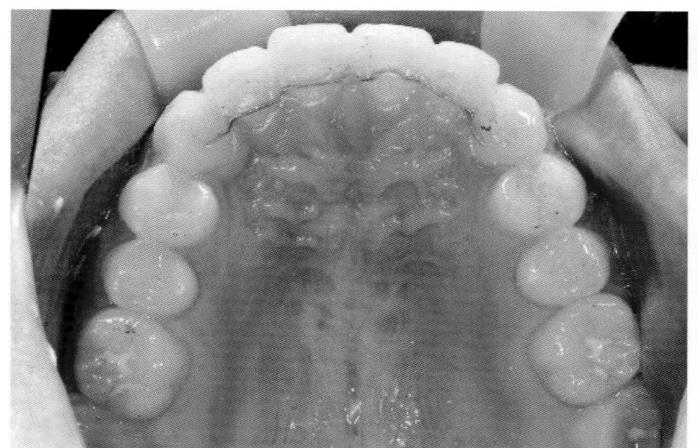
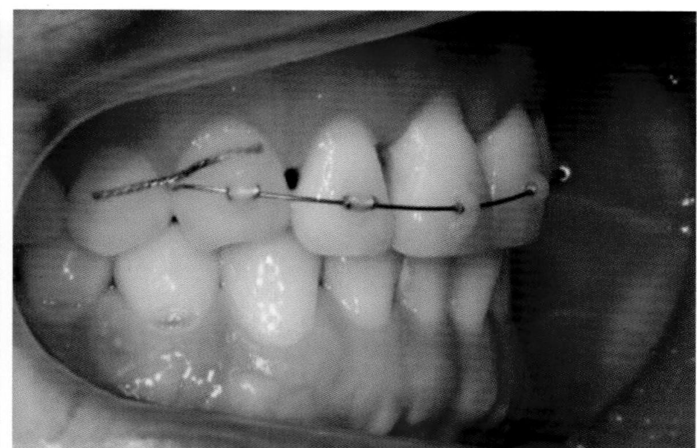

그림 12. 고정식 유지 장치
고정원 보강을 위해 0.0195 트리플렉스 와이어를 사용한다.

02

미니튜브를 활용한 교정치료 진단

진단

주소(Chief complain)란?

환자가 호소하는 가장 불편한 것을 뜻한다. 포괄적 교정치료에서도 주소가 중요하지만 부분교정에서도 주소는 중요하며, 치료의 한계를 설정하기 위해서라도 꼭 기록해 두는 것이 필요하다.

측모두부방사선사진과 후전방두부방사선사진

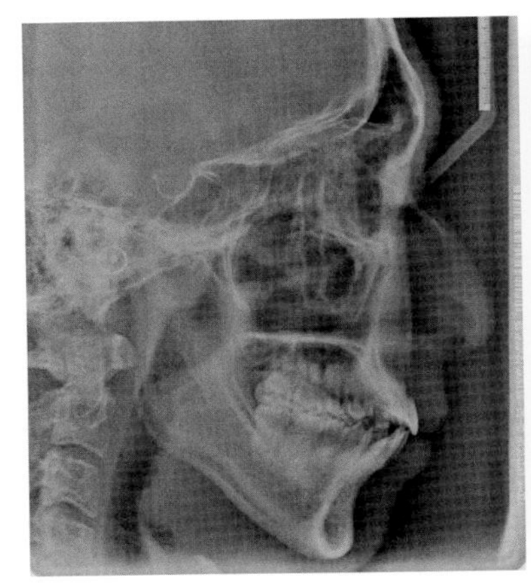
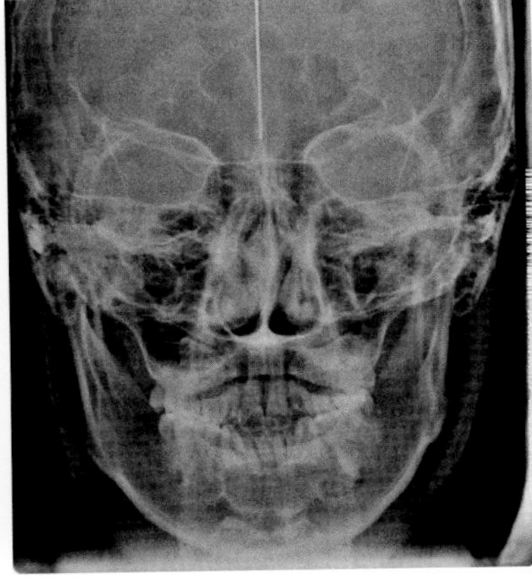

그림 1. 측모두부방사선사진과 후전방두부방사선사진

측모두부방사선사진은 포괄적 교정치료에서는 전후방적인 골격 부조화 평가에 중요한 역할을 한다. 후전방두부방사선사진의 경우 안면 비대칭이나 치열의 경사(canting) 등을 평가하고 상하악 폭경 부조화 등을 평가하는데 유용하다. 부분 교정치료의 경우 골격 부조화를 해결하지 않으며, 발치 치료와 같은 구순돌출감 해소를 위한 포괄적인 치료를 하지 않기 때문에 때때로 방사선사진의 채득을 생략하기도 한다. 그러나 환자에게 현재의 문제점과 부분 교정의 한계를 설명하기 위해서 방사선사진을 채득하고 분석하는 것이 바람직하다.

파노라마방사선사진과 치근단방사선사진

파노라마방사선사진은 치근단 병소, 치근 형태, 치축, 치조골 높이 등을 파악하기 위해서 촬영한다. 그런데, 파노라마방사선사진에서는 전치부의 상이 뚜렷하지 않으므로 상하악전치부의 치근단방사선사진을 추가로 촬영할 수도 있다.

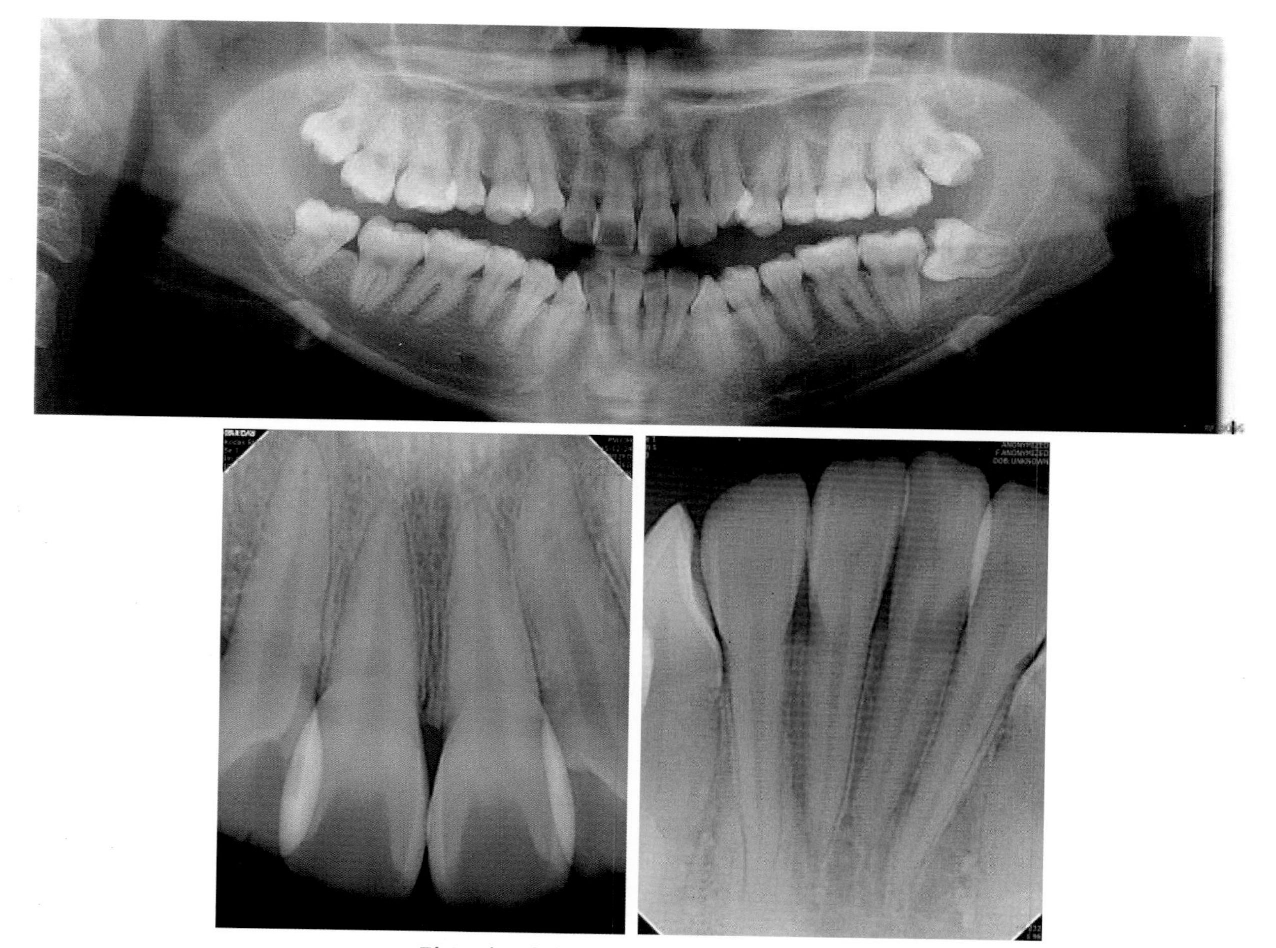

그림 2. 파노라마방사선사진과 치근단방사선사진

임상검사 – 정모, 측모사진

방사선사진은 방사선 조사량이나 비용 등의 문제로 채득하기 어려운 경우가 많으나 환자의 치료 전후의 사진을 비교하는 것은 치료의 목표를 명확하게 하고 한계를 설정하며 치료 종료 시 결과에 대한 평가를 진행하는 데 도움이 된다.

구내 검사 – 구내사진

구내 검사를 통해 치료 전 충치나 구강 위생상태 등을 평가한다. 촬영한 구내사진을 통해 초진 시 상태를 기록해두고 치료 전후나 중간과정을 평가하는 데 활용할 수 있다. 구내사진의 촬영 시 구강 리트렉터(lip retractor)를 이용하여 적절한 시야를 확보하고 좌우측 제1대구치 교합 관계와 견치 관계가 충분히 명확하게 표현되도록 촬영한다. 교합면은 교합면 거울을 이용하여 교합면에 90°가 되도록 촬영하여 사진으로 인한 왜곡을 줄이도록 한다.

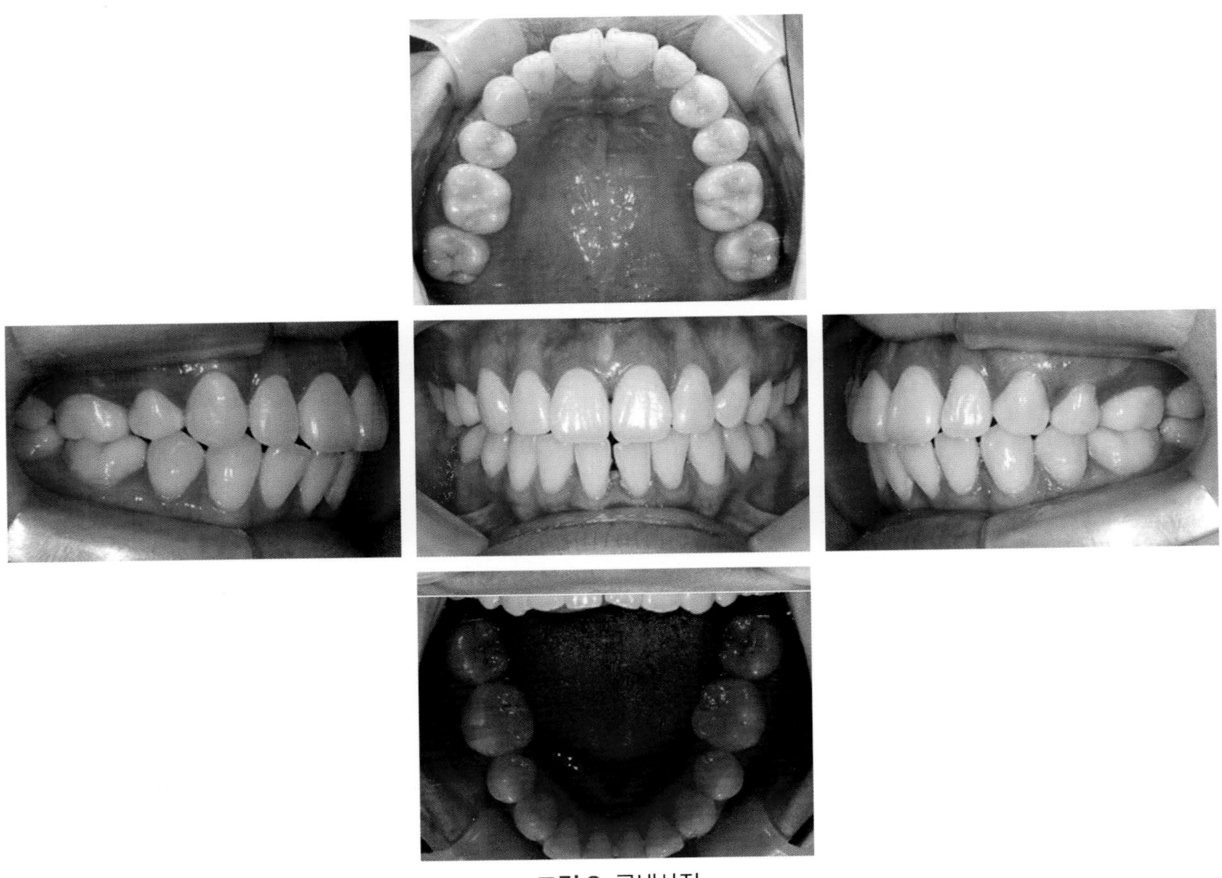

그림 3. 구내사진

턱관절(TMJ)

부분교정의 경우 구치부 교합관계를 변화시키지 않아 턱관절에 영향이 적은 것으로 알려져 있으나 문제점 파악과 치료의 목표 등을 설정할 때 고려하여야 한다. 그러나, 일반적 원칙은 턱관절에 증상이 있거나 문제점이 있는 경우는 교정치료의 좋은 적응증이 아니다.

모형 분석

구강 모델은 증례분석, 치료방법의 결정, 치료경과 및 예후 판정에 중요한 자료로 이용되므로 정확하게 제작되어야 한다. 모형 분석으로부터 치아의 수, 치아의 크기, 형태 이상, 회전, 교합 관계 등의 정보를 얻을 수 있다. 특히 모형분석은 총생과 공간(space) 평가를 통해 부분교정에서 치료의 목표를 설정하는 데 아주 중요하므로 치료 전에 정확하게 시행되어야 한다.

모형 분석 과정

대칭 분석(Symmetry)

좌우 치열궁 형태의 대칭성 및 치아의 변위를 알아 보는 과정이다. 투명한 격자판을 모형의 교합면상에 올려 놓고 관찰함으로써 대칭성을 한눈에 알아볼 수 있다.

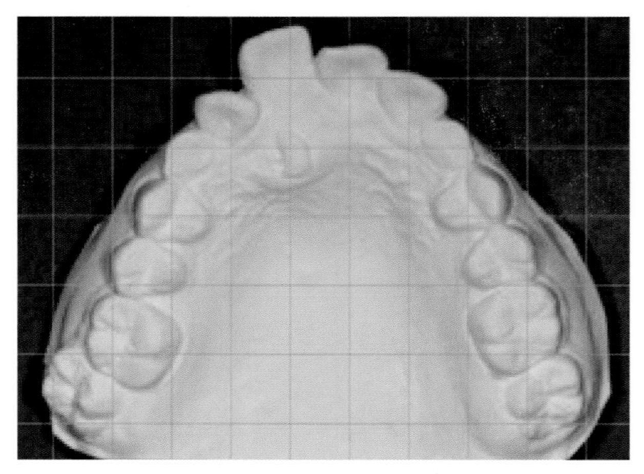

그림 4. 격자판을 이용한 대칭성 분석

공간 분석(Space analysis)

치아 배열을 위해 이용 가능한 공간(available space)과 이들 치아를 적절히 배열하기 위해 필요한 공간(required space)을 비교하여 총생(crowding) 및 공간(spacing) 여부를 분석한다. 치열궁 부조화(arch length discrepancy)는 치아배열을 위한 가능한 공간과 필요한 공간의 차이를 의미한다. 실제 임상에서는 다음의 두 가지 측정값들이 추가로 고려되어야 한다.

① 모형상에서의 Curve of Spee 양

② 측모두부방사선사진상에서 전치부의 전후방 위치 및 전방 경사도

- **arch length discrepancy** = available space − required space
  - + : space excess, spacing
  - − : space deficiency, crowding

*** 가능한 공간(available space)을 측정하는 법**

한쪽 제1대구치의 근심면에서 반대쪽 제1대구치의 근심면까지 각 치아들의 접촉점을 연결한 치열궁의 둘레(arch perimeter)를 계측한다. 치열궁 둘레를 계측하는 데에는 두 가지 방법이 이용된다.

1) 치열궁을 부위별로 나누어 직선으로 계측하는 방법.
2) 브라스와이어(Brass wire)를 교합면(line of occlusion)에 따라 구부린 뒤 곧게 펴서 계측하는 방법.

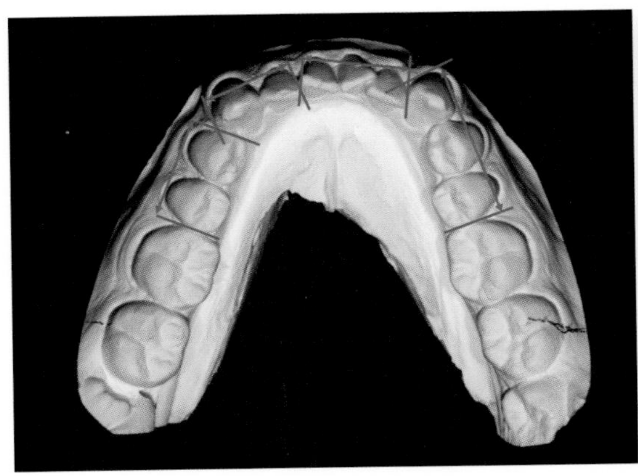
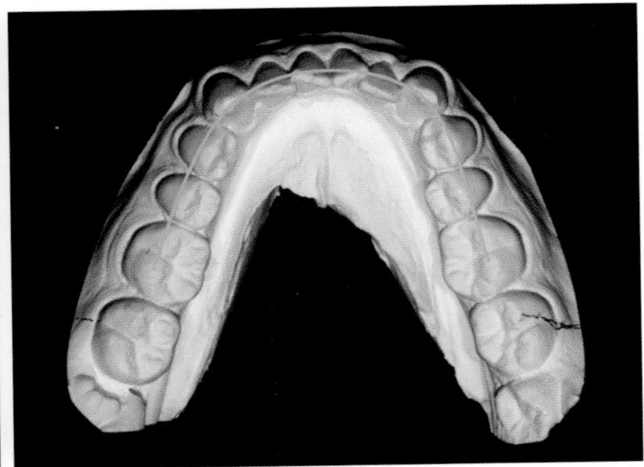

그림 5. 치열궁을 4개 혹은 여러 개의 구획으로 나누어 총생을 측정하거나(좌), 브라스와이어(Brass wire)를 교합면(line of occlusion)에 치열궁 형태로 구부려(우) 측정한다.

*** 필요한 공간(Required space) 측정하는 법**

각 치아(한쪽 제2소구치에서 반대쪽 제2소구치까지)의 근원심 폭경(근원심 접촉점 사이의 거리)을 계측하여 합한다.

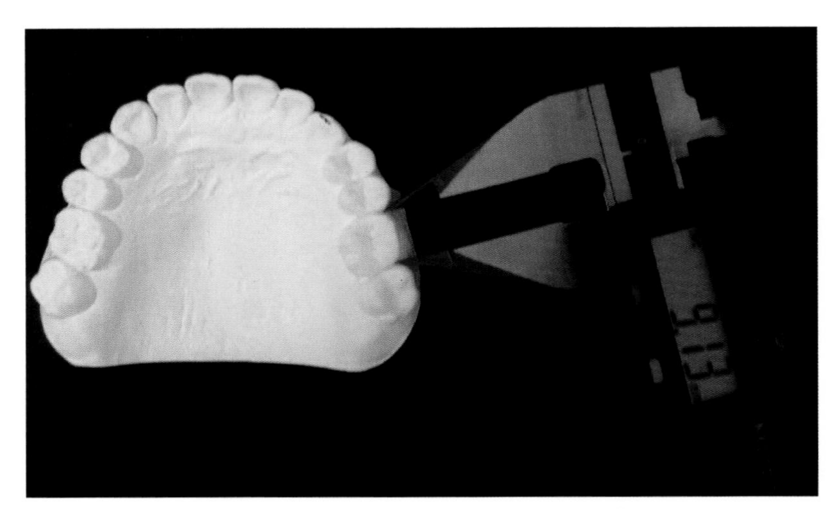

그림 6. Digital caliper를 이용한 치아 크기 측정

③ 치아 크기 분석(Tooth size analysis)

상하악 치아의 크기가 적절한 비율을 가지고 있을 때, 상하악 치아의 배열은 최종적으로 정상적인 수평피개(overjet), 수직피개(overbite) 및 구치부의 교합 관계가 형성된다.

- **Bolton tooth ratio analysis**

  Bolton은 치아 크기의 부조화와 상하악 치열궁의 전후방적 관계 사이의 관련성에 대해 연구하였다. 상하악 각각의 치아 크기는 일정한 비율을 가진다고 보고하였으며, 이것을 활용하면 치료 후 수평 및 수직피개 관계를 예측하고, 발치 교정치료 시 구치부의 교합 관계 및 전치 관계에 미치는 영향을 규명하는데 도움이 된다. 특히나, 상하악 6전치만을 배열하는 부분 교정에서는 유용하게 활용될 수 있다.

<Bolton tooth ratio의 적용>

- **Overall ratio (총치아 비율)**

$$\frac{\text{하악 12 치아(M1–M1)의 합 mm}}{\text{상악 12 치아(M1–M1)의 합 mm}} \times 100 = \%\quad \text{평균: 91.3}$$

Bolton에 의하면 overall ratio는 평균 91.3%인데 이 때 구치부의 교합과 수평 및 수직피개가 이상적으로 이루어질 수 있다.
예를 들어, overall ratio가 91.3%를 초과하면 부조화의 원인은 하악 치아가 상악 치아에 비해 크거나 혹은 반대로 상악 치아의 크기가 작기 때문이다. 이러한 비율의 문제는 정상적인 치아의 크기가 어느 쪽이냐에 따라 해석하는 것이 바람직하다.

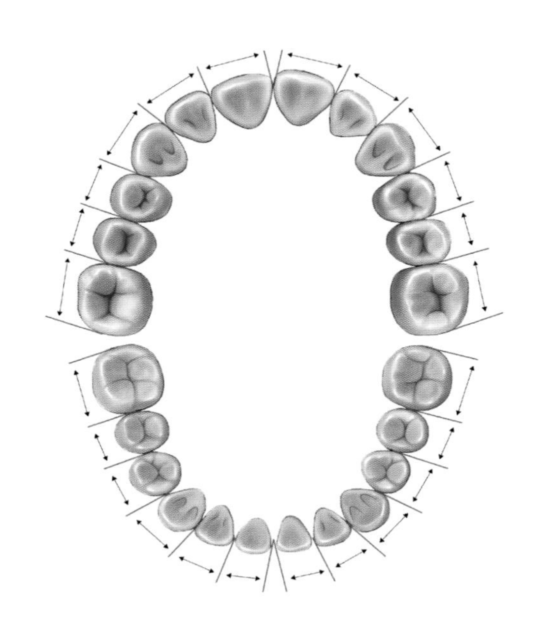

그림 7. Overall Bolton ratio

- **Anterior ratio**

$$\frac{\text{하악 6 치아(M1–M1)의 합 mm}}{\text{상악 6 치아(M1–M1)의 합 mm}} \times 100 = \%\quad \text{평균: 77.2}$$

Anterior ratio는 평균 77.2%로 이때 전치의 치축 경사가 정상이고 절단연의 순설측 두께가 과도하지 않다면 이상적인 수평과 수직피개를 이룰 수 있다.
Anterior ratio가 77.2%를 초과하거나 작을 때의 해석은 overall에서와 같은 방법으로 해석하면 된다.
Bolton tooth ratio는 치료 종료 후 치아 크기 비율을 맞추어 배열이 양호하게 되도록 하는 가이드라인으로 활용할 수 있다.

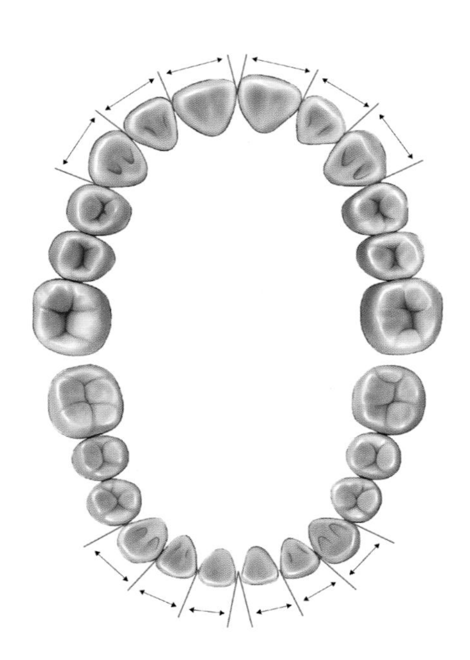

그림 8. Anterior Bolton ratio

03

미니튜브를 활용한 교정치료 계획

미니튜브 장치로 치료 가능한 목표

미니튜브 장치만으로 치료 가능한 목표는 제한되어 있다. 주로 치아 사이 틈, 치아 삐뚤함, 정출, 함입 등의 전치부에 문제가 있는 경우에 제한적으로 사용가능하며, 구치부의 총체적 이동이 필요한 경우에는 사용하기 힘들다. 즉, 수술 교정, 발치 교정과 같은 포괄적 교정이 필요한 경우는 기존의 교정 장치를 사용하는 것이 훨씬 효율적이므로 미니튜브 장치가 추천되지 않는다. 또한, 미니튜브 장치는 치근 이동이나 치관 경사에 대한 기전을 가지고 있지 않기 때문에 정밀한 치아 이동이 필요한 경우에는 사용하지 않는 것이 좋다. 즉, 전치부 혹은 부분적인 치아 이동을 목표로 설정하여 적용하는 것이 바람직하다. 그러나 치아이동 방법은 여전히 다양한 장치들로부터 얻어질 수 있으므로 원리를 이해하고 적절히 적용한다면 미니튜브 장치의 활용 범위는 여기서 소개하는 것보다 훨씬 다양할 수도 있다.

치료계획 수립

포괄적 교정치료가 아니더라도 치료계획을 수립하고, 환자에게 계획을 설명하고 동의를 받는 것은 대단히 중요한 과정이다. 미니튜브 장치가 포괄적인 치료가 아니므로 모든 자료를 분석해 치료계획을 작성하지는 않더라도, 간단하게라도 치료계획을 작성하는 것은 필요하다. 간단히 작성한 치료계획은 다음을 포함할 수 있다.

- **환자의 주소:** 환자가 지금 치료를 받기 원하는 부분을 환자의 언어로 표현한다.
- **진단명:** 부분 치료라도 골격적인 문제와 치성적 문제를 포함한 정확한 진단을 기입한다.
- **환자의 문제점:** 치료할 수 있는 문제와 치료할 수 없는 모든 문제들을 가능한 상세하게 기입한다.
- **치료의 목표:** 부분 치료는 치료의 한계가 존재하므로 목표를 명확하게 설정하는 것이 중요하다.
- **치료의 단계:** 가능한 한 단계별(step by step)로 상세하게 기입한다. 특히 총생으로 인한 인접치 삭제량이나 고정원 보강을 위한 유지 장치 부착 부위 등은 세세히 기록해 준다. 가장 좋은 방법은 진단 모형을 이용한 셋업(set-up)을 시행하여, 최종 목표와 방향을 시각화하는 것이 바람직하다. 셋업과정은 직접 모형용에서 작업할 수도 있고, 상용화된 프로그램으로 디지털화시켜 작업할 수도 있다. 가능한 한 단계별(step by step)로 상세하게 기입한다. 특히 총생으로 인한 인접치 삭제량이나 고정원 보강을 위한 유지장치 부착 부위 등은 상세히 기록해 준다. 가장 좋은 방법은 진단 모형을 이용한 셋업(set-up)을 시행하여, 최종 목표와 치료방향을 시각화하는 것이 바람직하다. 셋업과정은 직접 모형상에서 작업할 수도 있고, 상용화되어 있는 프로그램으로 작업할 수도 있다.

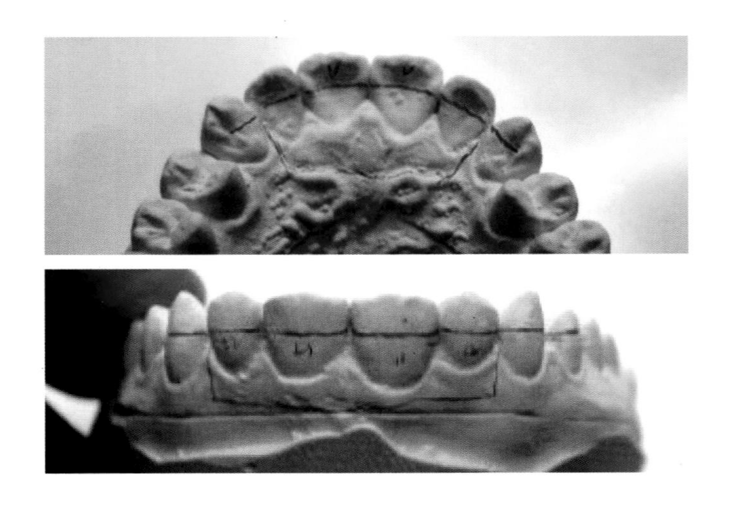

① 기준선(reference line) 긋기
이동하는 치아와 인접한 치아 1-2개를 더 포함하여 선을 긋는 것이 편하다.

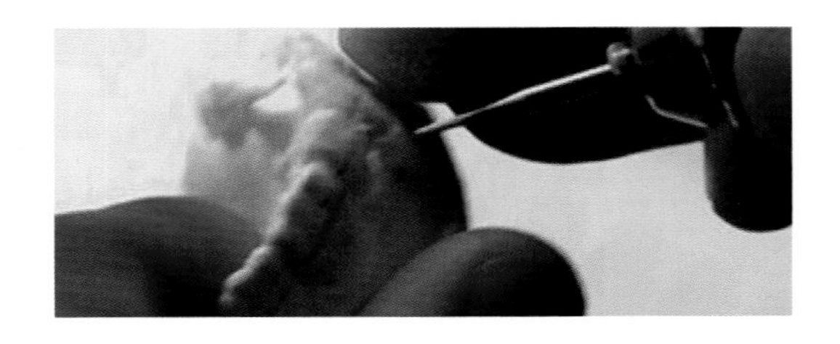

② 700번 버(bur)를 이용해서 실톱(saw)을 넣을 구멍을 낸다.

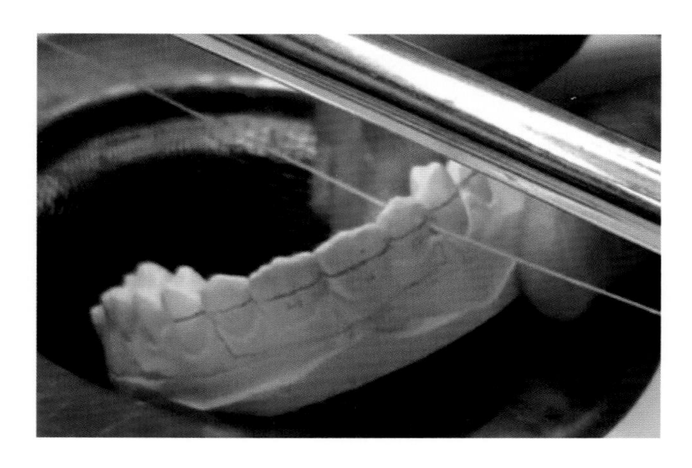

③ 구멍에 실톱을 넣고 자른다.

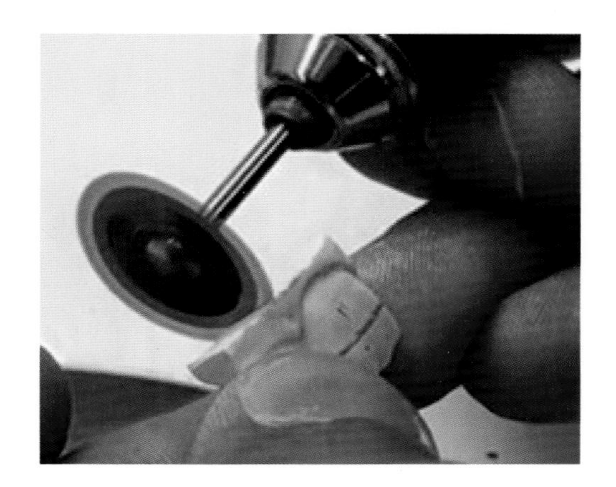

④ 잘려진 모형 조각을 디스크(disk)를 이용해서 하나씩 분리한다.

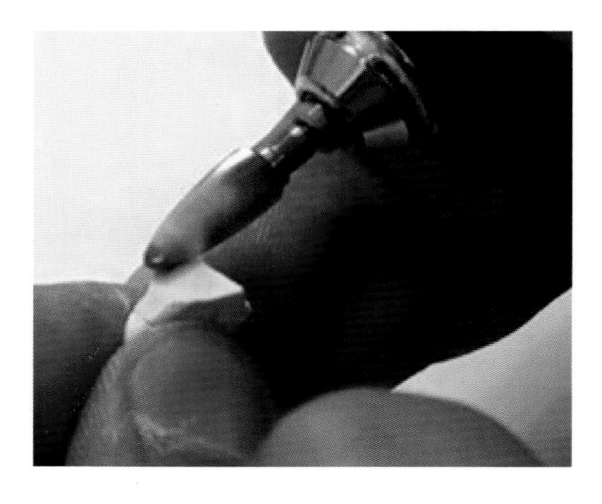

⑤ Denture bur를 이용해서 자른 조각들을 조정한다.

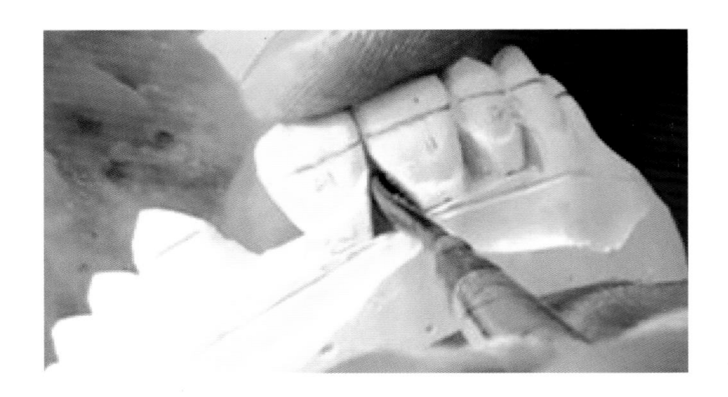

⑥ 치아 조각을 교합면(line of occlusion)에 맞추어 위치시킨 후 왁스로 고정한다.

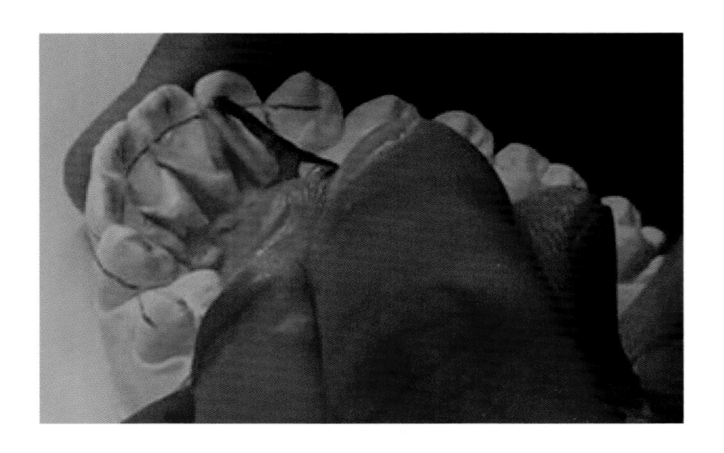

⑦ 고정한 왁스를 조금씩 녹여서 미세조정한다.

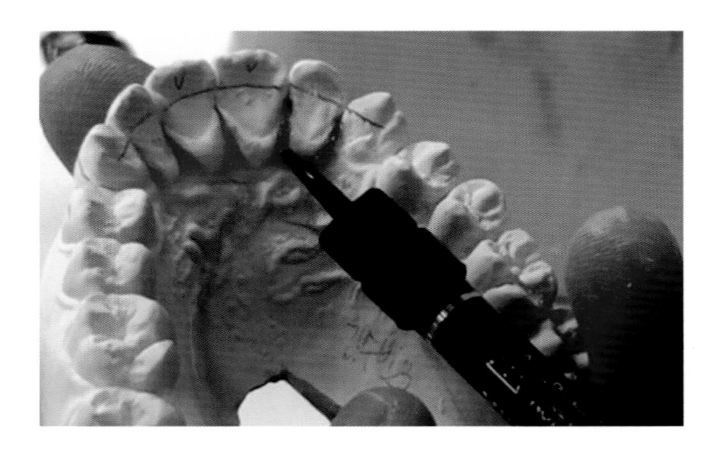

⑧ 왁스 위에 "Block out resin"을 바르고 광중합한다.

그림 1. 석고 모형의 셋업

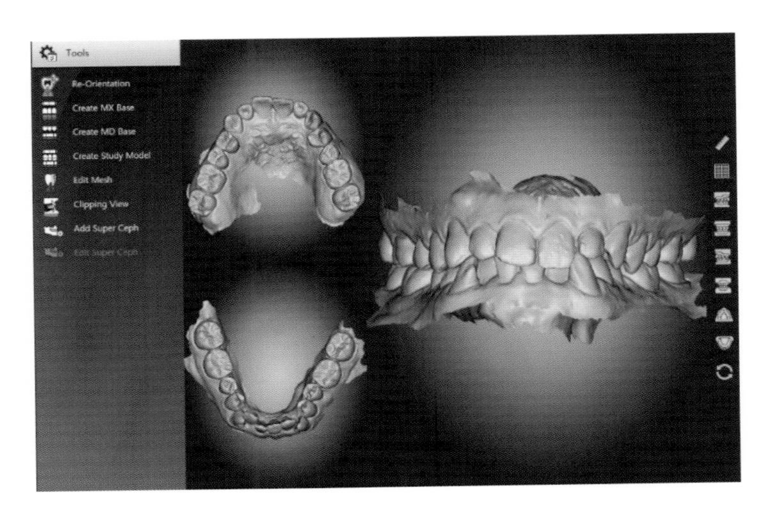

① 스캔한 STL 파일을 셋업 프로그램(autolign)에 업로드한다.

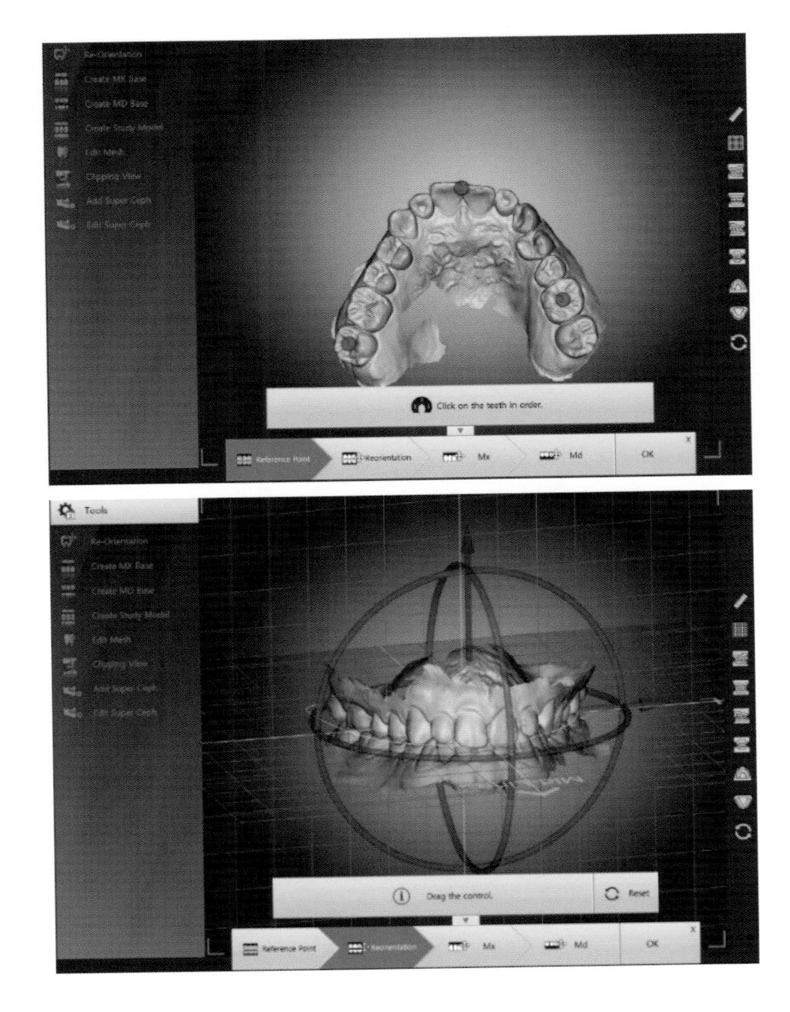

② 3개의 기준점(reference point)을 찍어 교합면을 설정 후 조정한다.

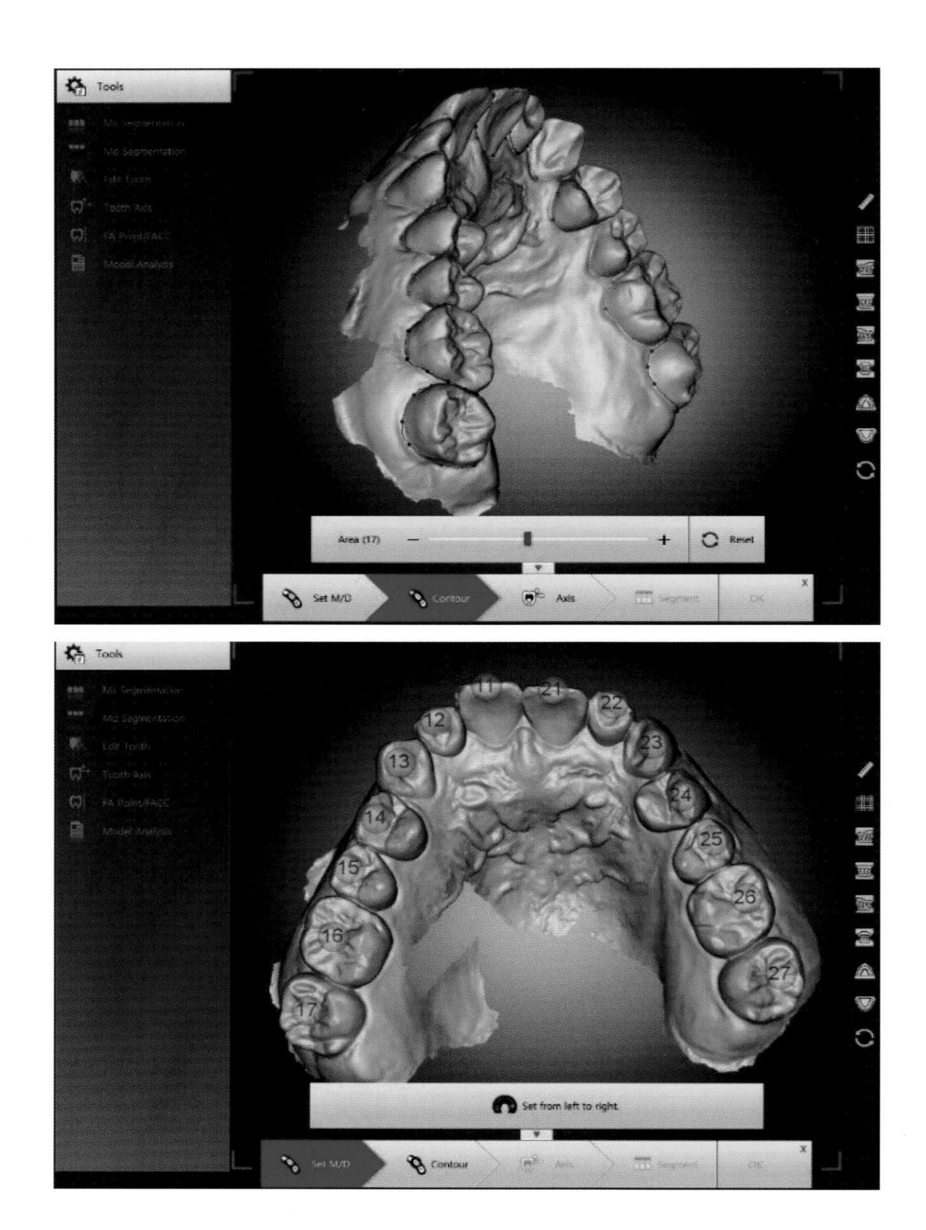

③ 각 치아의 근원심 부위를 점으로 찍으면 치아를 둘러싸는 선(spline)이 생기게 되며 이를 이용하여 치아를 분할(segmentation)한다.

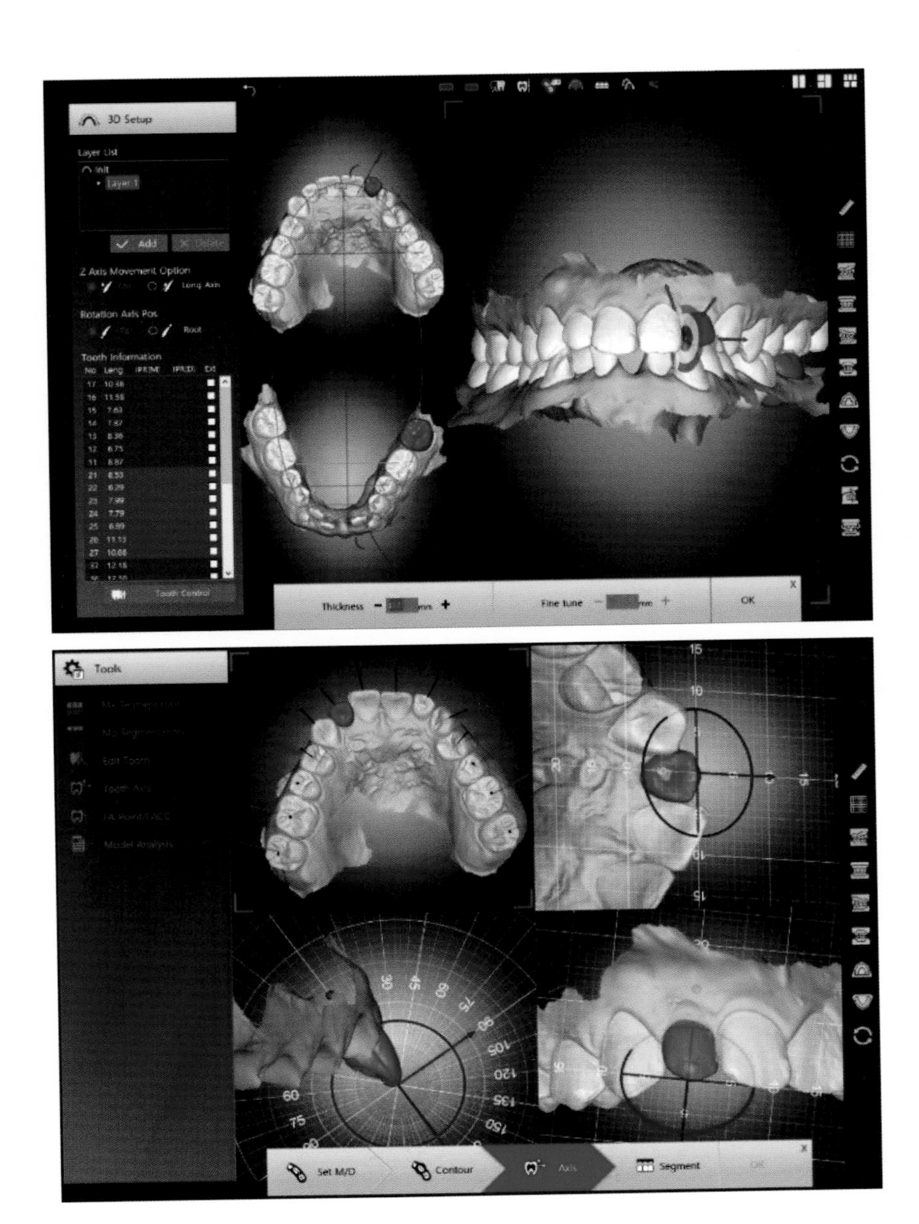

④ 셋업을 시행한다. 치아의 협설 위치, 치아의 회전, 정출 및 압하 등을
부여할 수 있으며, 자동적으로 치간삭제량이 계산된다.

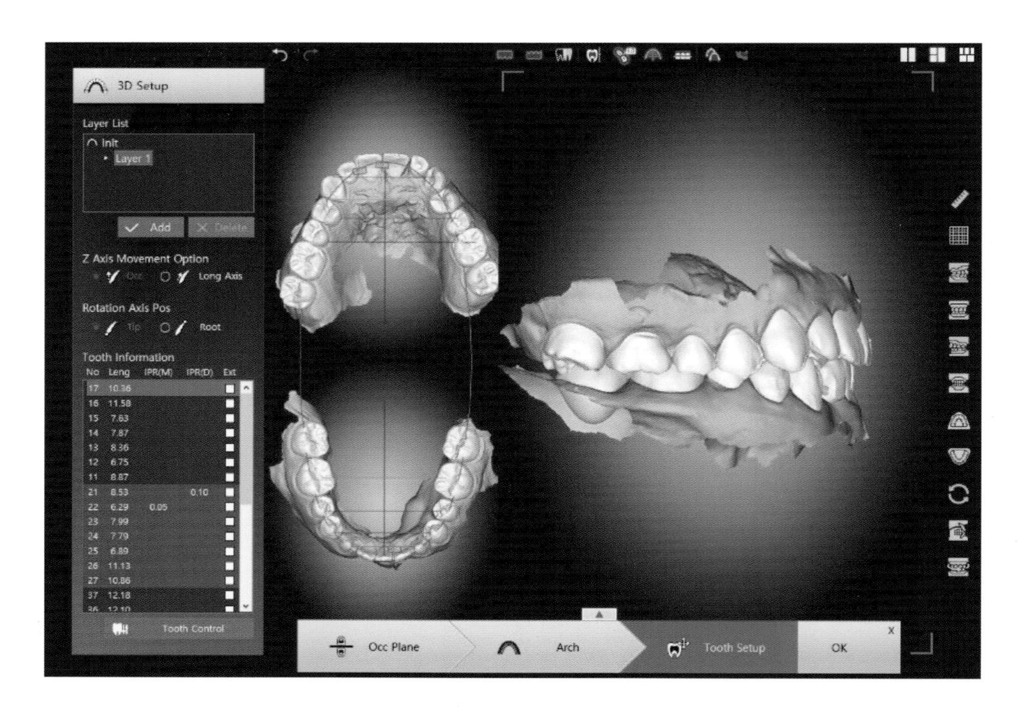

⑤ 셋업이 완료된 모델을 상하좌우측에서 관찰하여
수평 및 수직피개 등도 예측해볼 수 있다.

그림 2. 디지털 모형을 이용한 셋업 과정

04

미니튜브를 활용한 교정치료 과정

미니튜브 장치 부착

기본적인 미니튜브 부착 순서

구강 리트렉터 착용 → 치면 세마(러버컵과 퍼미스) → 산처리(30초) → 수세 → 코튼롤(cotton roll) 끼우기 → 접착제 도포 → 광중합(5초) → 미니튜브 부착 → 광중합(20초) → 플로우블 레진으로 미니튜브 덮기 → 광중합(5초)

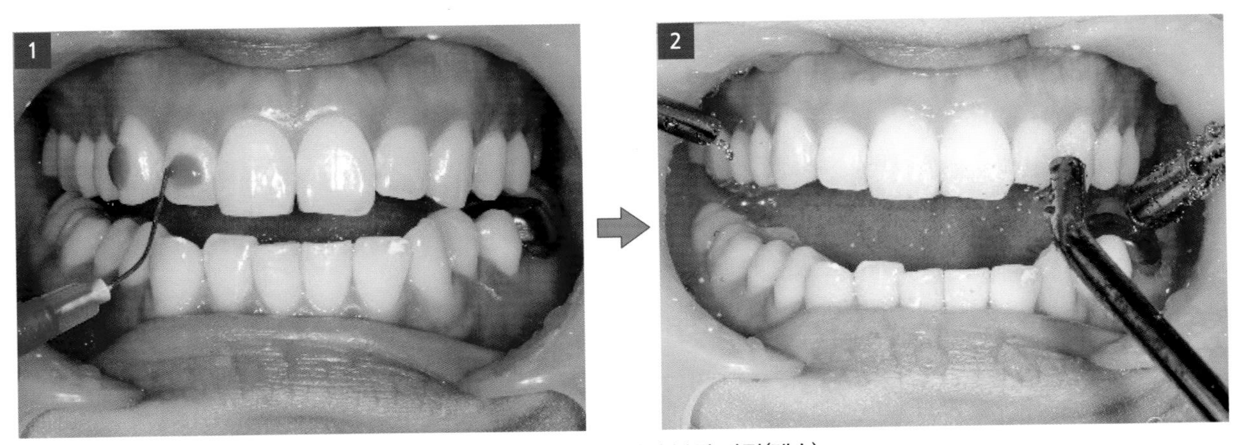

그림 1. 미니튜브 장치의 본딩 과정(계속)

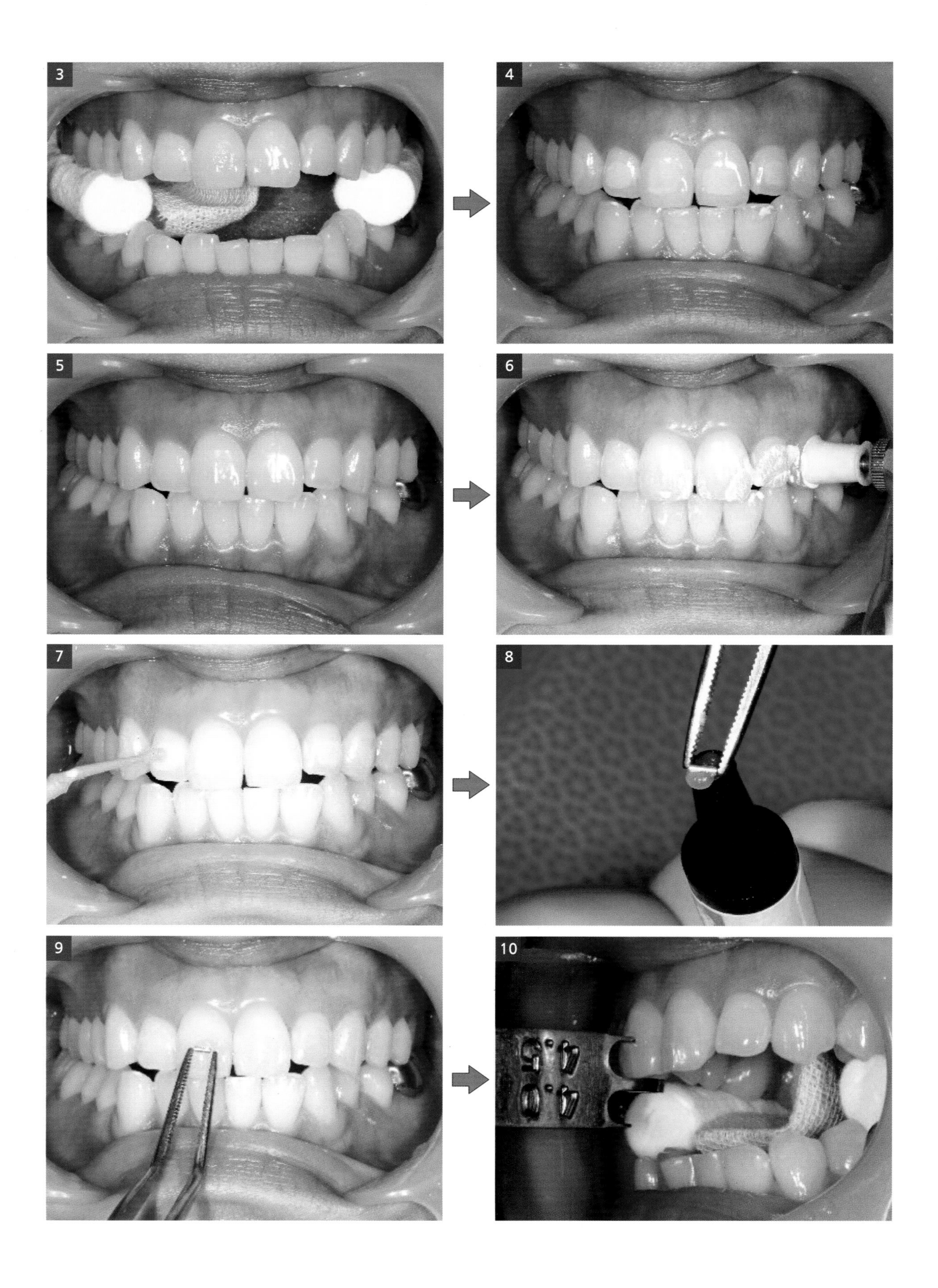
3
4
5
6
7
8
9
10

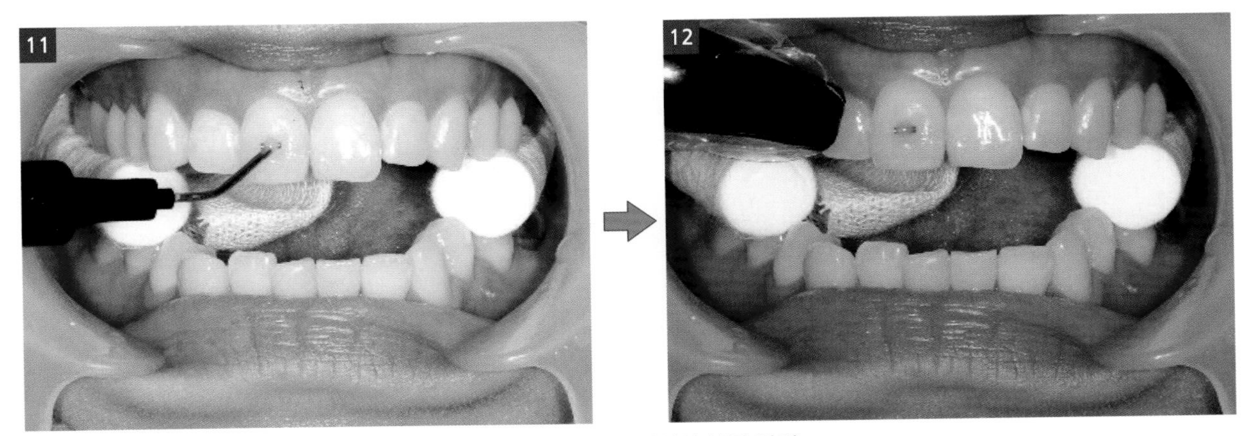

그림 1. 미니튜브 장치의 본딩 과정

미니튜브 장치 부착 위치

스트레이트와이어(straight wire) 브라켓의 부착 위치는 처방(prescription)이 제대로 발현되기 위해서 임상 치관의 중심에 붙이지만 미니튜브 장치는 처방이 없기 때문에 반드시 임상 치관의 중심에 붙일 필요는 없다. 그러나 중절치, 측절치, 견치의 높이 등을 고려하여, 부착해야하는 것은 브라켓 부착 원리와 같다. 결국, 일반적인 브라켓 부착과 같은 위치에 부착해도 좋으며, 적절히 케이스에 맞게 변형하는 것이 필요하다. 총생이 있는 경우 절단면 쪽에 붙이는 것이 배열하기가 더 좋은 때도 있다.

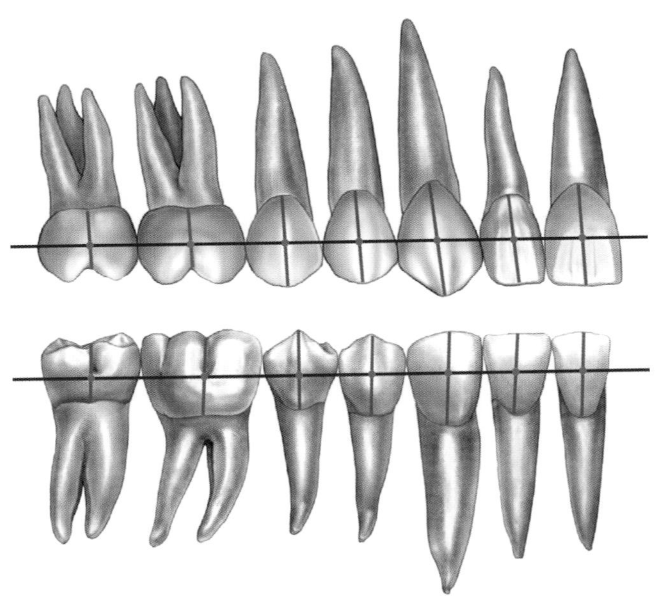

그림 2. 스트레이트와이어 브라켓의 부착 위치: 임상 치관의 중심

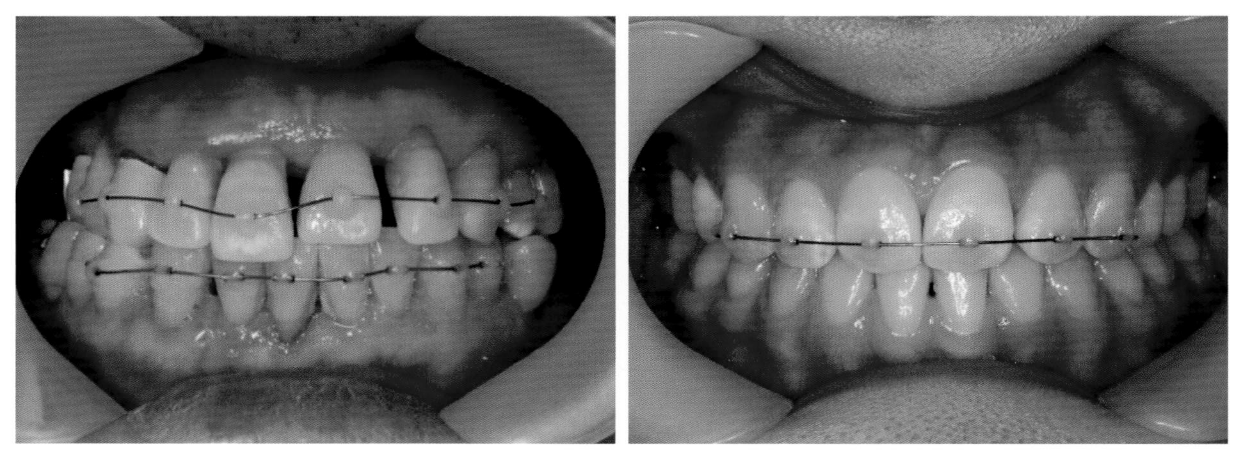

그림 3. 임상치관의 중심에 붙인 경우(좌)와 절단면 쪽에 붙인 경우(우)

절단면 쪽에 붙인다고 하더라도 기존의 브라켓 본딩과 마찬가지로 상악측절치는 상악중절치와 상악 견치보다 0.5 mm 낮게, 하악 4전치는 하악 견치보다 0.5 mm 낮게 붙이는 것이 심미적으로 좋다.

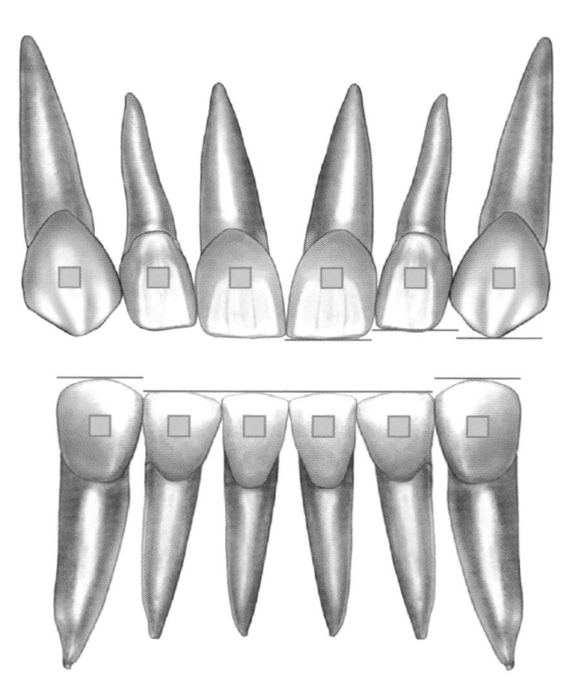

그림 4. 상하악 6전치의 장치부착 위치

교정용 와이어 삽입

총생이 심하면 바느질하듯 와이어를 미니튜브에 삽입해야 한다. 그러나 이런 경우, 와이어가 심하게 꺾여서 미니튜브 장치에 삽입하기 어렵거나, 과도한 힘이 미니튜브 장치에 작용하여 장치가 떨어지는 경우가 있다. 이러한 경우 해당 미니튜브는 우회(bypass) 시키는 것이 좋다. 한편, 총생이 있어 미니튜브 장치를 붙이면 와이어를 넣기 어려운 경우, 와이어에 미리 미니튜브를 넣고 터커로 눌러 교정용 본딩 레진으로 중합하면 쉽게 본딩과 와이어 삽입을 동시에 할 수 있다. 나이타이 와이어 양쪽 끝단을 불로 달구면, 쉽게 구부릴 수 있게 된다. 이렇게 해주면 견치 코너부위의 연조직 손상이 적어지고 와이어에 의한 불편감이 적어진다.

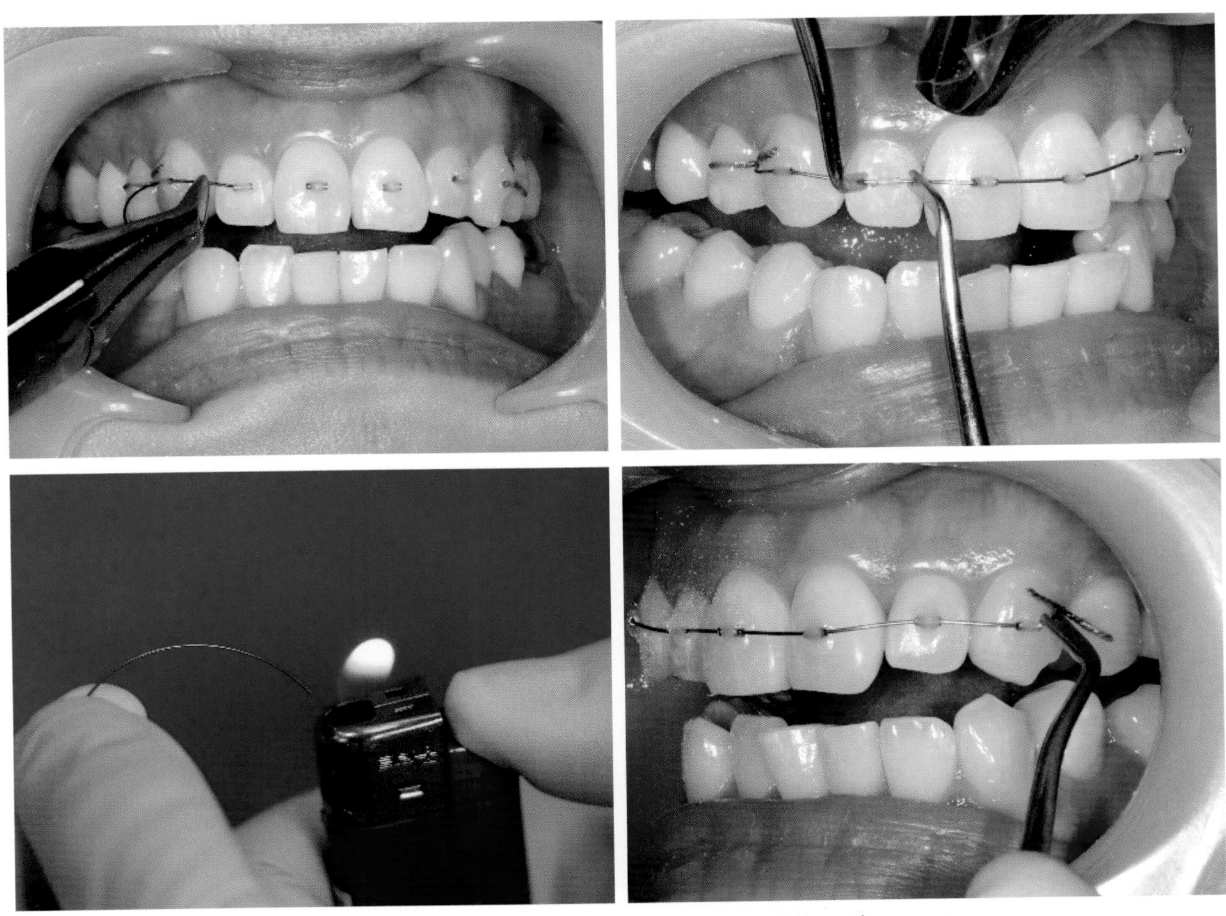

그림 5. (위 왼쪽)미니튜브에 와이어를 삽입하는 모습
(위 오른쪽)와이어에 미리 미니튜브를 넣고 교정용 본딩 레진으로 중합하는 모습
(아래)나이타이 와이어 끝단을 불로 달구고, 끝부분을 쉽게 구부리는 모습

고정원 강화 및 유지 장치(Fixed retainer)

와이어 구부리기(Wire bending)

고정원을 제1소구치부터 견치까지로 설정한다고 가정하고 설명하면, 0.0195 트리플렉스 와이어(triflex wire)를 석고모형(치면)에 대고 견치부터 제1소구치까지 치아사이 접촉점(contact point)마다 표시한다.

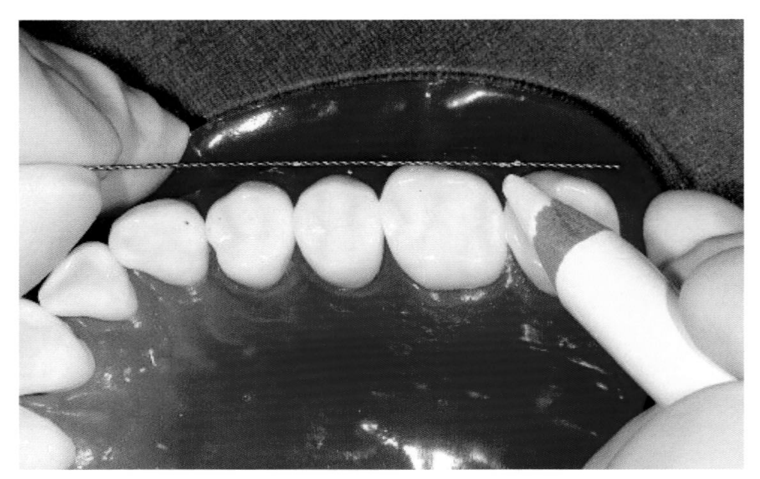

그림 6. 와이어 구부리기 준비

교정용 플라이어를 이용하여 협측 외형(buccal contour)을 형성한 후 아래 그림과 같이 치면에 밀착되게 와이어를 구부린다.

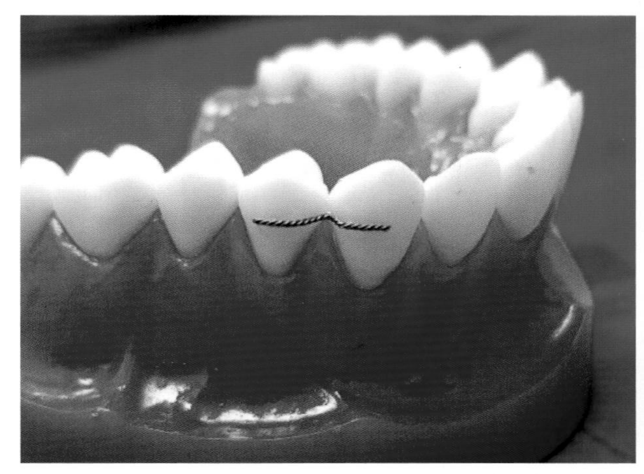

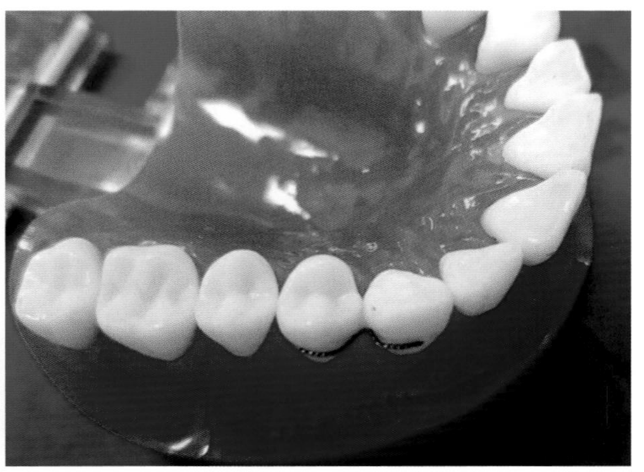

그림 7. 트리플렉스 와이어를 이용하여 치면의 협측 외형에 맞춰 구부린다.

와이어 부착

준비해 둔 와이어를 치면에 본딩하는 단계이다. 순서는 다음과 같다.
치면 세마 → 산처리(20초) → 수세 → 건조 → 접착제 도포 → 광중합 → 레진을 소량 치면에 올림(광중합 하지 않음) → 준비해 둔 와이어를 레진 위에 놓음 → 광중합 → 레진 추가 → 광중합

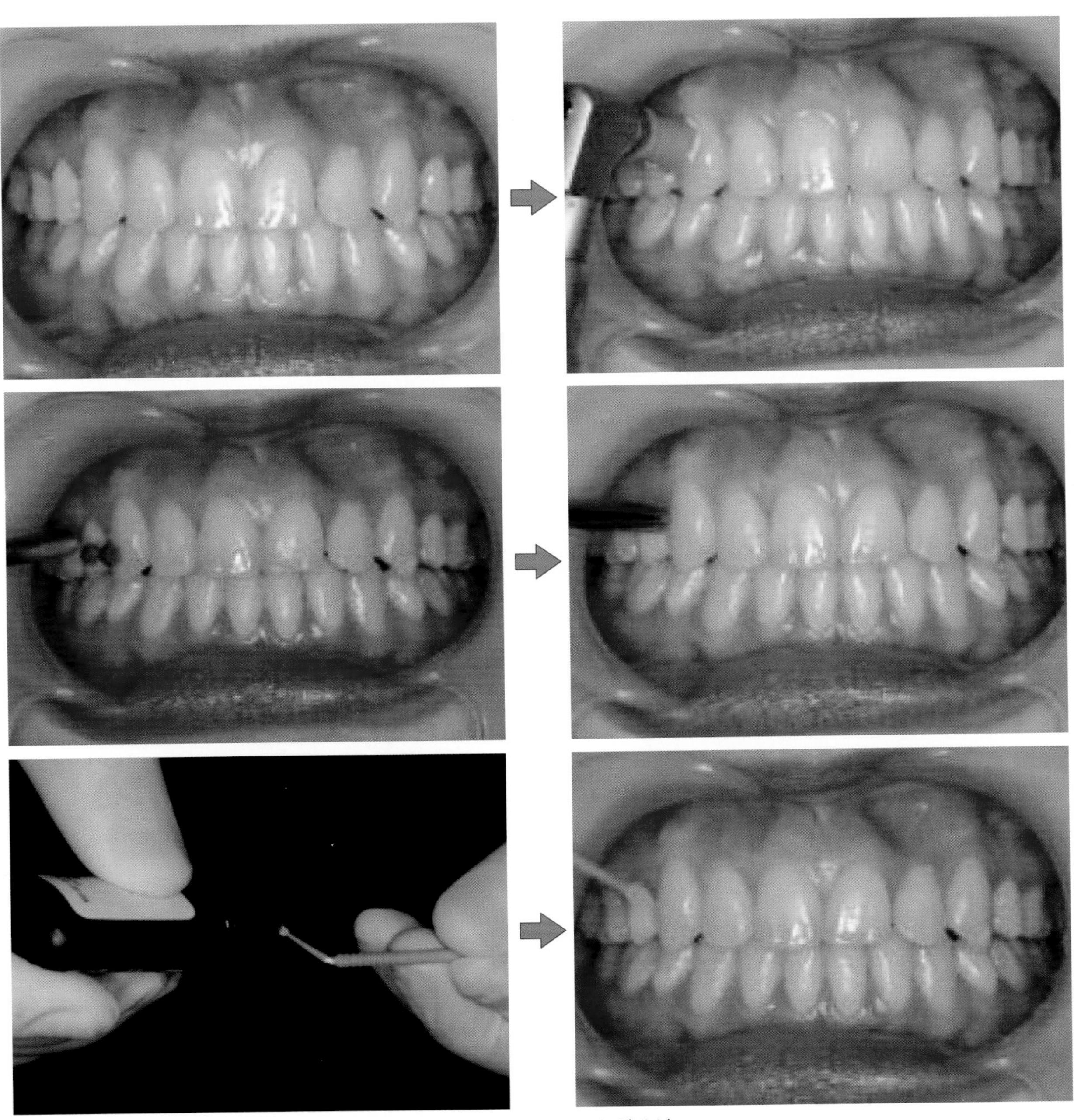

그림 8. 와이어 부착 과정(계속)

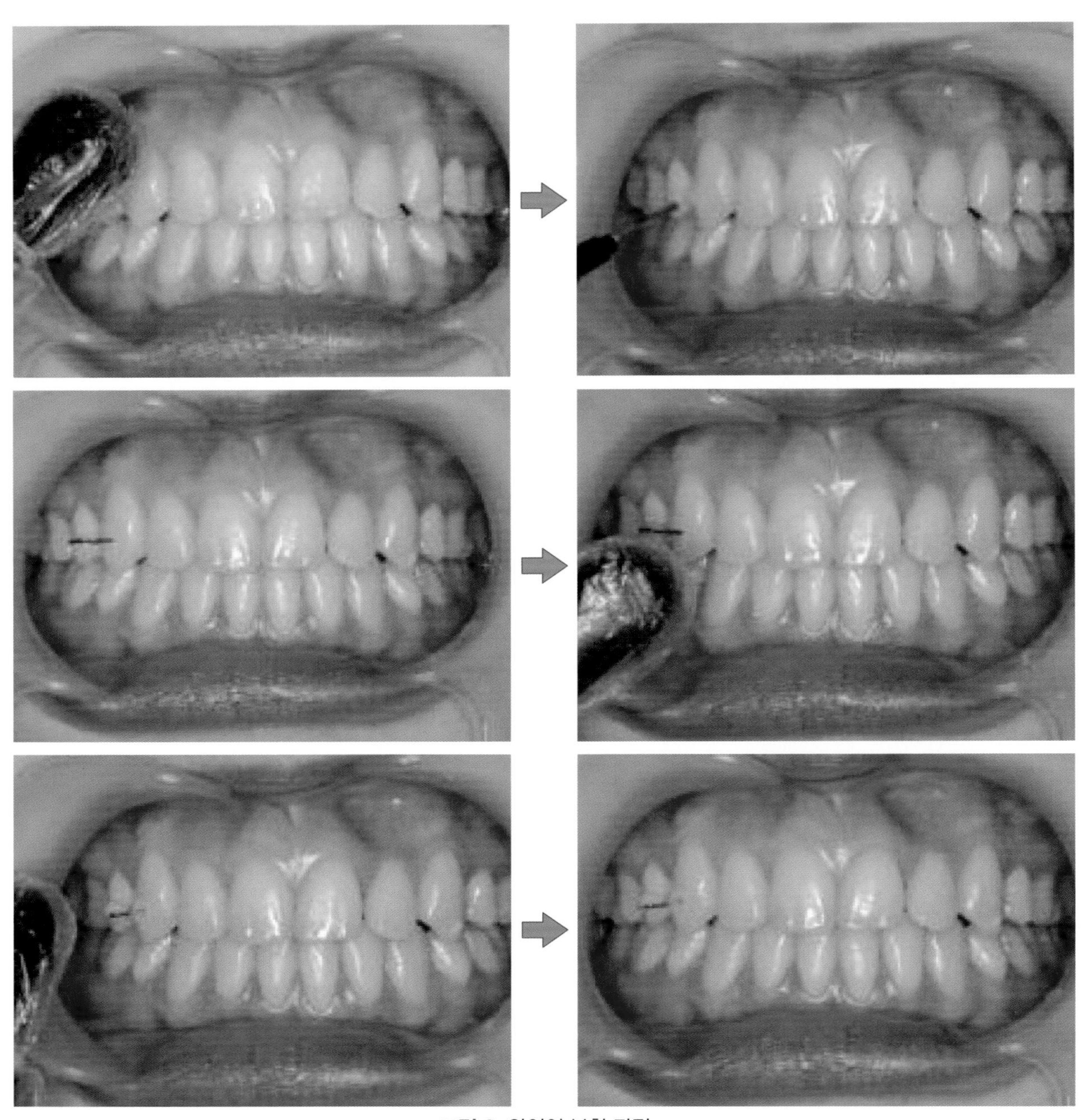

그림 8. 와이어 부착 과정

치간인접면 삭제(Inter-Proximal Reduction, IPR)

권장되는 인접면 삭제 양의 최대치는 법랑질 두께의 절반이다. 아래 표에서 권장량을 예상해 볼 수 있다. 권장량 이상의 치간인접면 삭제는 치아의 시린 증상을 유발할 수 있어 주의가 필요하다.

표 1. 치간인접면 삭제 가능한 권장량

단위(mm)	중절치		측절치		견치		제1소구치		제2소구치		제1대구치	
	근심	원심	근심	원심	근심	원심	근심	원심	근심	원심	근심	원심
상악	0.5	0.5	0.3	0.3	0.5	0.5	0.5	0.5	0.5	0.5	0.5	–
인접면 삭제량	1.0	0.8		1.0		1.0		1.0		1.0		
하악	0.3	0.3	0.3	0.3	0.3	0.5	0..5	0.5	0.5	0.5	0.5	–
인접면 삭제량	0.6	0.6		0.8		1.0		1.0		1.0		

치간인접면 삭제는 인텐시브 올소스트립(intensive orthostrip)이나 소닉 라인 같은 현재 시판되고 있는 다양한 기구들로 쉽게 할 수 있다. 그러나 이들 제품은 전용 핸드피스가 필요하다. 그 외에도 디스크(disc)나 버(bur)를 이용한 삭제를 생각해 볼 수 있다. 그러나 디스크나 버는 익숙하지 않으면 과도한 삭제나 렛지(ledge) 등이 생길 수도 있어 항상 주의해야 한다. 치아의 법랑질 삭제는 비가역적인 술식이므로 천천히 조금씩 여러 번에 걸쳐 시행하는 것이 한 번에 많은 양을 삭제하는 것보다 유리하다. 치간인접면 삭제는 치료 계획 단계에서 설정한 양만큼 정확하게 해야 하며 한 번 할 때마다 IPR 게이지(gauge)를 사용하여 측정하고, 이를 차트에 기록해야 한다. 이를 통해 한 치아를 여러 번 반복적으로 인접면 삭제를 시행하는 것을 방지할 수 있다. 총생이 있는 경우는 설측에 위치한 치아가 과도하게 순측면이 삭제되지 않도록 스트립(strip)을 삭제하려는 목표 치아 쪽으로 살짝 구부려 힘주어 사용한다. 또한 총생이 심한 경우 양면이 다 삭제가 되는 스트립보다는 단면 스트립을 사용하는 것이 좋다.

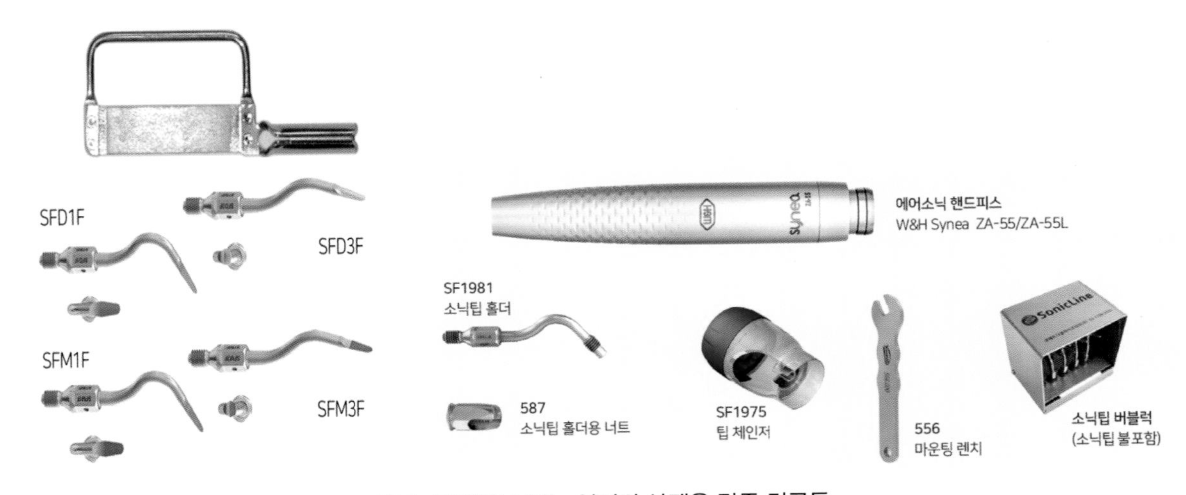

그림 9. 판매되고 있는 인접면 삭제용 각종 기구들

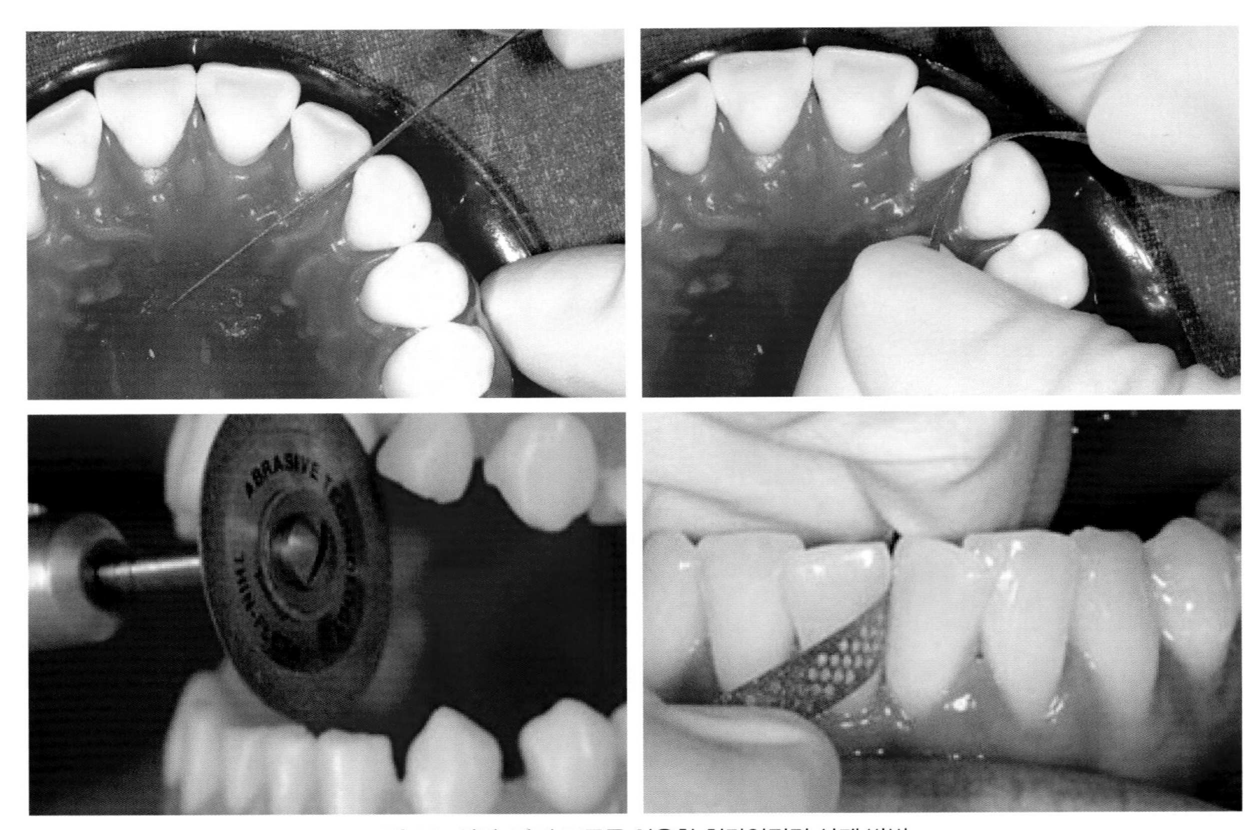

그림 10. 여러 가지 도구를 이용한 치간인접면 삭제 방법

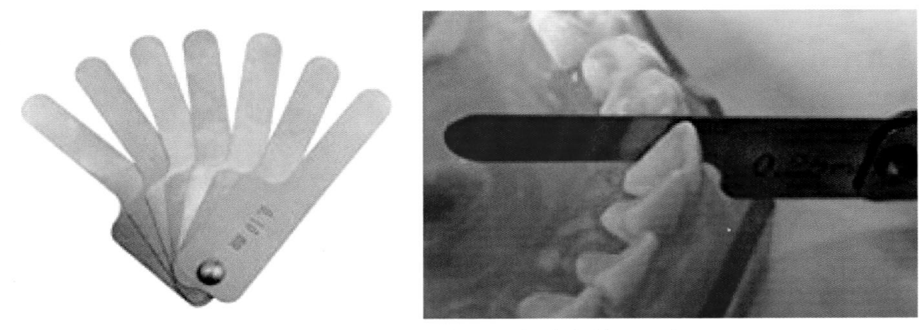

그림 11. 치간인접면 삭제 게이지(gauge)

〈시행방법〉

1. 국소마취는 필요하지 않다.
2. 주수와 함께 인접면 삭제를 시행한다.
3. 치간 인접면 삭제 게이지로 양을 측정한다.
4. 매끈한 면을 위해 수복 치료에 사용하는 스트립(Sof-Lex polishing strip)으로 폴리싱(polishing) 해준다.
5. 필요 시 불소를 도포한다.

치료 진행

- **내원 간격**: 3-4주 간격으로 내원하고, 내원 시마다 계획한 양만큼의 인접면 삭제를 필요한 부위에 추가 해준다.
- **공간 폐쇄가 필요한 경우**: 치아의 배열(leveling과 aligning)이 완성되면, 부분적인 공간 폐쇄를 시작한다. 고무줄을 걸면 작용과 반작용으로 인해 걸어준 치아의 원심 쪽으로 공간이 이동할 수 있으므로 움직이지 않아야 하는 치아는 고정식 유지 장치(fixed retainer)로 여러 치아를 부착하여 고정원을 강화해준다.

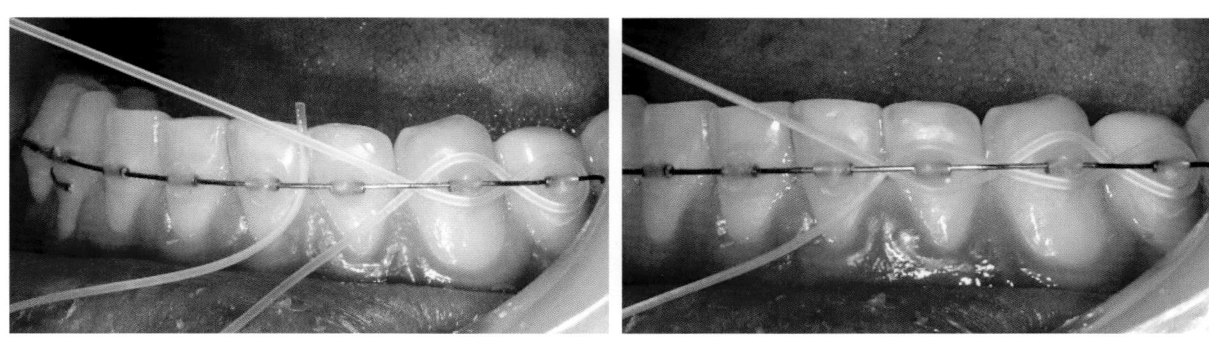

그림 12. 고무줄(elastic thread) 넣는 방법
브라켓과는 달리 와이어 하방으로 고무줄를 팔자 형태로 묶는다.

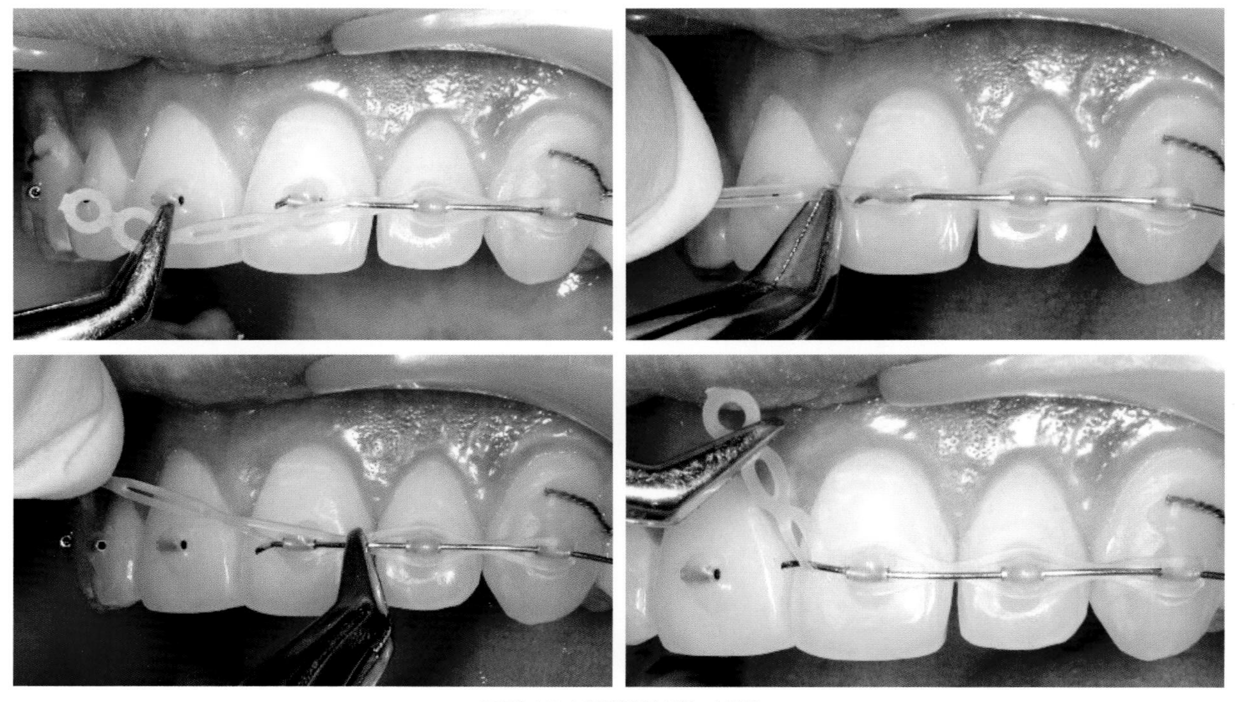

그림 13. 파워체인 거는 방법

순측 확장으로 공간확보

아래 그림에서 보는 바와 같이 경미한 총생의 경우는 장치 부착 후 012 나이타이 와이어만으로도 와이어의 확장력에 의해 순측으로 넓게 펴질 수 있다. 이때에도, 약간의 인접면 삭제가 치아이동을 좀 더 원활하게 해주는 경우가 많다. 필요하면 인접면 삭제를 고려해야 한다.

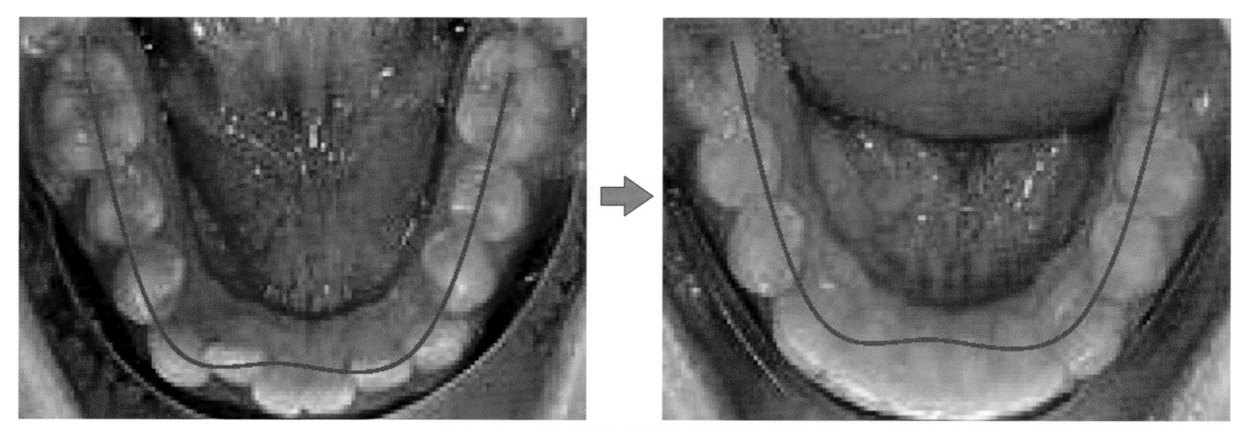

그림 14. 순측 확장배열을 통한 공간확보

장치의 제거(Debonding)

와이어가 삽입되어 있는 상태에서 미니튜브 장치의 근원심을 잡고 살짝 힘을 주어 비틀면 미니튜브가 구겨지면서 장치가 쉽게 떨어진다. 잔여 레진은 저속 라운드 카바이드 버(round carbide bur)를 이용하여 제거하면 된다.

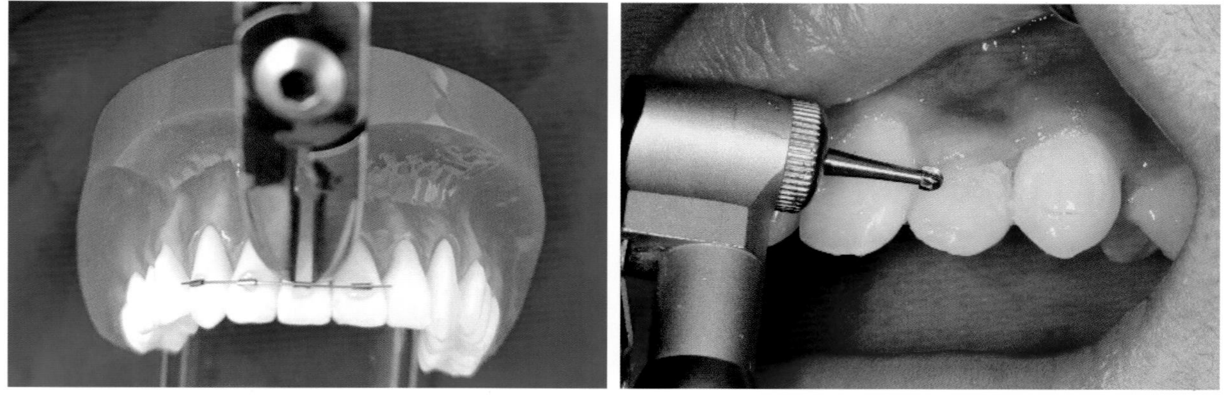

그림 15. 미니튜브 장치의 제거와 저속 라운드 버를 이용하여 잔여 레진 제거

유지 관리

고정식 유지 장치(Fixed retainer)

직접 제작 방식

- **준비물**
  1. 0.195 트리플렉스 와이어
  2. 영플라이어, 쓰리죠 플라이어
  3. 마킹펜
  4. 석고 모형

- **과정**

고정식 유지 장치

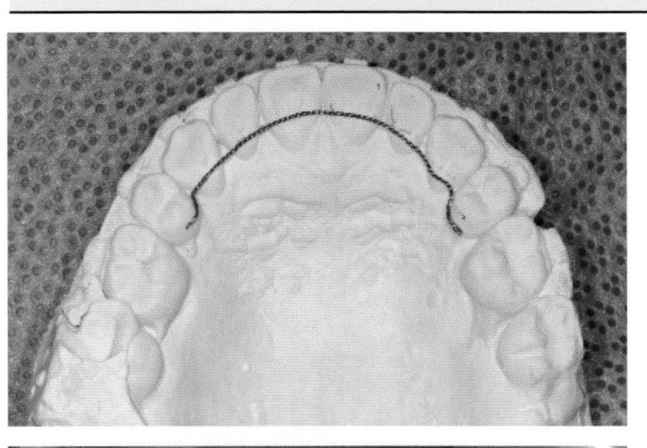

1. 한쪽 견치의 설면에서부터 반대쪽 견치의 설면까지 균일하게 접촉이 이루어지도록 제작한다. 필요에 따라서 좌, 우측 제1소구치의 설면까지 와이어를 연장한다.

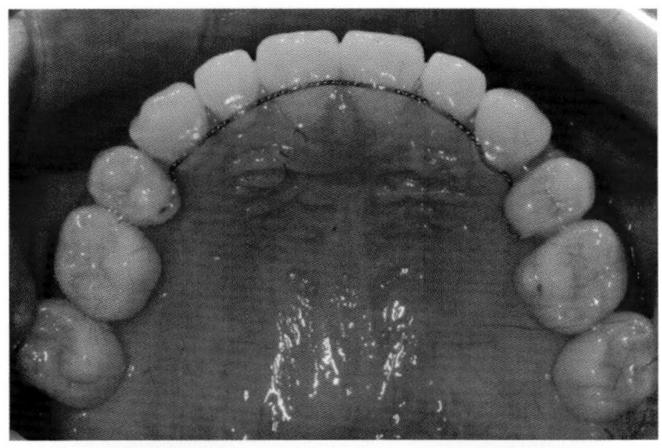

2. 대합되는 하악전치와 와이어가 교합되지 않도록 유의하며 전치 설면에 균일하게 접촉시킨다.

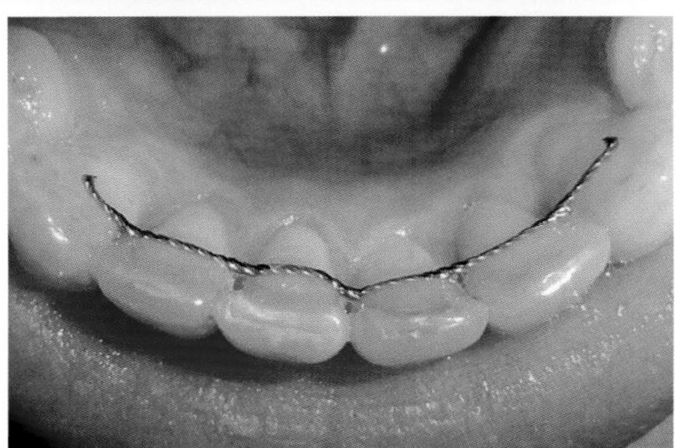

3. 하악 유지장치를 구강 내에 접착한 사진

- **구강 내 부착 과정**

준비해둔 고정식 유지장치를 치면에 접착하여 본딩하는 단계이다. 순서는 다음과 같다.
고정식 유지 장치의 가이드를 위한 지그(jig)를 레진 등으로 제작한다 → 치면 폴리싱 → 수세 및 건조 → 산처리(20초) → 수세 및 건조 → 타액 격리용 거즈 적용 → 접착제 도포 → 광중합 → 지그를 이용하여 고정식 유지 장치 적합 → 레진 적용 → 광중합 → 지그 제거

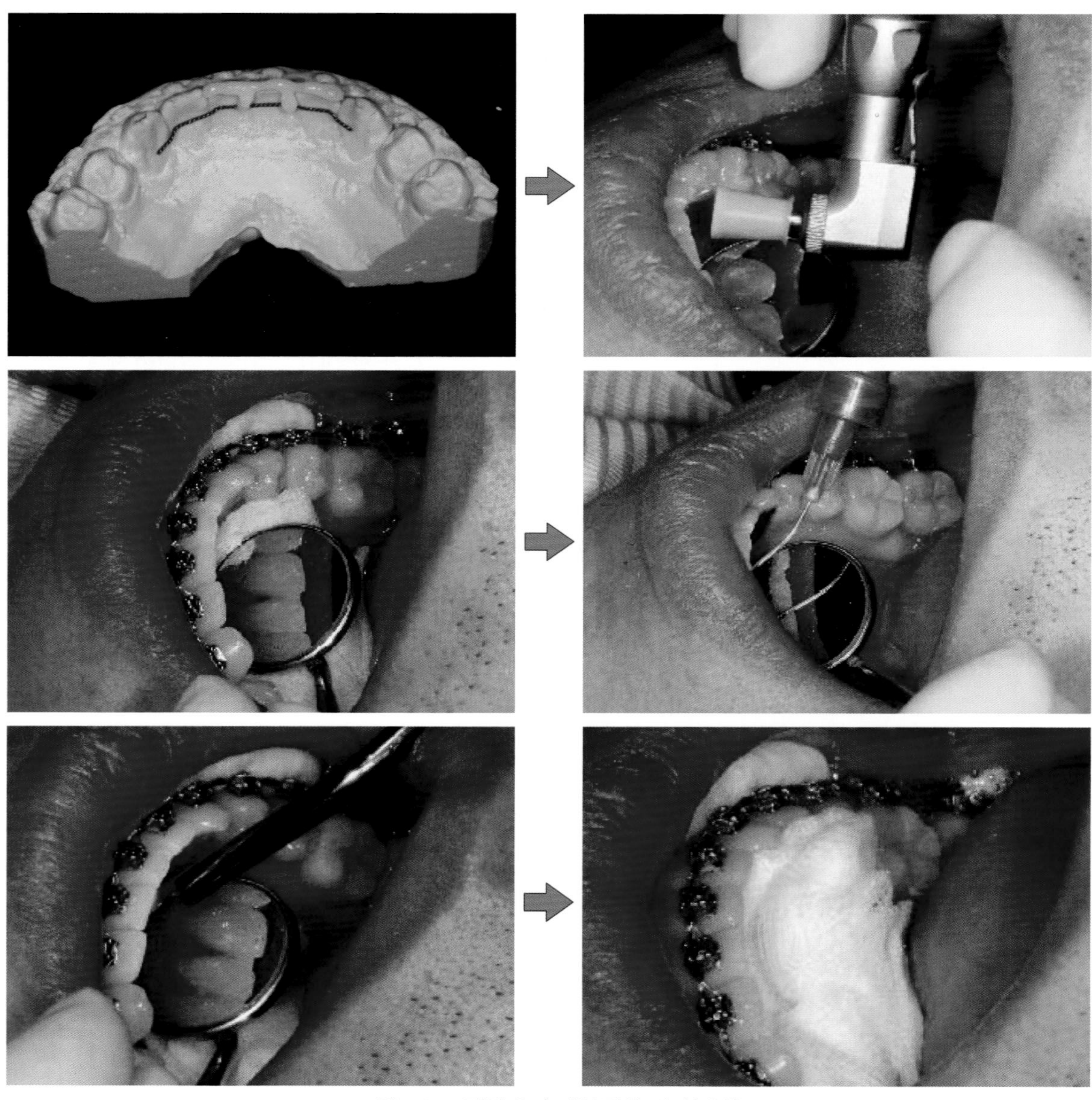

그림 16. 고정식 유지 장치 접착 과정(계속)

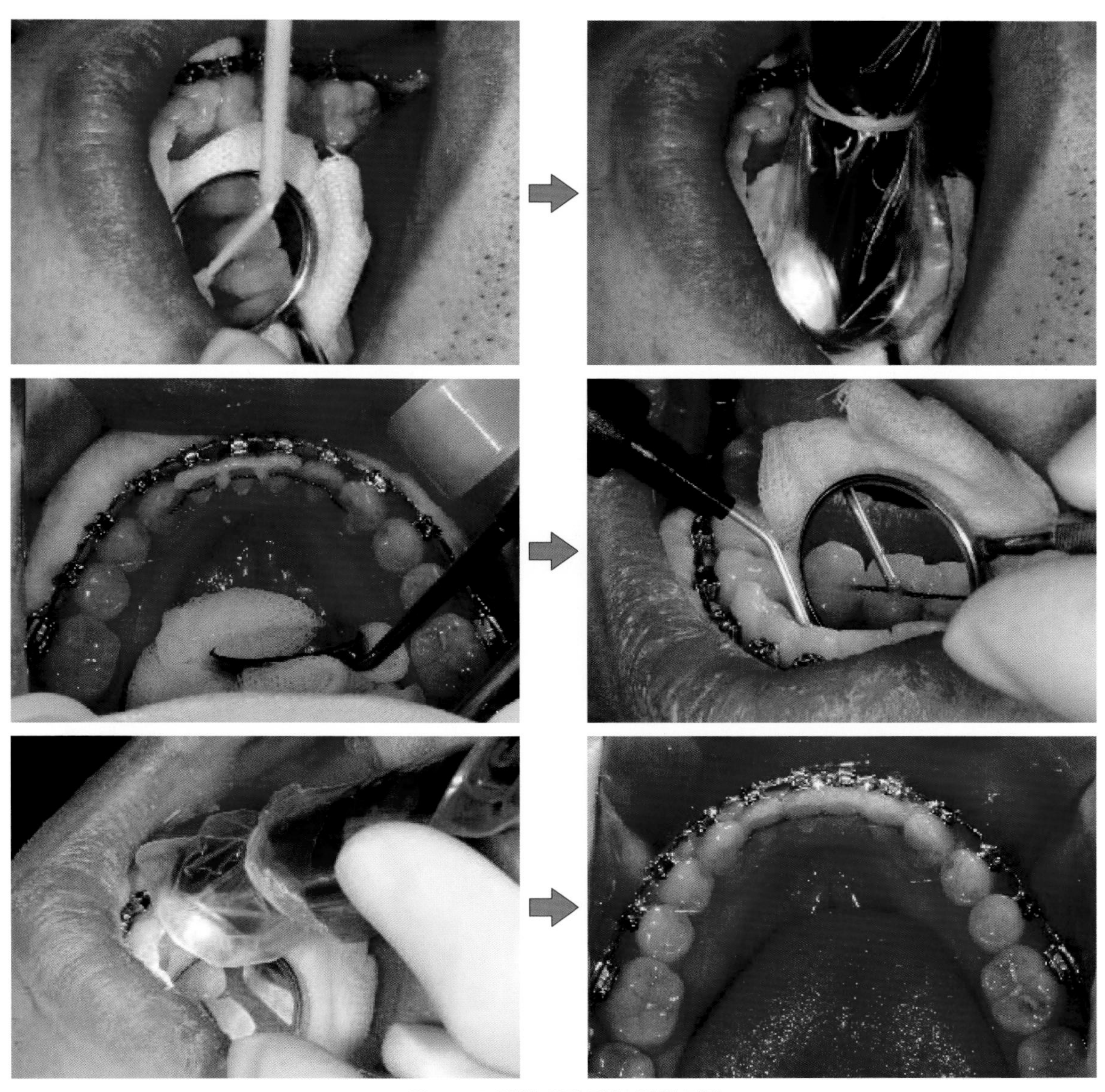

그림 16. 고정식 유지 장치 접착 과정

CAD/CAM 제작 방식

- **NT-TAINER (스마일캐드㈜, CAD/CAM으로 제작된 고정식 유지 장치)**
  - 치열의 표면을 3차원 스캐닝 후 CAD/CAM으로 초탄성 형상기억 합금 소재로 제작된다.
  - 치아에 밀접하게 제작되어 음식물, 치태, 치석이 생길 확률이 현저히 줄어든다.
  - 단면이 치아 형태를 반영한 모서리가 둥근 평형사변형으로 혀의 자극이 훨씬 적다.

• 과정

순서는 다음과 같다. 구강 내 스캔 또는 모형의 스캔 → CAD 디자인 → CAM 제작 → 구강 내 부착

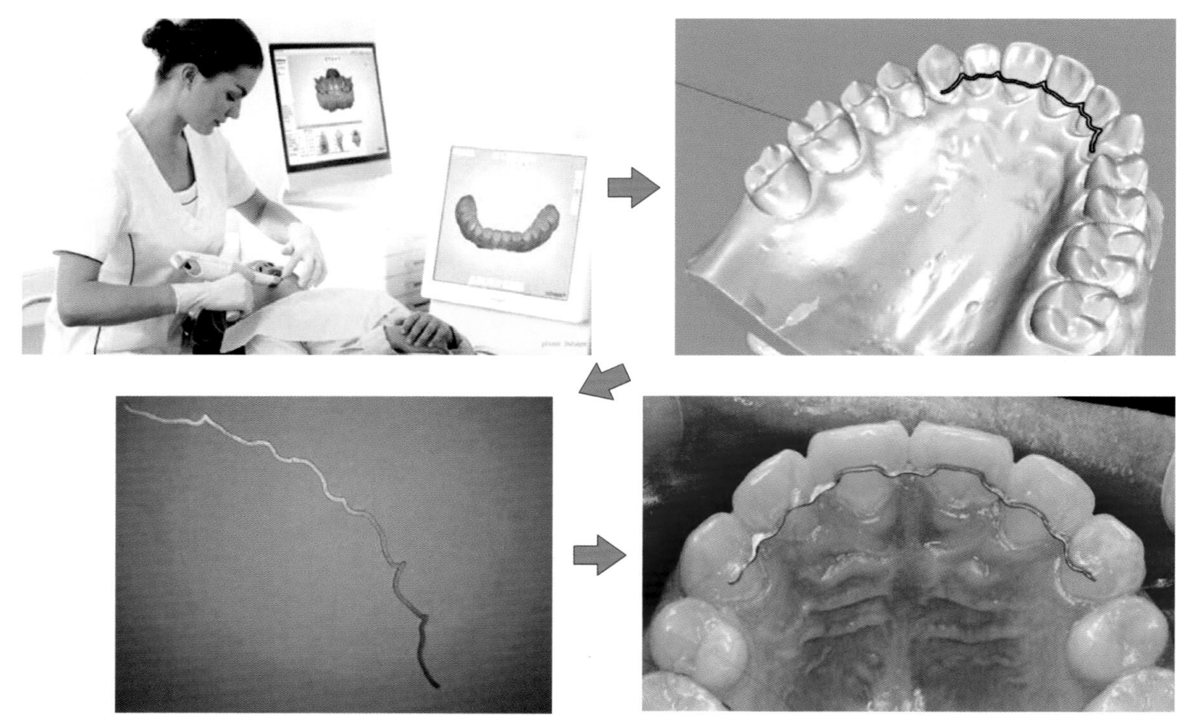

그림 17. CAD/CAM 방식의 고정식 유지 장치

가철식 유지 장치

치주환자들의 경우 치아의 동요도로 인해 고정식 유지 장치가 자주 탈락한다. 이에 대비하기 위해 소구치 또는 대구치까지의 가철식 유지 장치를 사용하기도 한다.

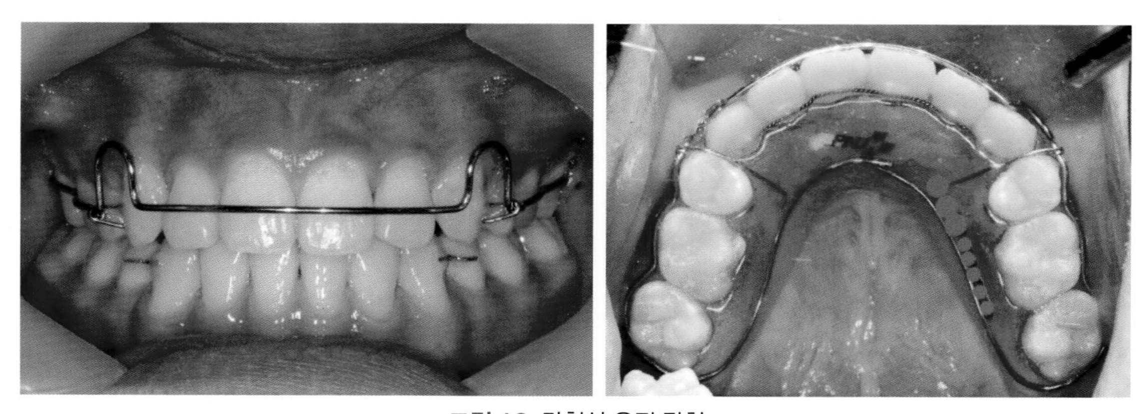

그림 18. 가철식 유지 장치

05

미니튜브를 활용한 교정치료 생역학 및 활용

1st, 2nd, 3rd order

기존의 처방(prescription)이 있는 브라켓은 베이스(base) 높이에 따라 1st order (line of occlusion)를 맞추고 와이어가 삽입되는 수평적 공간의 기울기에 따라 2nd order (tip, 근원심 기울기)를 맞춘다. 특히 각형의 와이어는 3rd order (torque, 순설측 기울기)를 조절 할 수 있다. 이에 반하여 베이스도 없고 내부가 원형인 미니튜브 장치는 스탠다드 에지와이즈 브라켓(standard edgewise bracket)처럼 장치 부착만으로 in-and-out이 조절되지 않는다. 또한, 나이타이 와이어를 사용하므로, 구부린 채로는 와이어를 넣을 수가 없어 전체 악궁에 적용하기는 쉽지 않다.

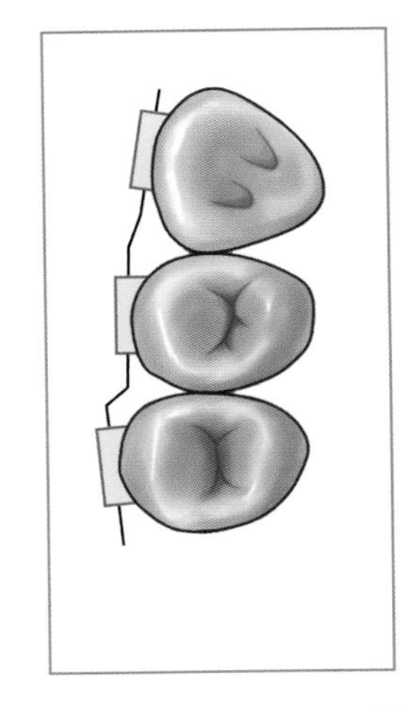

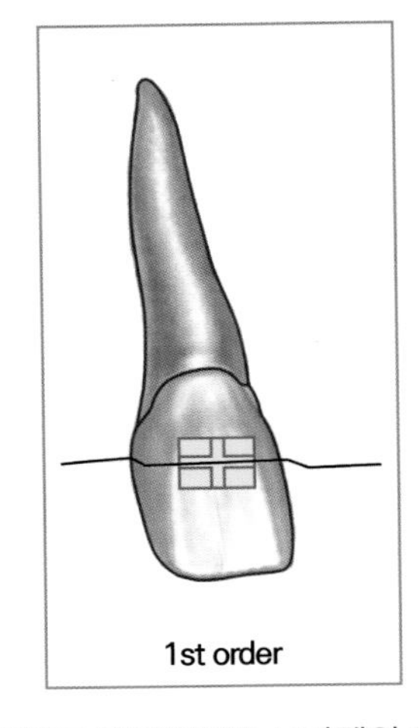

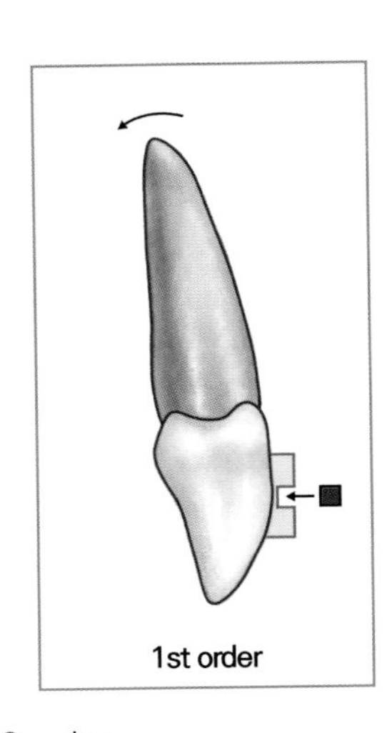

그림 1. 스탠다드 에지와이즈 브라켓의 1, 2, 3 order

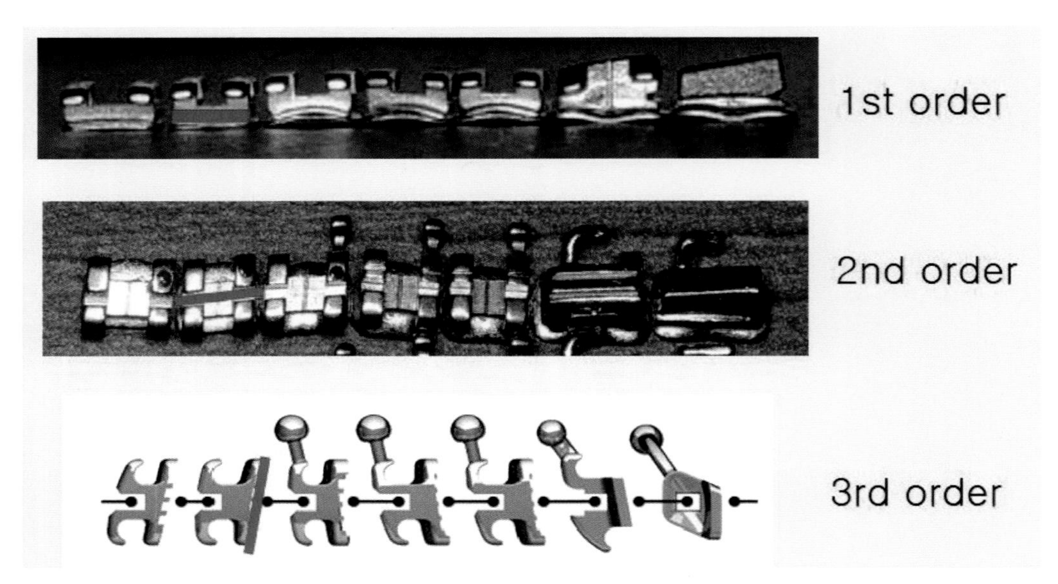

그림 2. Preadjusted bracket의 1, 2, 3 order

팁(tip)조절은 미니튜브 부착과 와이어의 힘으로 시간이 흐르면 자동적으로 개선되지만 조금 더 적극적으로 개선하기를 원하면 파워암(power arm)을 사용하거나 회전력을 높이기 위해 길이가 긴 튜브를 사용한다.

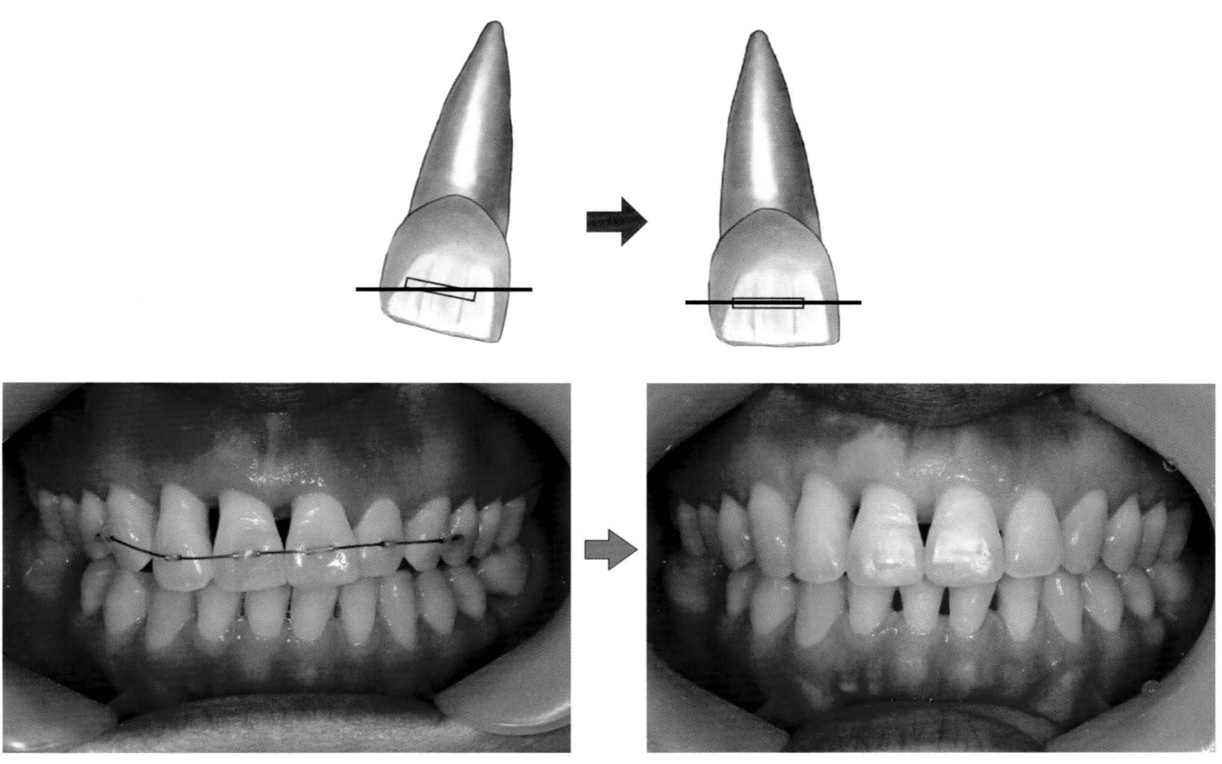

그림 3. 2nd order 조절을 위한 미니튜브 장치의 부착과 와이어 삽입

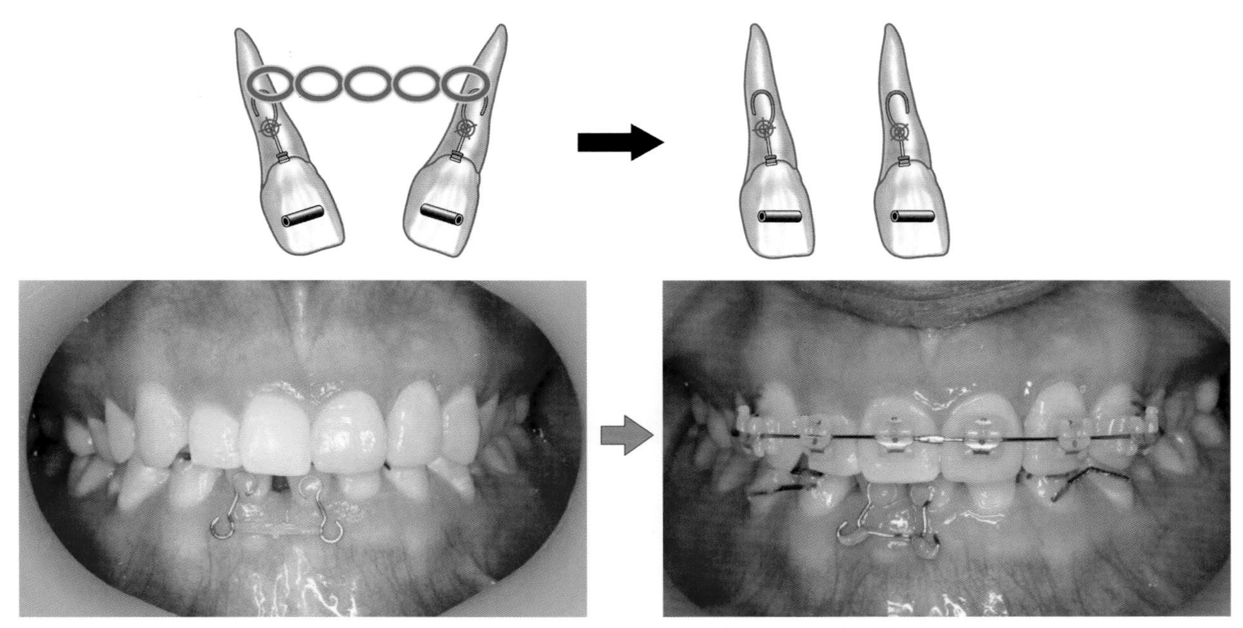

그림 4. 2nd order 조절을 위한 파워암(power arm) 적용

토크(torque) 조절은 더블 와이어를 붙이면 된다.

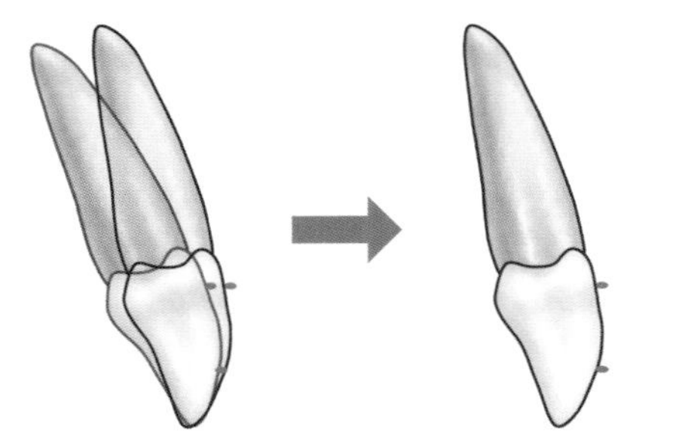

그림 5. 토크 조절을 위한 더블 와이어 테크닉

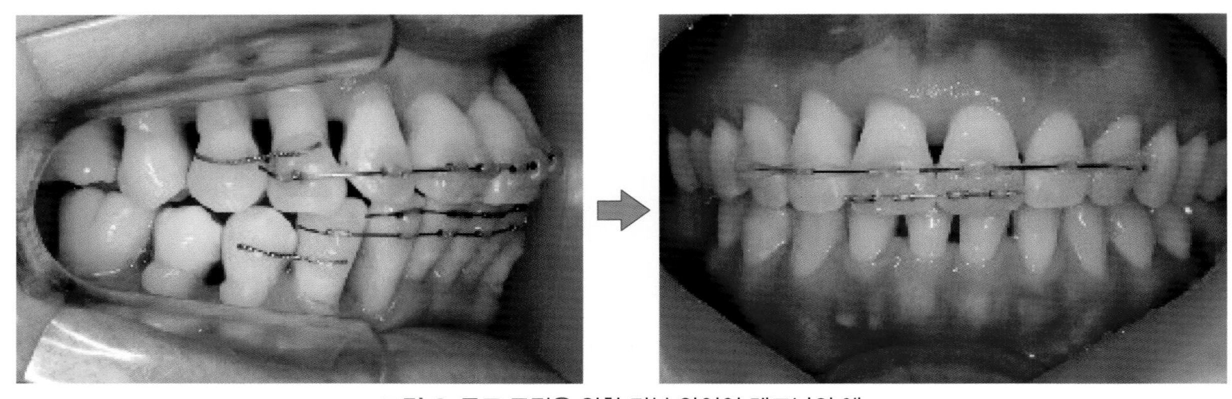

그림 6. 토크 조절을 위한 더블 와이어 테크닉의 예

더블 와이어로 토크 조절 증례

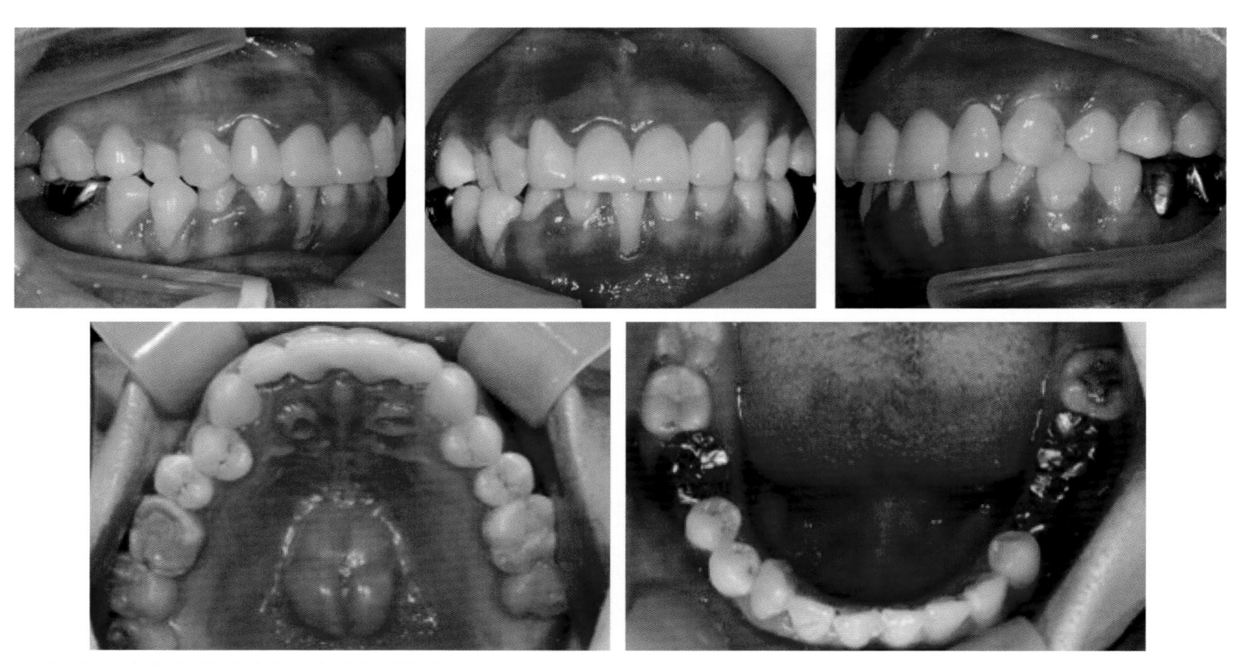

초진 시 구내사진: 하악전치부에 치은퇴축의 발생을 주소로 내원한 환자이다. 치주과에서 치은이식술의 안정성을 높이기 위해 하악전치부의 교정적 처치를 우선 의뢰하였다. 하악 우측 전치가 순측으로 변위되어, 치은이식술 이전에 미니튜브 장치로 치아 배열을 시행하기로 하였다.

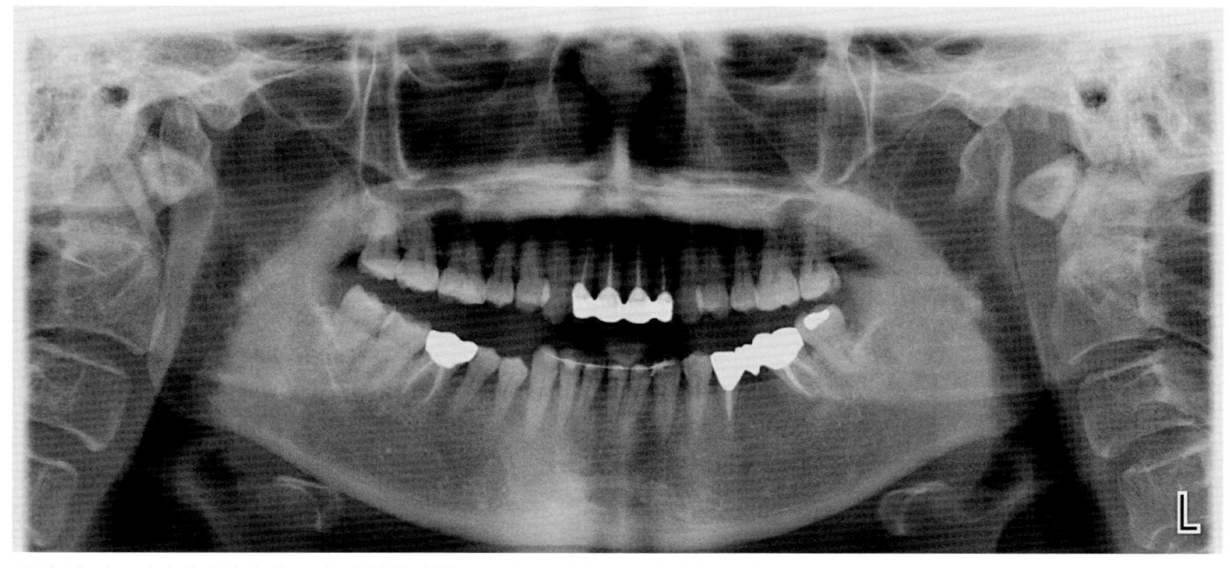

초진 시 파노라마방사선사진: 4년 전 하악전치부 부분 교정치료 시행하여 고정성 유지장치 부착한 상태로 내원하였다.

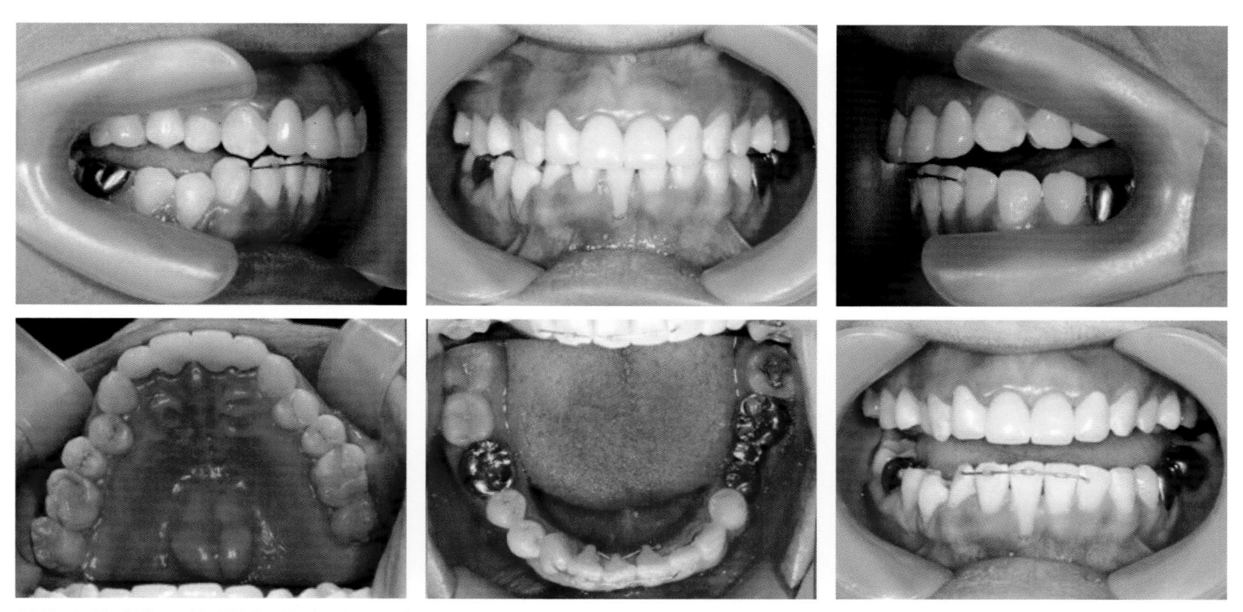

하악 우측전치부의 배열을 위해 해당부위 고정성 유지장치를 제거하였다. 순면과 설면에 미니튜를 부착하였다. 하악 우측 전치의 설측 치근이동을 위하여, 좌우측 치아의 설면에 레진 베이스를 두껍게 쌓았다. 순면과 설면에 014 나이타이 와이어를 사용하였다.

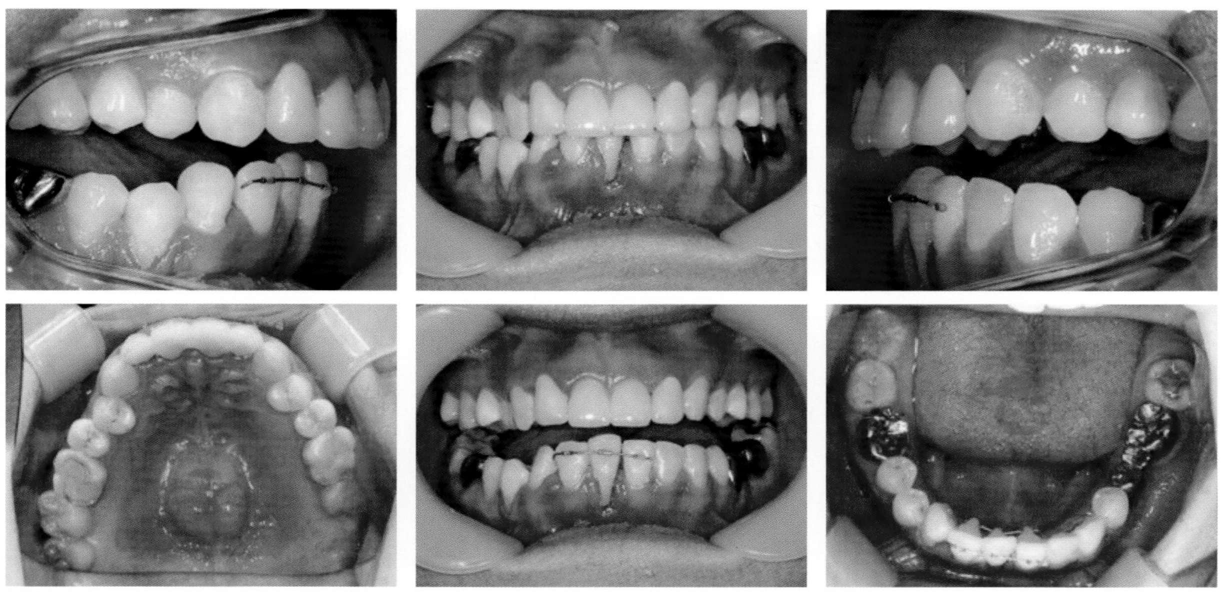

치료 2개월 후: 하악 우측 전치의 순면에 레진을 RMGI로 교체하였다. 하악 우측 전치의 위치가 설측으로 적절히 위치한 이후, 치주과에서 하악 우측전치부 치은이식술을 시행하였다. 치은이식술 시행 이후에 해당치아의 압하를 추가적으로 시행하기로 계획하였다.

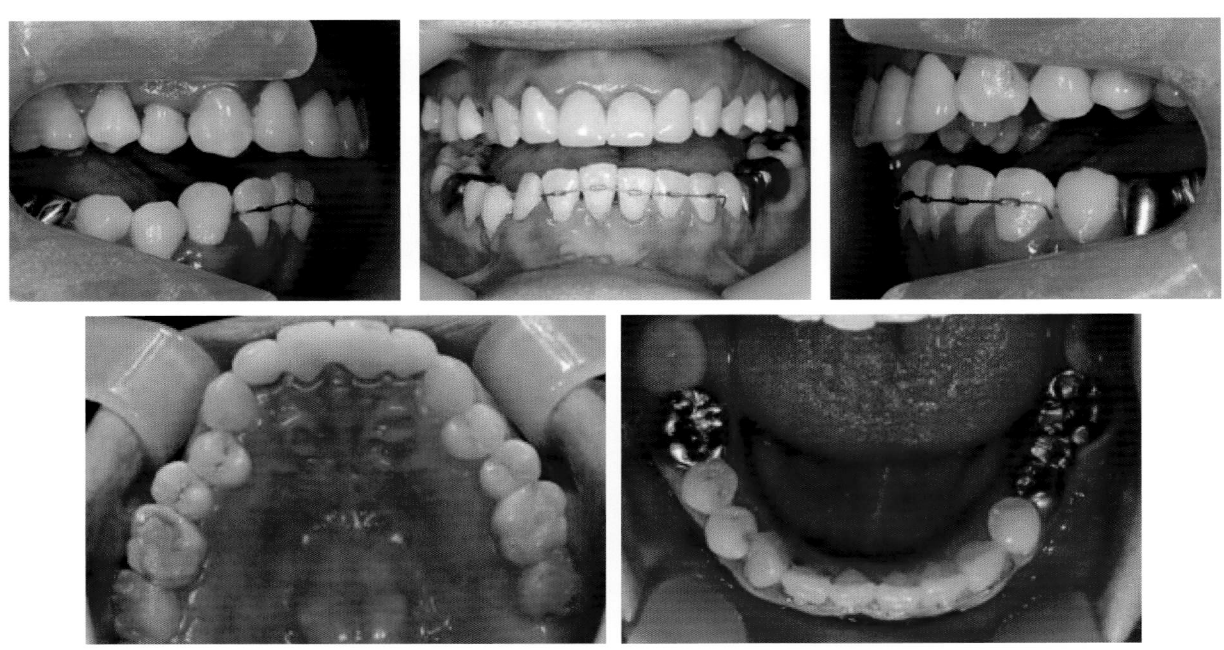

치료 13개월 후: 하악전치부의 배열 완료되었으며, 치은이식부위 안정성 관찰되었다.

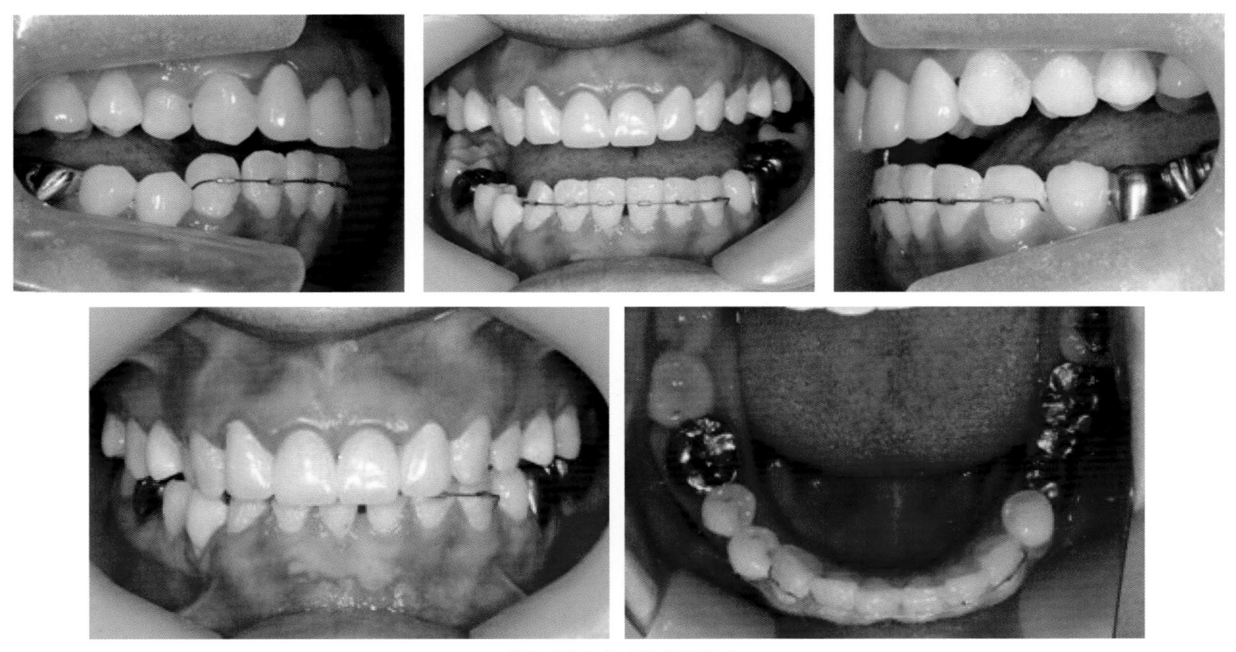

치료 종료 후 구강내사진

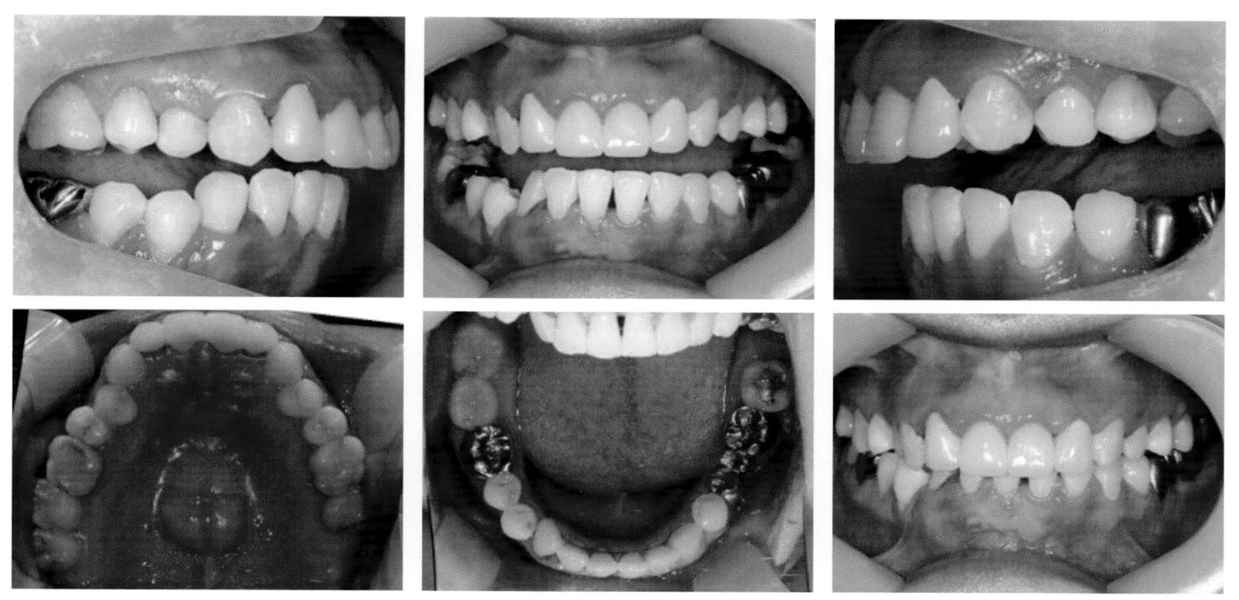

하악전치부의 미약한 치은퇴축의 재발이 관찰되었으나, 치주과에서 주기적으로 경과관찰 후 필요 시 추가적인 치은이식술 시행하기로 하였다.

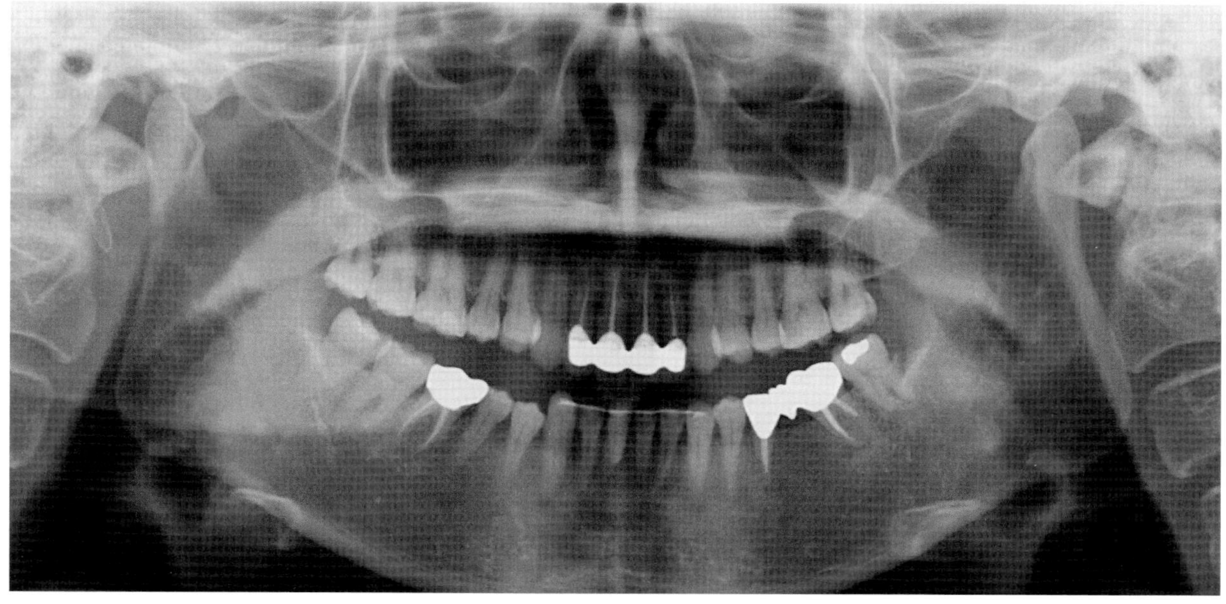

치료 종료 후 방사선사진

함입

정출된 치아주변으로 공간이 있는 경우 아래 그림과 같이 함입을 하게 되면 전치가 설측으로 가면서 자연스럽게 공간이 폐쇄된다. 따라서 절치사이 공간이 있는 경우 함입을 하면 공간이 잠식되어 쉽게 공간 폐쇄가 이루어진다. 간혹, 하악 대합치의 간섭에 의해 공간이 폐쇄되지 않는 경우가 있으므로, 이때는 교합지를 확용하여 접촉부위가 있는지 확인이 필요하다.

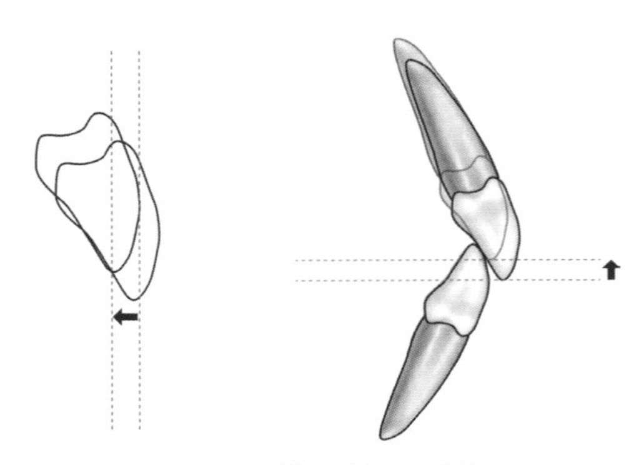

그림 7. 함입과 공간 폐쇄

함입을 하는 방법은 견치와 소구치를 고정식 유지장치로 고정원을 보강하고 견치 위치의 미니튜브보다 아래쪽으로 4전치의 미니튜브를 부착하면 된다. 특히 치주질환으로 인한 정출 및 공간이 생긴 환자는 함입되면서 자연스럽게 공간이 폐쇄된다. 그러나 함입하고자 하는 치아가 많은 경우 함입이 쉽게 이루어지지는 않으며 부가적인 고정원이 더 필요할 수도 있다. 따라서, 함입하는 치아의 개수가 적을수록 좋은 결과를 얻을 수 있다.

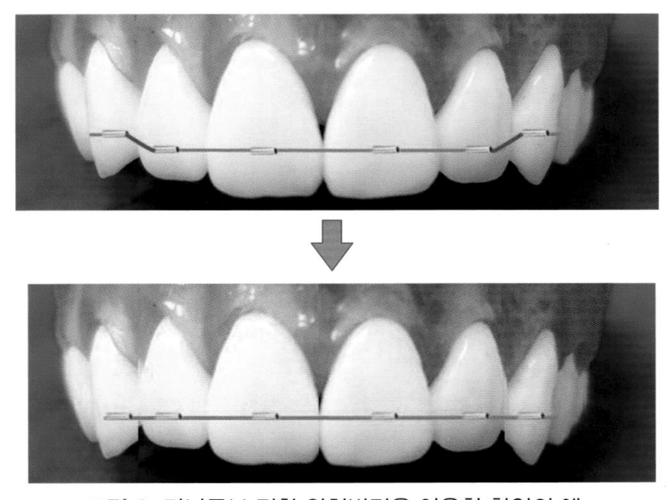

그림 8. 미니튜브 접착 위치변경을 이용한 함입의 예

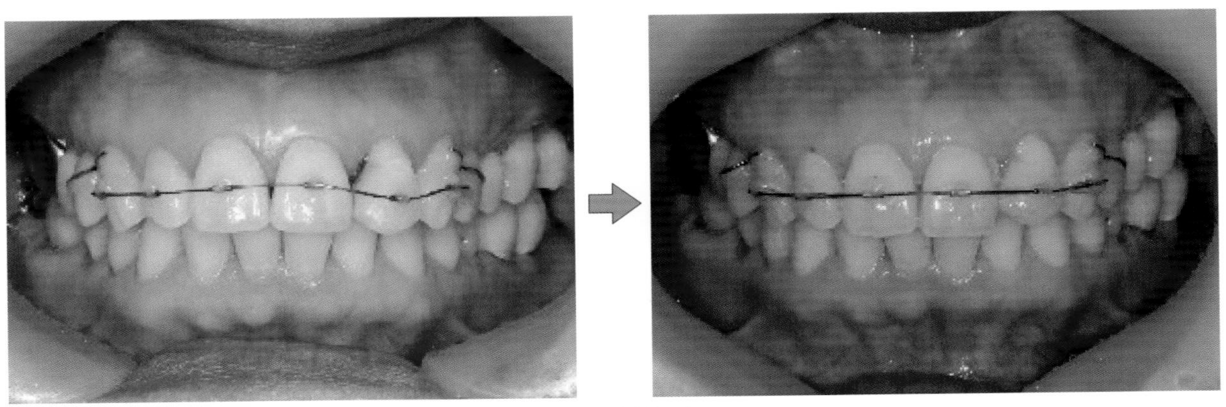

그림 9. 함입 예

회전 조절

종종 상악중절치의 회전이 오랫동안 해결되지 않는 경우가 있다. 브라켓이든 미니튜브 장치든 장치의 길이와 와이어의 힘에 의해서 회전력, 즉 모멘트가 결정된다. 미니튜브 장치에서 주로 사용하는 와이어는 아주 약한 012 혹은 010 NiTi 와이어를 사용하기 때문에 적용되는 힘 또한 아주 약하다. 따라서 효율적인 중절치의 회전을 도모하기 위해서는 미니튜브 장치의 길이를 증가시킬 필요가 있다. 기존보다 긴 미니튜브 장치를 부착하거나 작은 미니튜브 장치 두 개를 연달아 부착하여 길이를 길게 만드는 효과를 내는 것이 좋다. 이런 경우 회전이 좀 더 용이하게 달성할 수 있다. 물론 두 개의 미니튜브 장치가 가까워 와이어를 삽입하기 어려운 점은 있으나, 조금만 익숙해지면 쉽게 삽입이 가능하다.

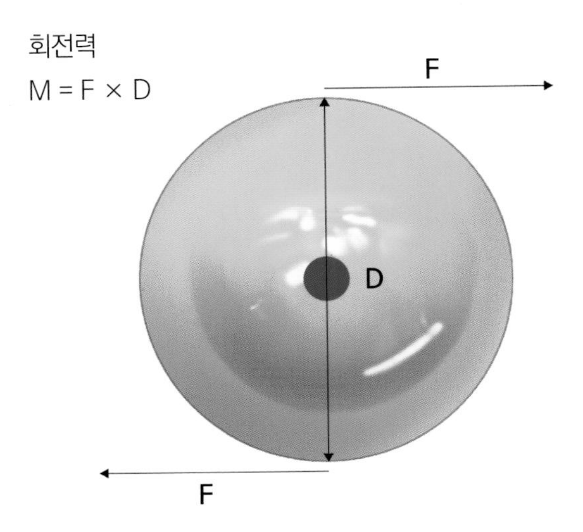

그림 10. 회전력은 짝힘과 짝힘 사이의 거리의 곱

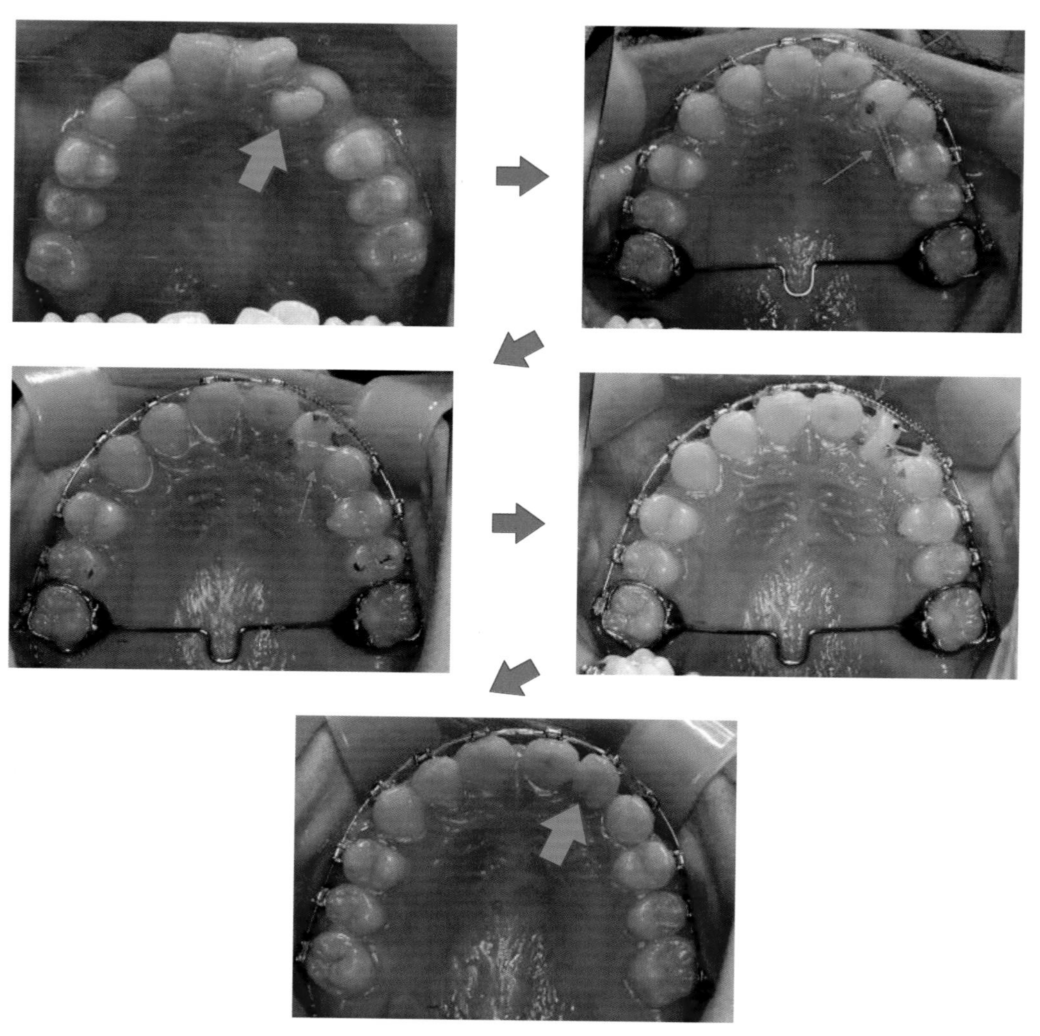

그림 11. 180도 회전된 치아 짝힘을 이용하여 치료한 예

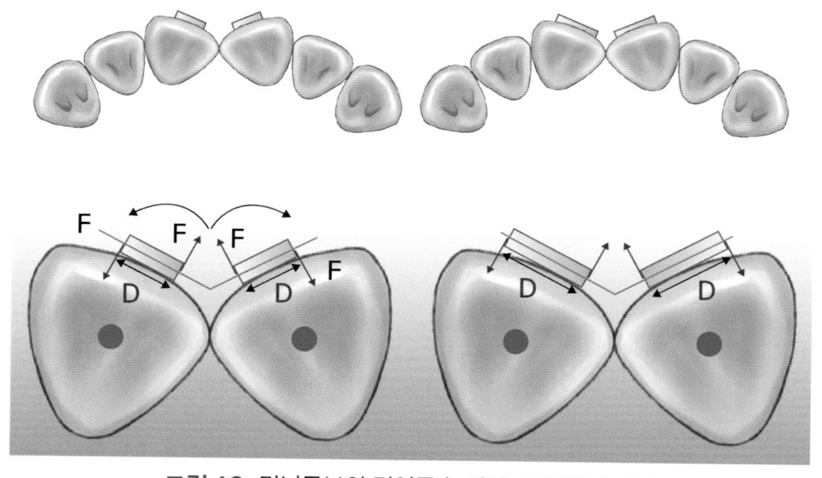

그림 12. 미니튜브의 길이를 늘이면, 회전력이 커짐

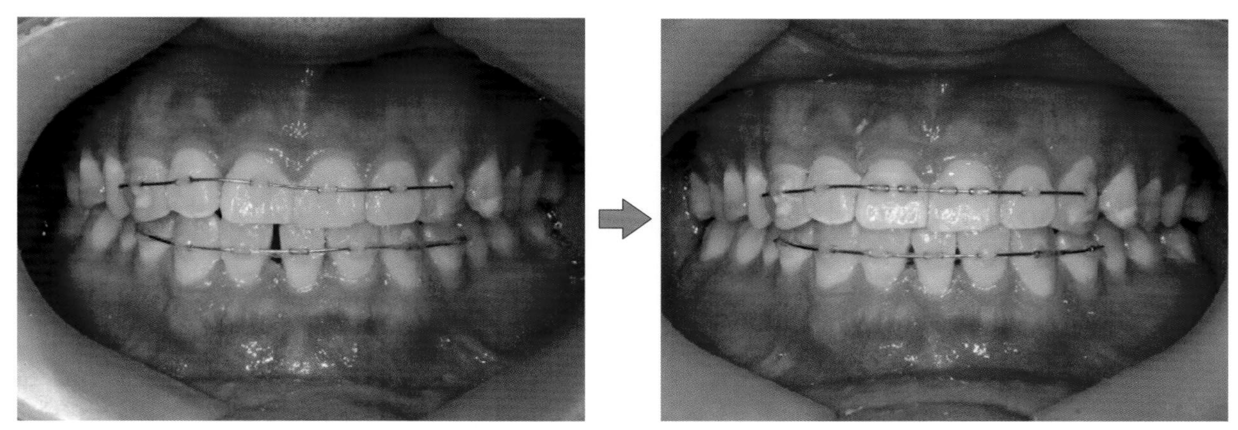
그림 13. 상악중절치 회전력을 높이기 위해 미니튜브 장치의 길이를 늘인 예

정출

외상 등으로 치관이 파절된 경우 보철을 위해 인위적 정출술이 필요할 때가 있다. 정출은 상대적으로 쉬운 치아 이동 형태이므로 약한 와이어와 미니튜브 장치만으로 쉽게 치료할 수 있다. 주의할 점은 다른 치아들은 움직이지 않도록 정출 시킬 치아를 제외하고는 수동적으로(passive) 와이어가 삽입되도록 장치를 부착해야 한다. 또한, 치은이 함께 정출되는 경우가 많으므로 치관연장술을 추후에 고려해야 한다.

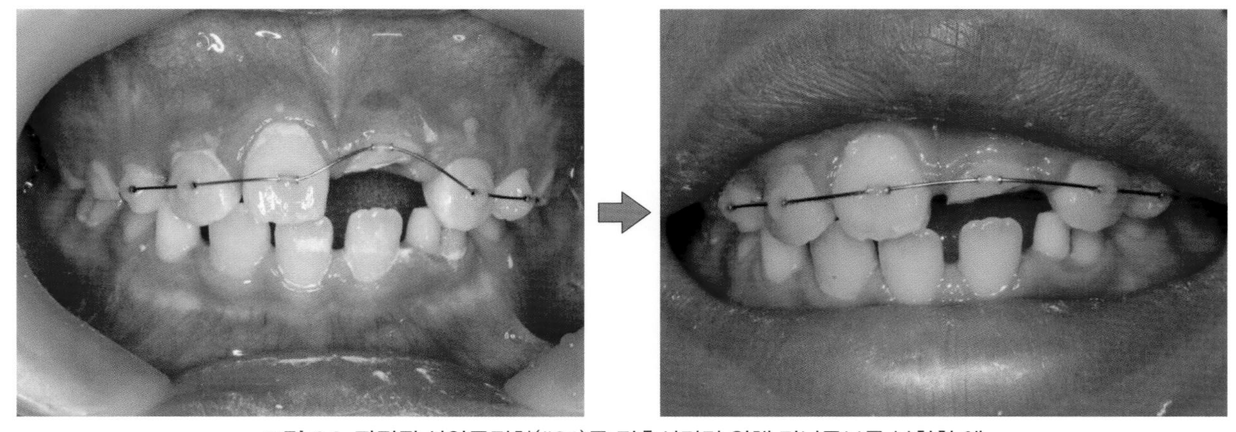
그림 14. 파절된 상악중절치(#21)를 정출시키기 위해 미니튜브를 부착한 예

구치 직립(Molar uprighting)

나이타이 와이어는 복원력이 좋기 때문에 구치 직립에도 이용 가능하다. 주의할 점은 다른 치아들이 움직이지 않도록 고정원을 강화해야 하며 해당 치아를 제외하고는 수동적으로(passive) 와이어가 삽입되도록 장치를 부착해야 한다. 되도록이면 많은 치아를 고정원으로 사용해야 하며 필요하면 고정식 유지 장치를 고정원 치아에 부착해야 한다. 적용하는 방법은 타겟이 되는 치아 앞쪽 부분에는 나이타이 와이어의 길이를 길게 한 후 스탑(stop) 등을 이용하여 고정시키고, 나이타이 와이어의 복원력으로 인해 와이어가 펴지는 힘으로 구치가 직립되게 한다.

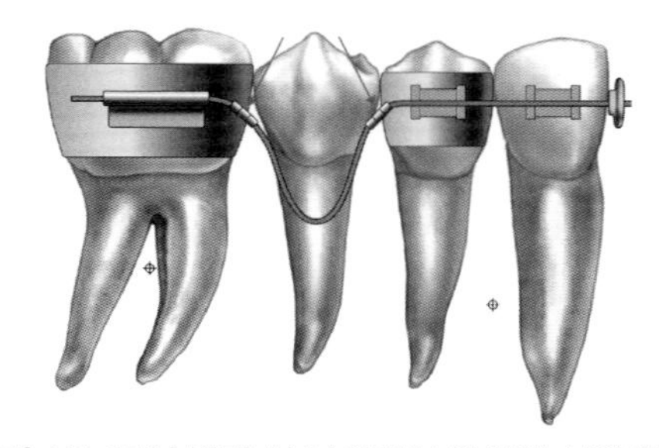

그림 15. 구치 직립 시 나이타이 와이어 삽입 방법

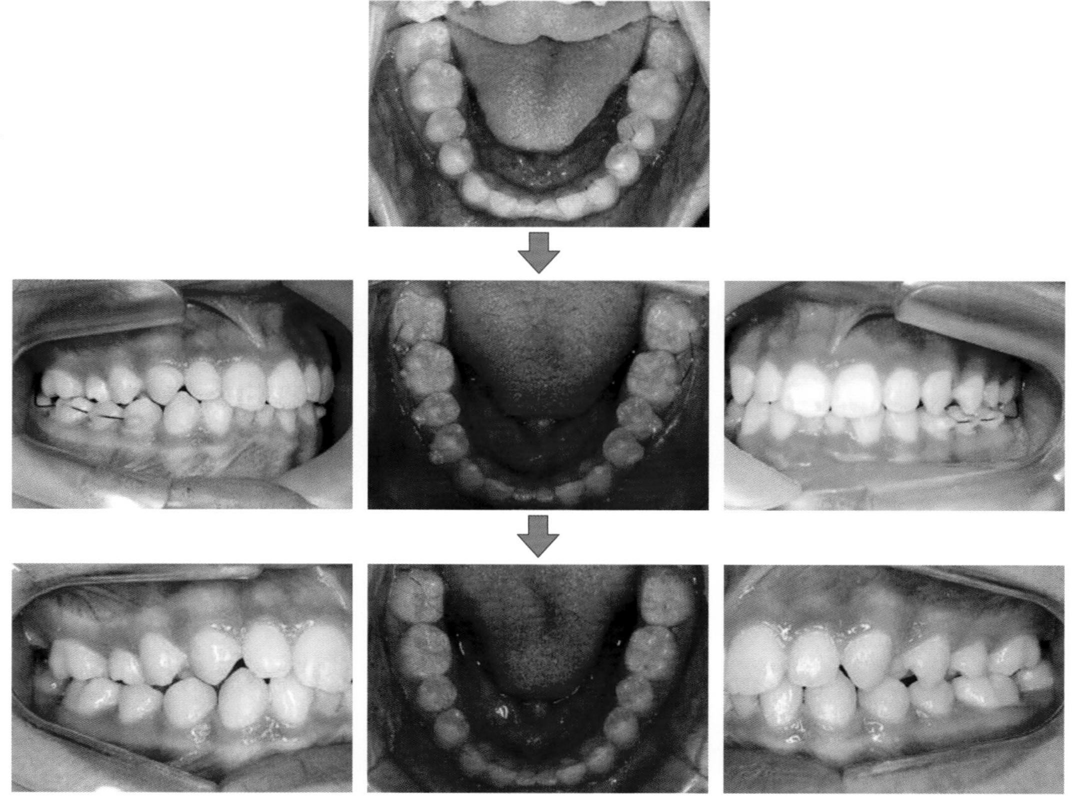

그림 16. 하악제2대구치(#37, 47)의 직립 예

매복치

매복치 견인 중에 기존 브라켓을 붙이기 힘든 경우에 미니튜브 장치를 이용하면 쉽게 와이어를 삽입하거나 견인력을 줄 수 있다.

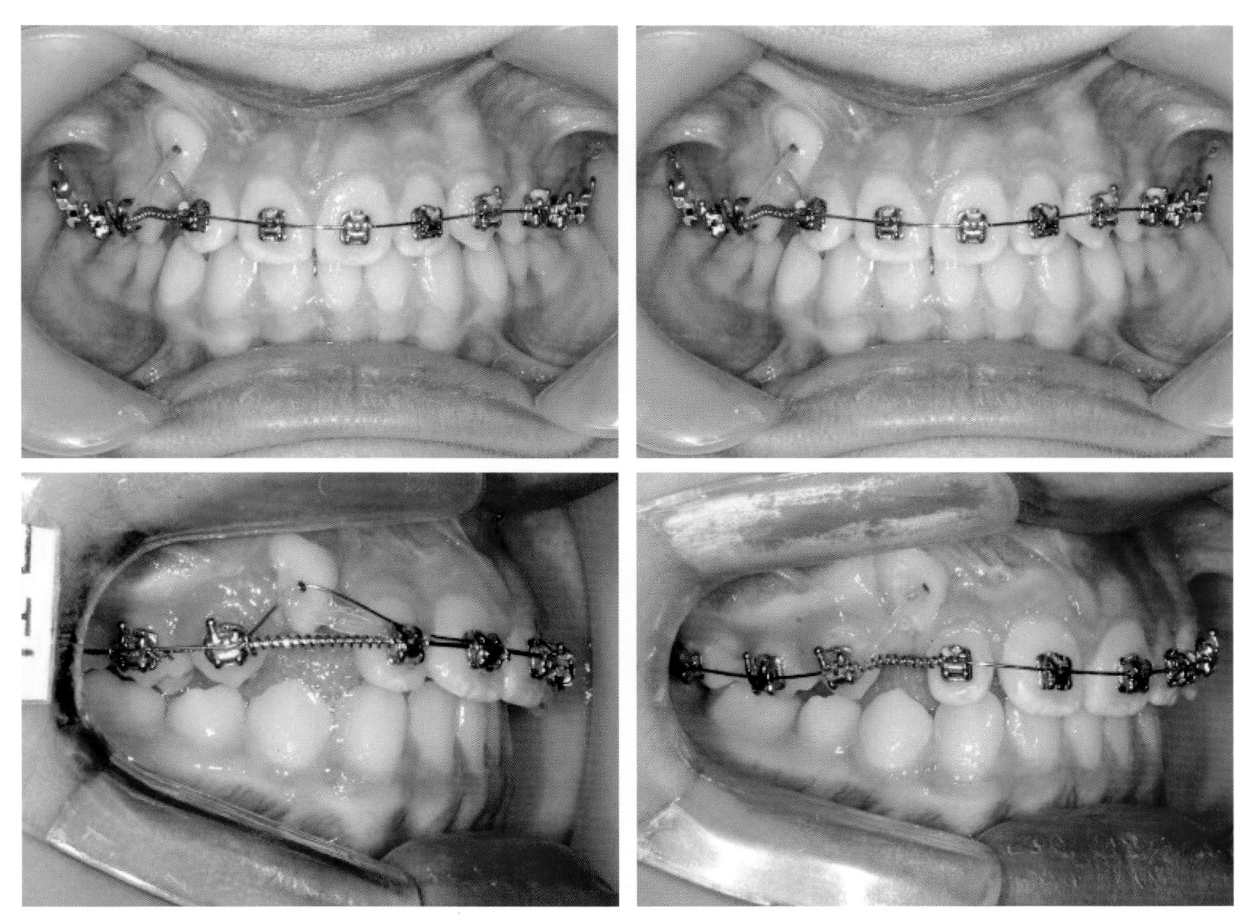

그림 17. 매복치 견인에 이용되는 미니튜브 장치의 예

공간 폐쇄

미니튜브 장치를 이용한 공간 폐쇄 방법은 먼저 나이타이 와이어를 이용하여 충분한 레벨링을 시행한 후, 약한 고무줄를 이용하여 공간을 폐쇄하면 된다. 이때 주의할 점은 후방 고정원 치아가 전방으로 이동하지 않도록 고정식 유지 장치 등을 이용하여 고정원을 강화해야 한다. 또한, 공간이 폐쇄되면 전치가 후방으로 이동되기 때문에 상악전치 공간 폐쇄의 경우 하악 전치와 교합 간섭이 발생할 수 있다. 이를 해결하는 방법으로 치간삭제술을 이용하여 하악 전치도 후방 이동하게 하거나, 하악 전치 1개를 발치하여 공간을 폐쇄한다. 이 경우 상악의 견치 후방에 공간을 남겨 교합간섭을 방지해야 한다.

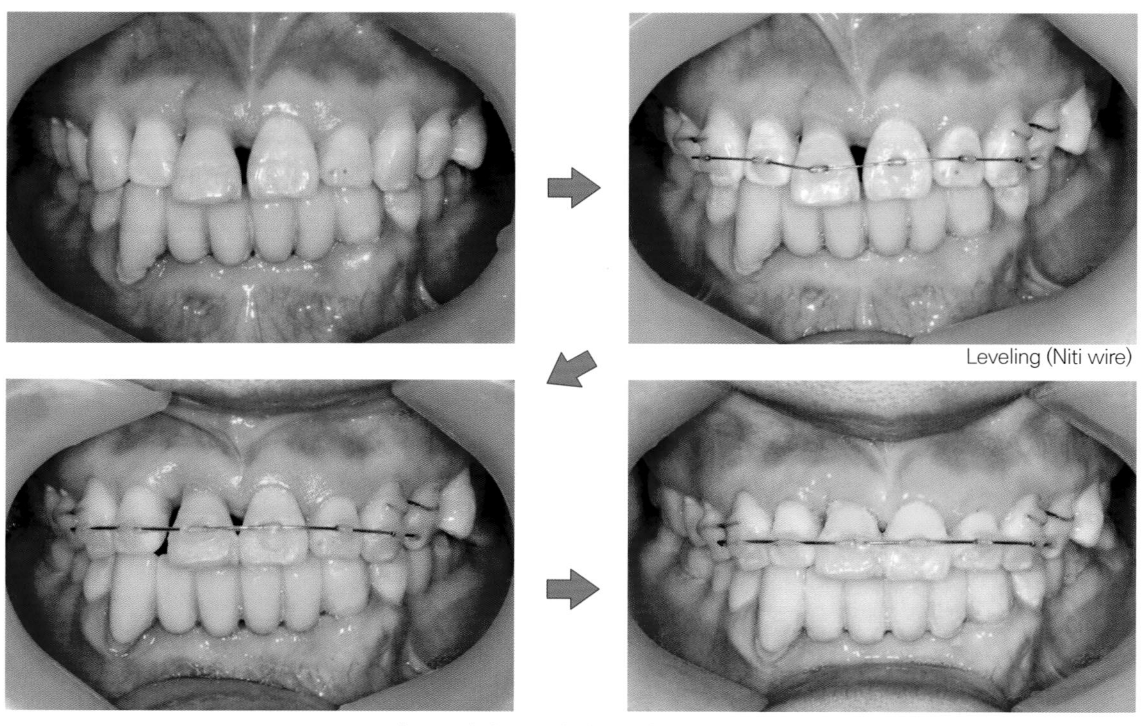

그림 18. 미니튜브 장치를 이용한 공간 폐쇄

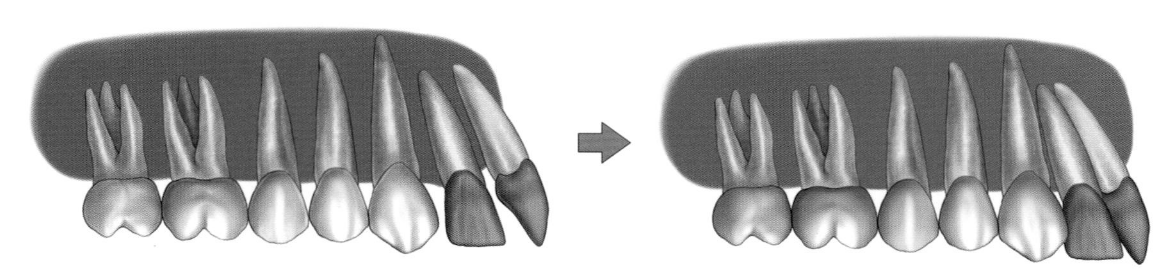

그림 19. 공간 폐쇄 시 전치가 후방이동하게 되어 교합 간섭을 일으킬 수 있음

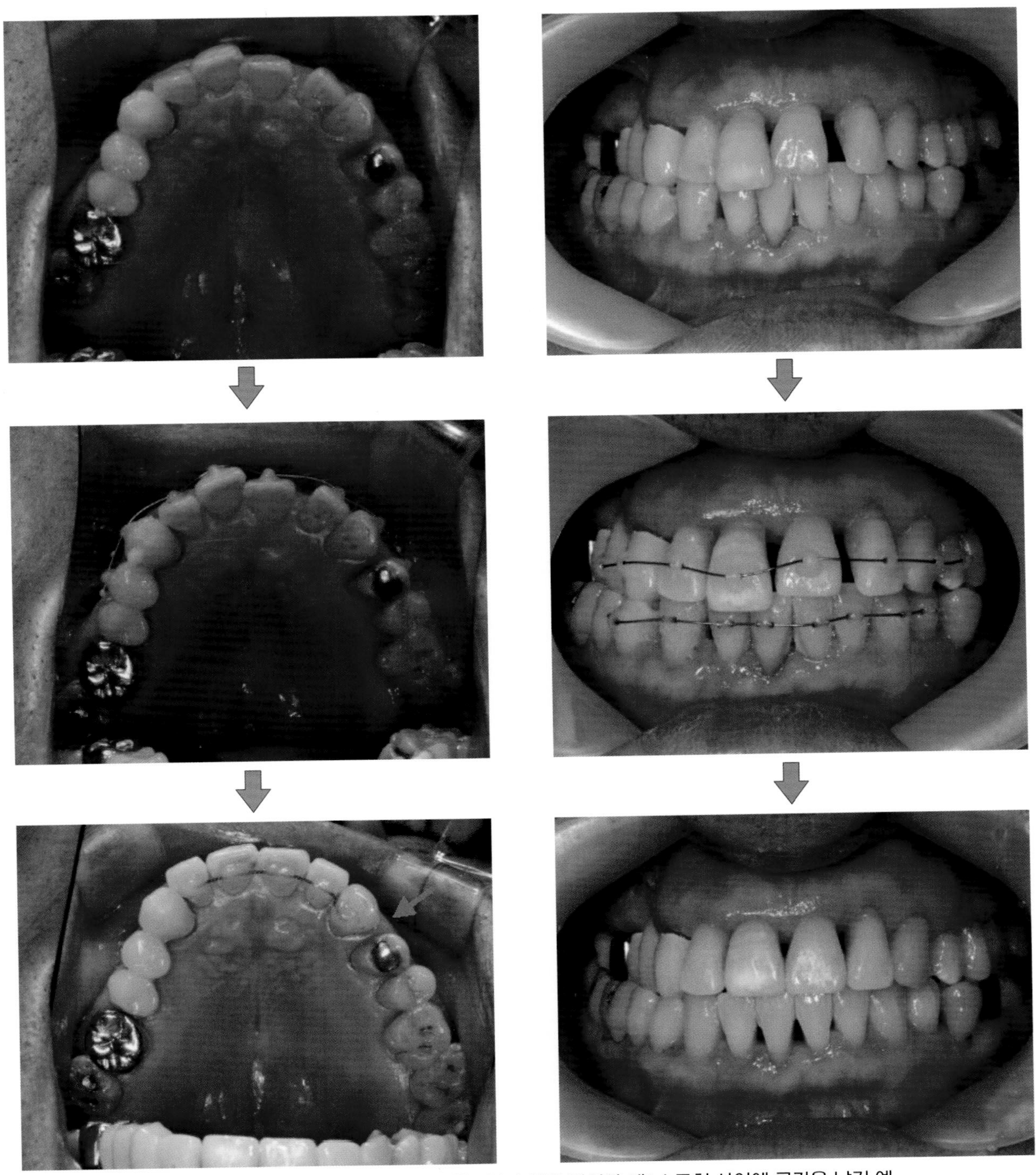

그림 20. 공간 폐쇄 시 수평 피개를 확보하기 위해 견치와 제1소구치 사이에 공간을 남긴 예

06

미니튜브를 활용한 다양한 교정치료 증례

총생

포괄적인 교정치료에서 총생 문제는 악궁을 확장하거나 몇몇 치아를 발치하여 얻어진 공간을 활용하여 해결할 수 있다. 그러나 미니튜브 장치는 대부분 경미 혹은 중등도의 총생을 해결해야 하므로 치간삭제 및 확장을 통해 해결하는 것이 좋다. 따라서 사전에 환자의 총생을 해결하기 위해서 필요한 공간이 어느정도인지, 치간삭제 또는 확장으로 문제를 해결할 수 있는지 파악하는 것이 아주 중요하다. 치아 모형의 셋업(set-up)은 이러한 목적으로 자주 활용되는 도구이다. 상하악 모형을 활용하여 적절히 진단용 셋업을 시행하고 필요로 하는 공간과 해결 가능한 범위를 사전에 파악하여 문제에 접근하는 것이 치료를 효율적으로 마무리하는 가장 현명한 방법이라 생각된다.

총생 증례 1

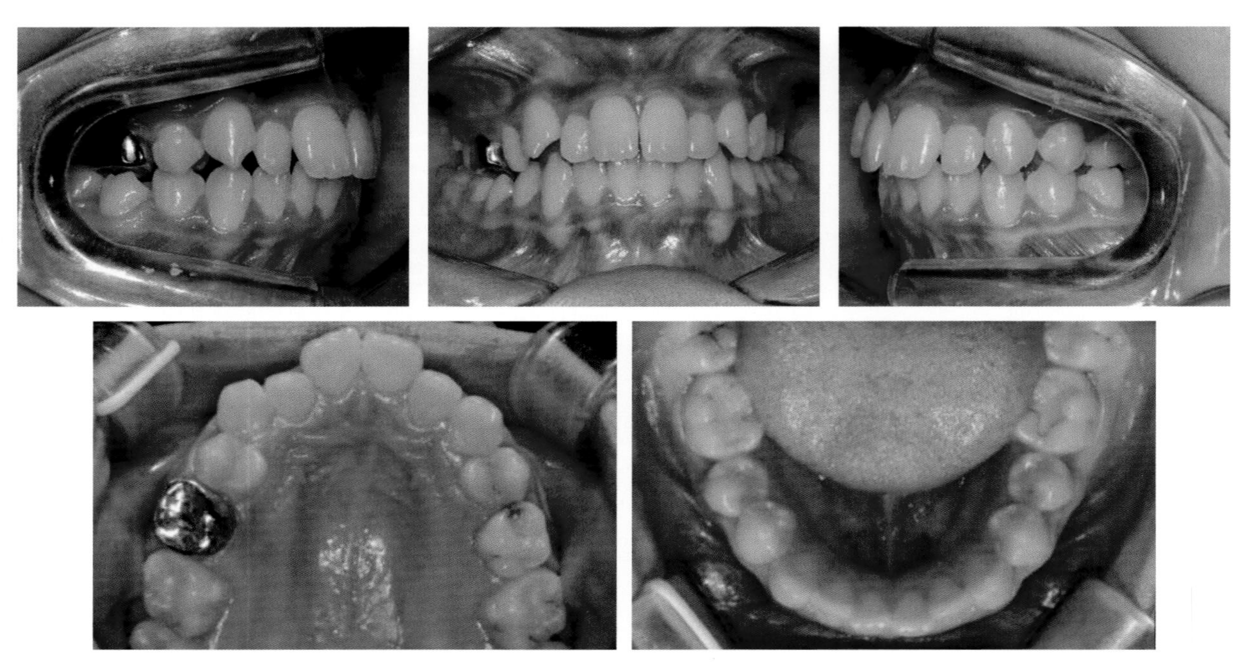

초진: 상악제1소구치(#15, 25) 지연맹출 경향이 있는 II급 골격 경향의 전치부 총생을 보인다.

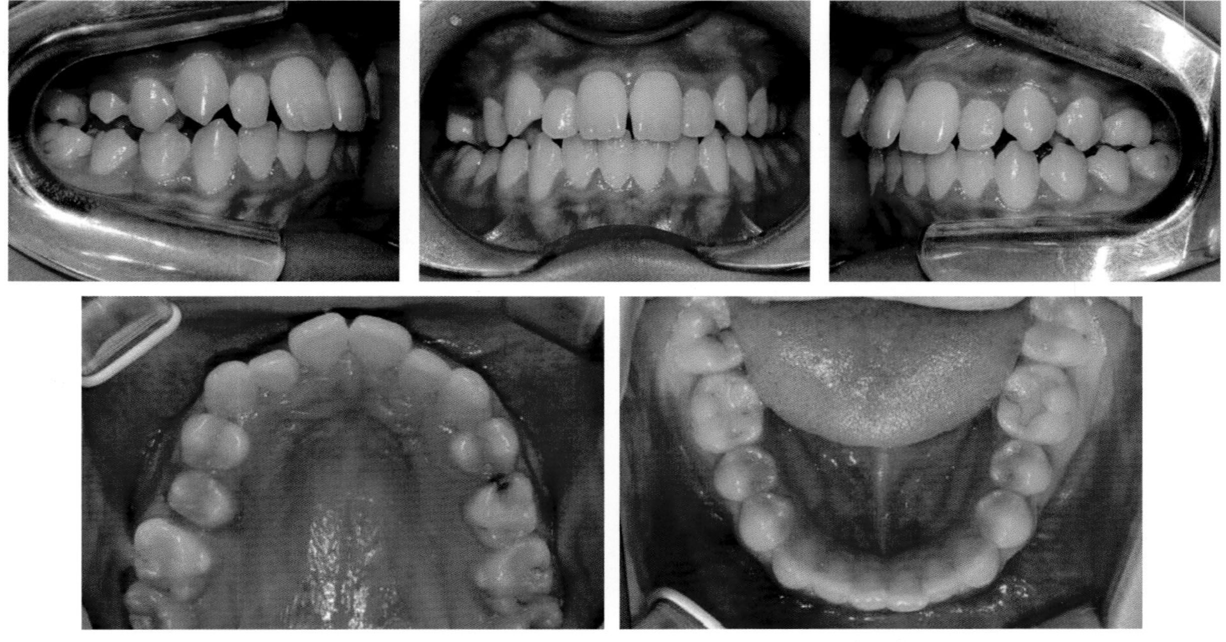

제2대구치는 모두 맹출하여 기능적 교합상태이며, 상악 우측 제2소구치(#15)는 맹출 중이나,
상악 좌측 제2유구치(#65)의 동요도는 없는 상태이며, Phase II 치료를 예상하고 치아교환을 기다리기로 하였다.

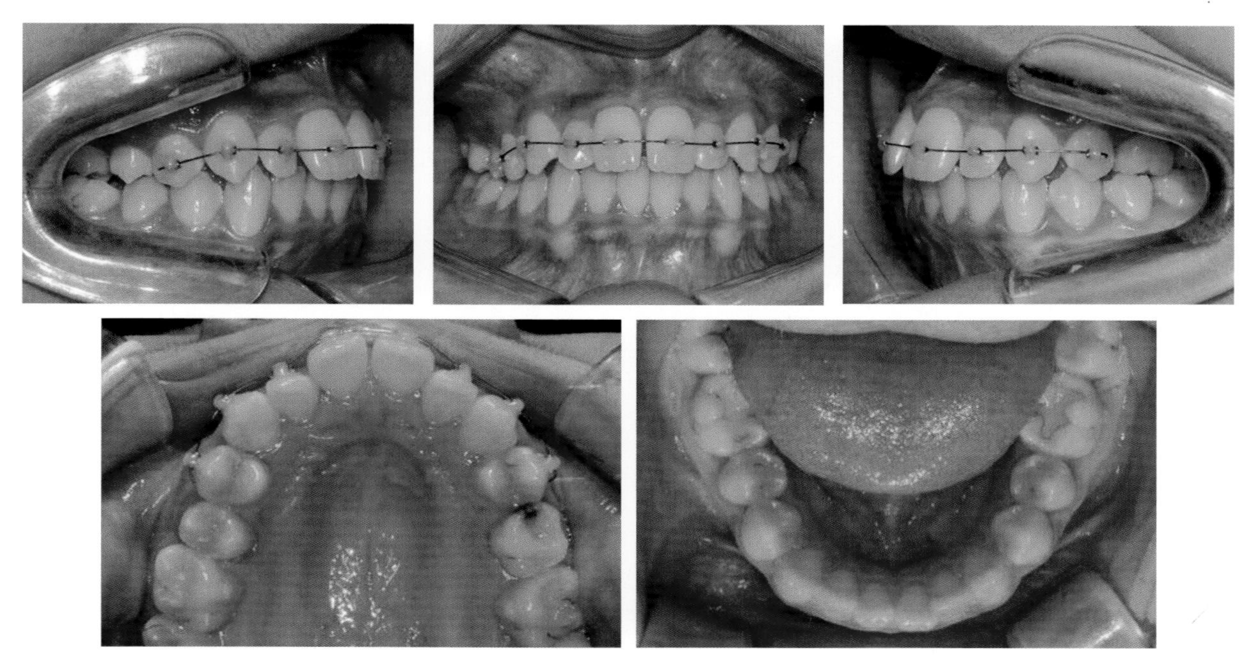

상악측절치(#12) 구개측 변위로 인한 하악절치와의 조기접촉이 있어, 상악제2소구치(#25) 맹출을 기다리는 동안 교합간섭 제거를 위해 상악 전치부를 예비 배열하기로 하였다. 상악에 미니튜브와 폐쇄형 코일(closed coil)을 혼합해서 부착한 모습이다.

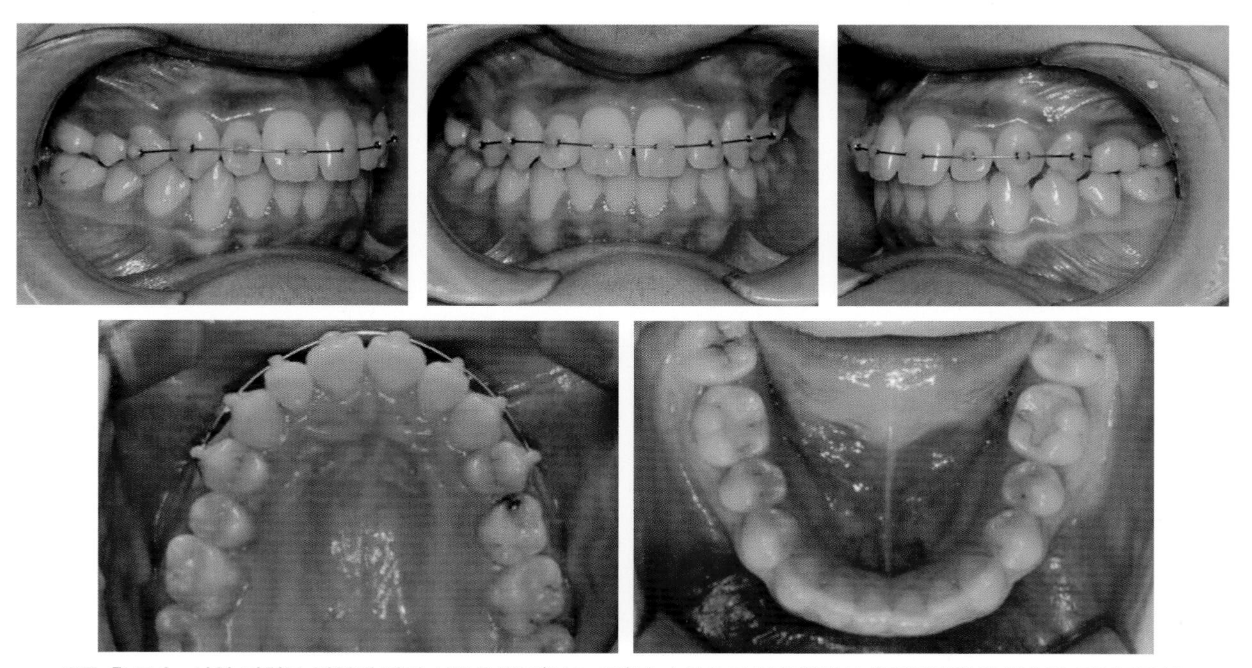

3주 후 모습: 상악 전치부 배열에 따라 상악측절치(#12, 22)가 순측으로 이동하면서 하악절치와의 접촉이 줄어들면서 하악체의 자연스러운 전방위가 나타났다. 견치관계가 개선되는 것을 볼 수 있다.

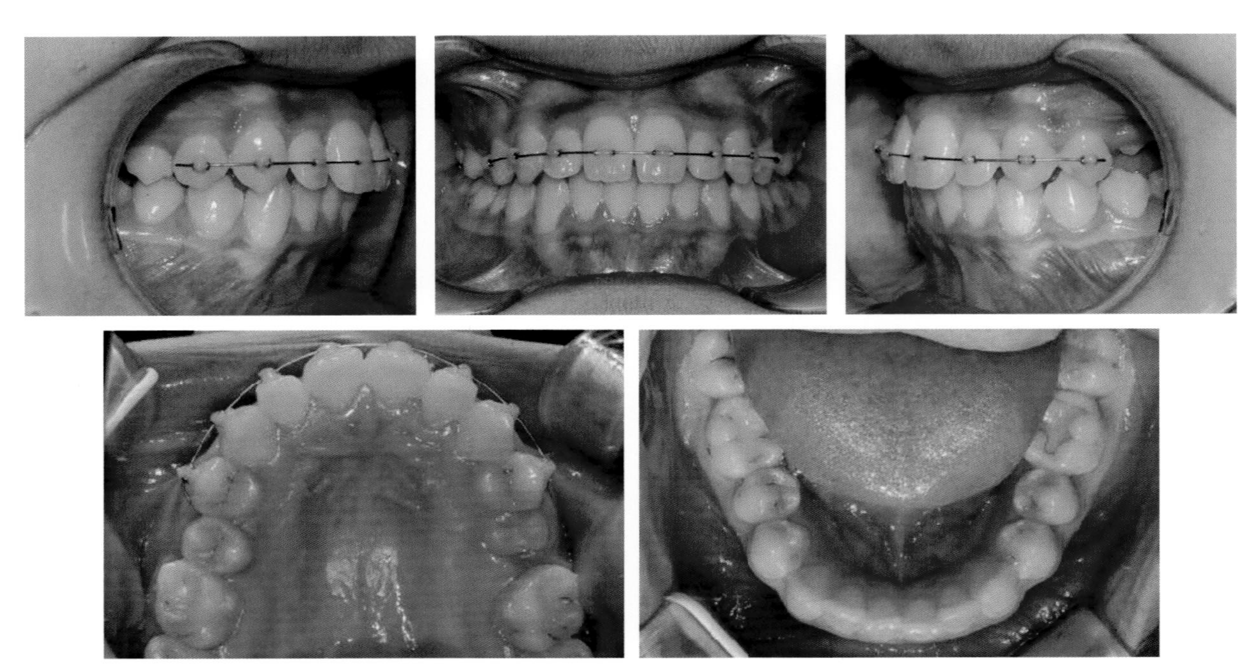

5개월 후: 상악 좌측 제2유구치(#65) 탈락 후 상악제2소구치(#25) 맹출 중이다. 교합이 점차 안정화되어가는 모습이다.

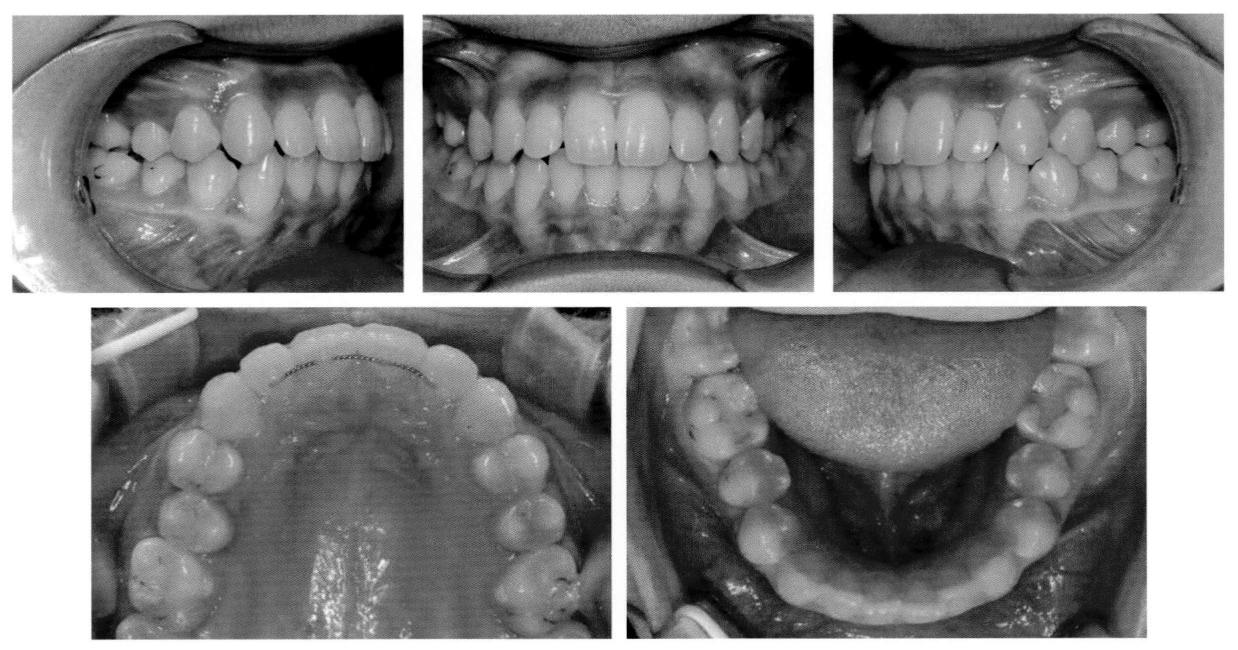

1년 4개월 후: 고정식 유지장치를 부착하여 치료종결하였다. 상악 전치부 부분교정만으로 초진에 비해 기능적 정상교합으로 안정화되었다고 보고 phase II 치료를 진행하지 않고 마무리하였다. 상악측절치(#12)와 조기접촉을 줄여 하악의 자연스러운 전방위가 이루어져 교합관계 개선을 얻은 증례이다.

총생 증례 2

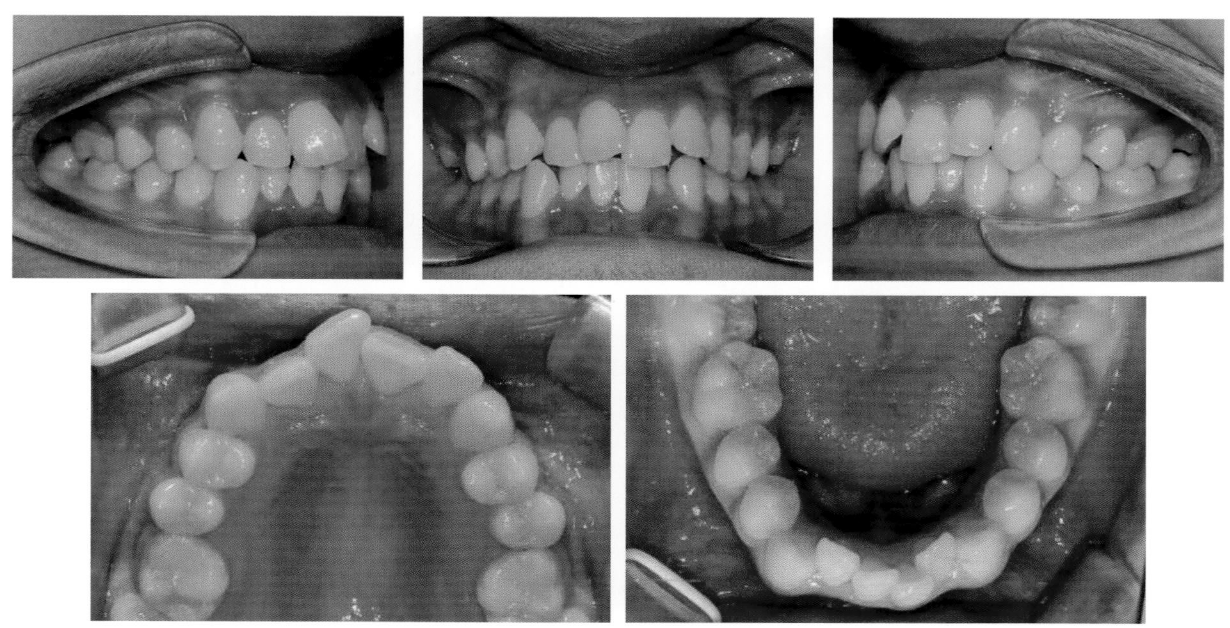

초진: 상하악 전치부의 심한 총생. 대구치 및 견치는 I급 관계이나, 상악 대구치의 구개측 변위가 보인다.

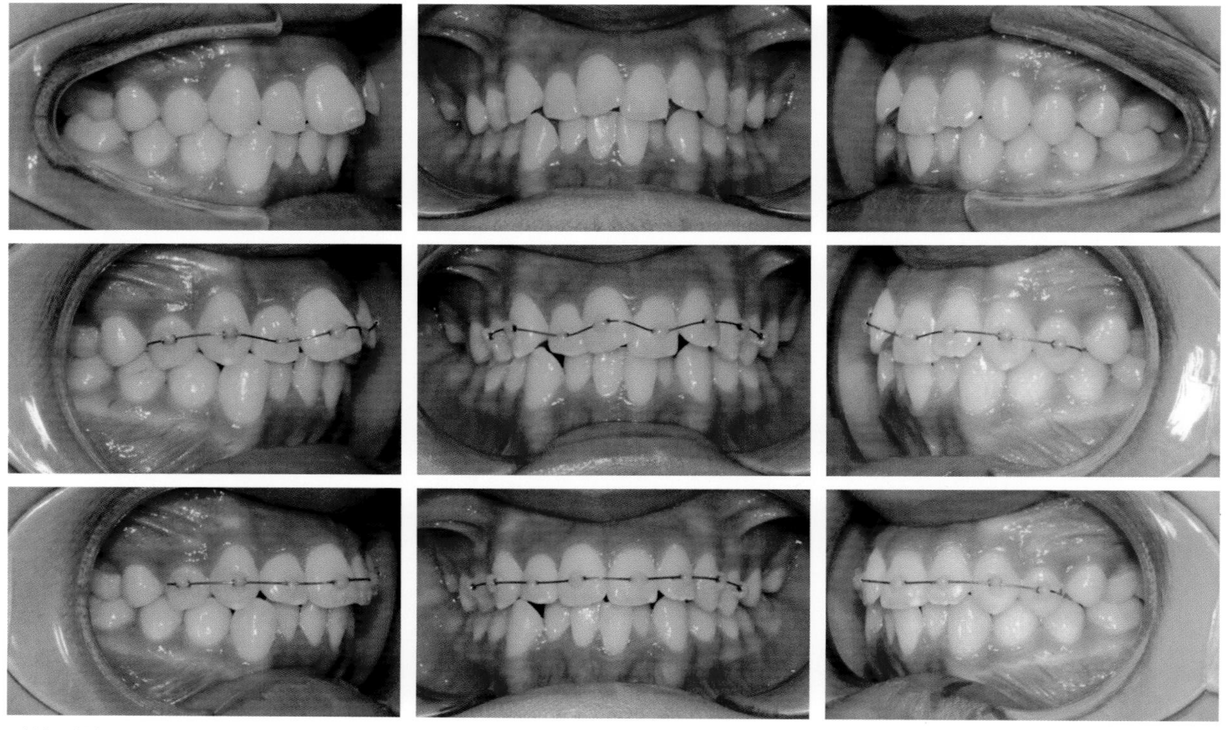

상악 전치부만 비발치 예비배열을 진행하여, 발치여부 결정을 위한 중간평가 시행하기로 하였다. 단기간에 가시적인 배열을 확인할 수 있었고 보호자와 상의하여 비발치로 진행하기로 결정하였다.

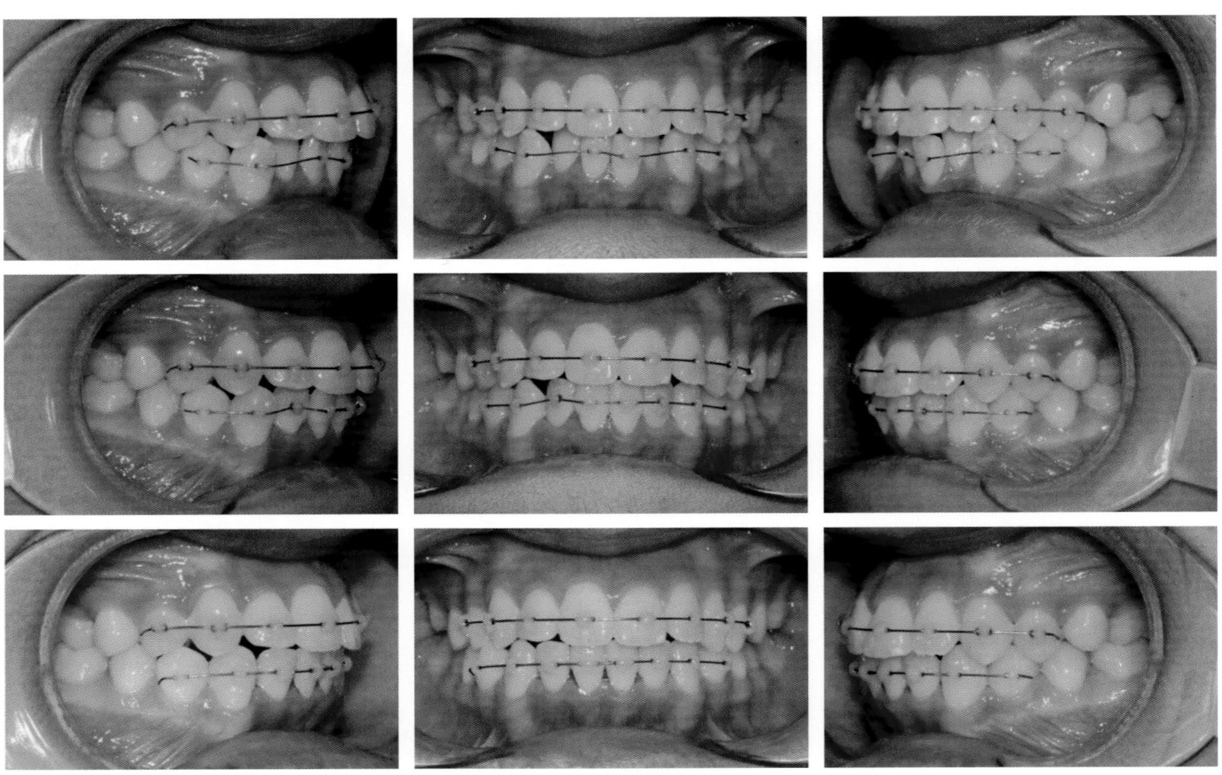

하악 장치 부착하여 5개월간 변화: 하악에도 장치 부착하여 하악측절치(#32, 42)의 설측변위를 개선하는 모습이다.

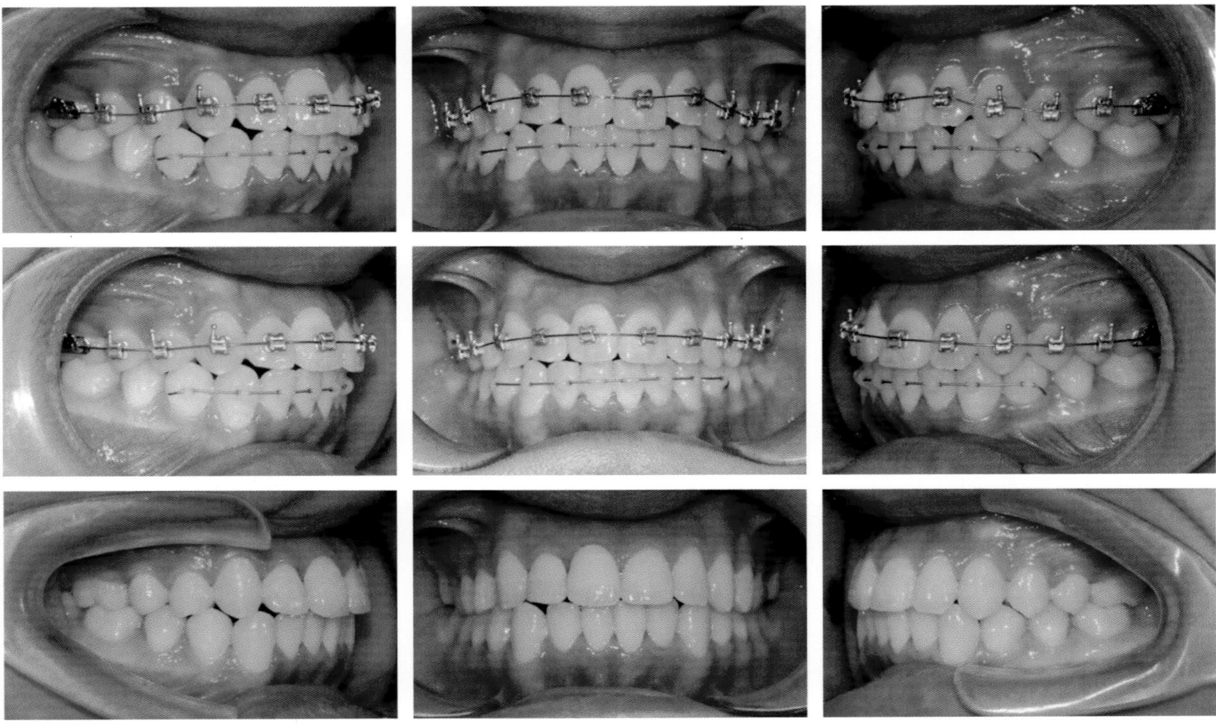

상악제1대구치(#16, 26) 위치를 개선하기 위해 상악은 통상적인 브라켓으로 재부착하여 진행하였다. 하악은 구치부에서 교합관계가 양호하여 구치부까지 장치를 연장하지 않고 마무리하였다.

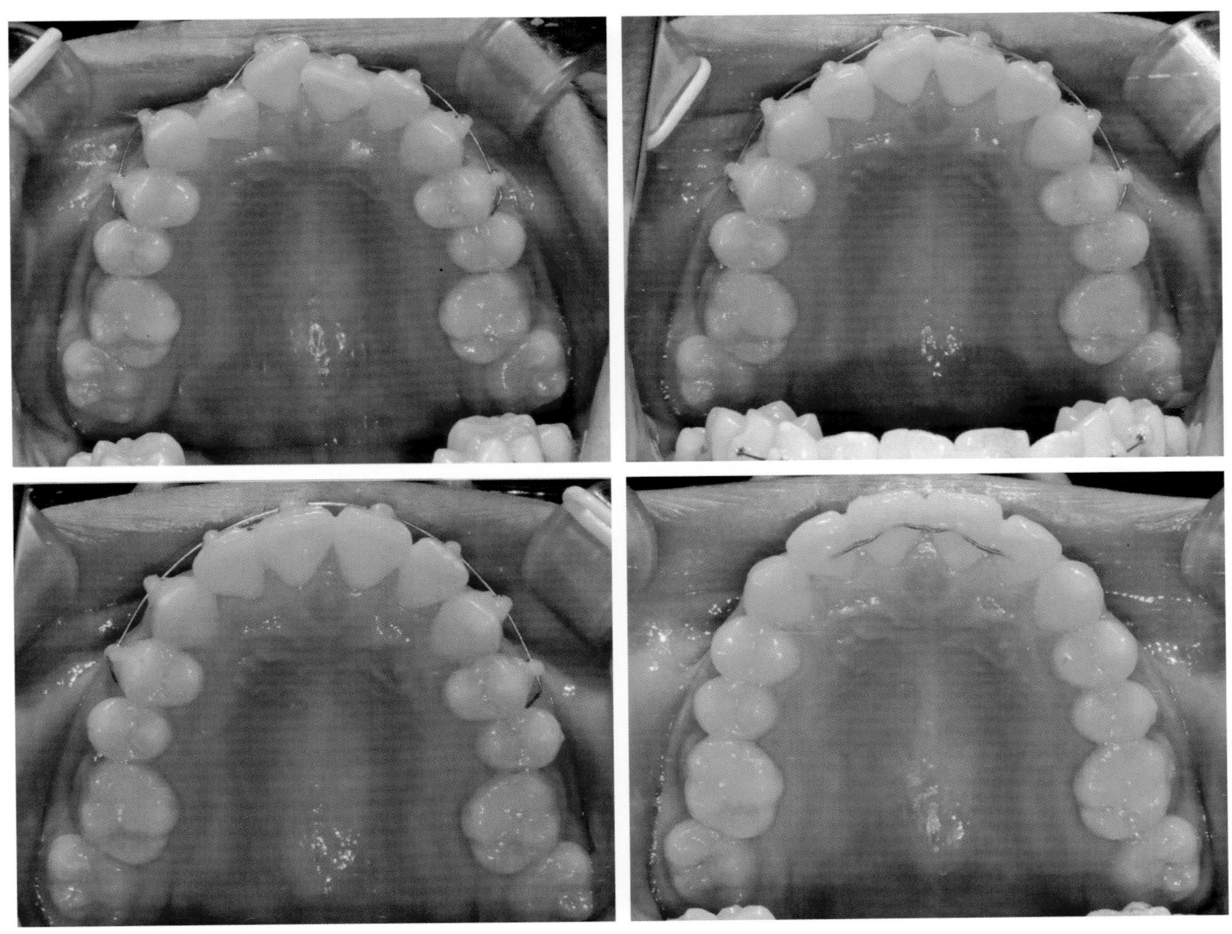

상악치열궁 변화

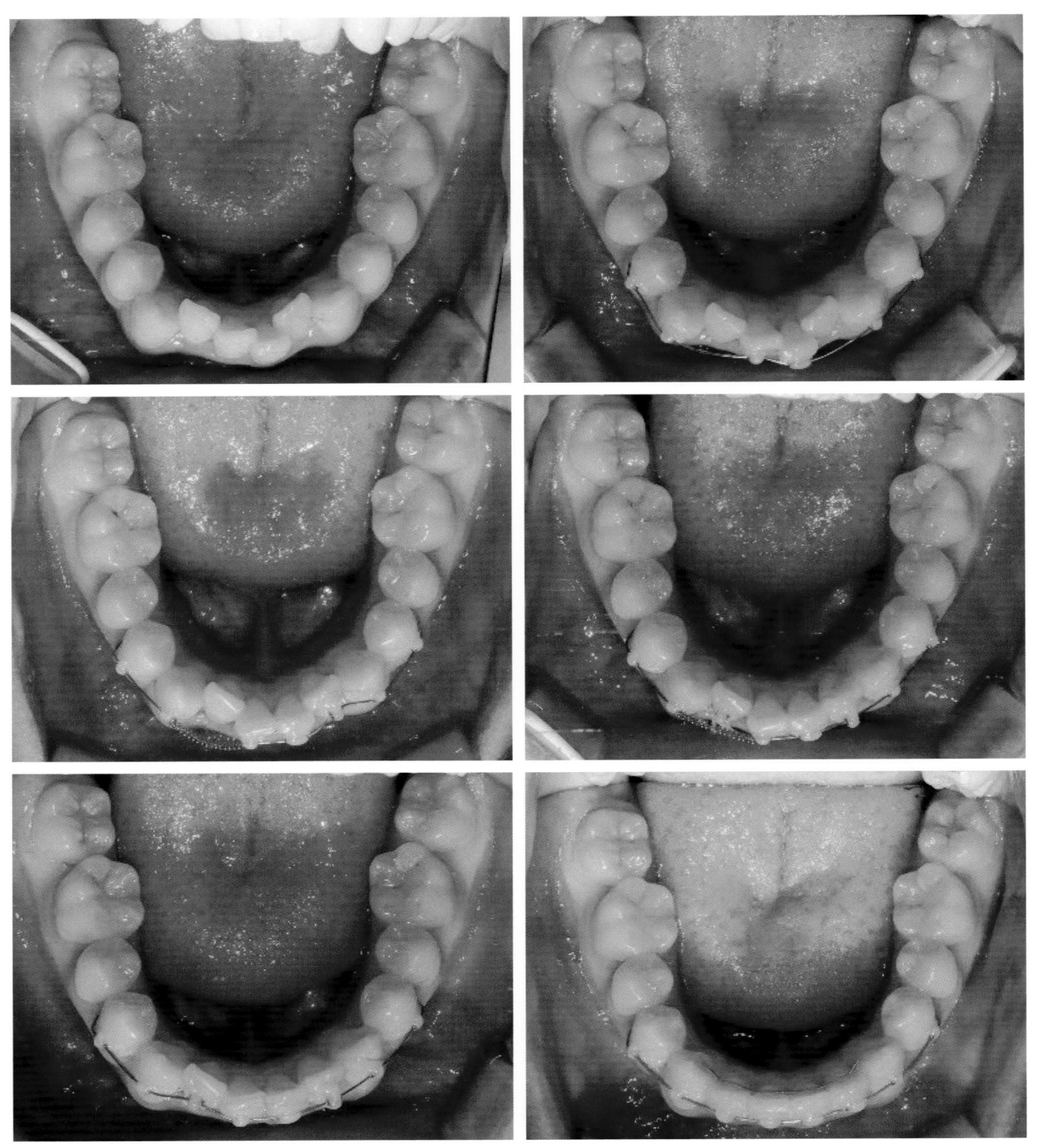

하악 치열궁에서 전치부 배열 진행 모습: 하악중철치(#31, 41) 먼저 개선한 후, 하악측절치(#42)는 개방형 코일 스프링(open coil spring)으로 배열 공간을 마련하였다. 그후 하악측절치(#42)에 폐쇄형 코일(closed coil)을 부착하여 치열궁으로 견인하기 위한 어태치먼트로 활용하고 치열궁에 근접하면, 와이어 삽입하여 내경이 큰 튜브역할로 전환할 수 있다. 안정화 단계에서 순측에 미니튜브를 부착한 상태에서 설측에 고정식 유지장치를 함께 부착하여 유지를 강화한다. 짧게는 2-3개월, 길게는 1년 이상 지나, 순측 미니튜브를 제거하기도 한다.

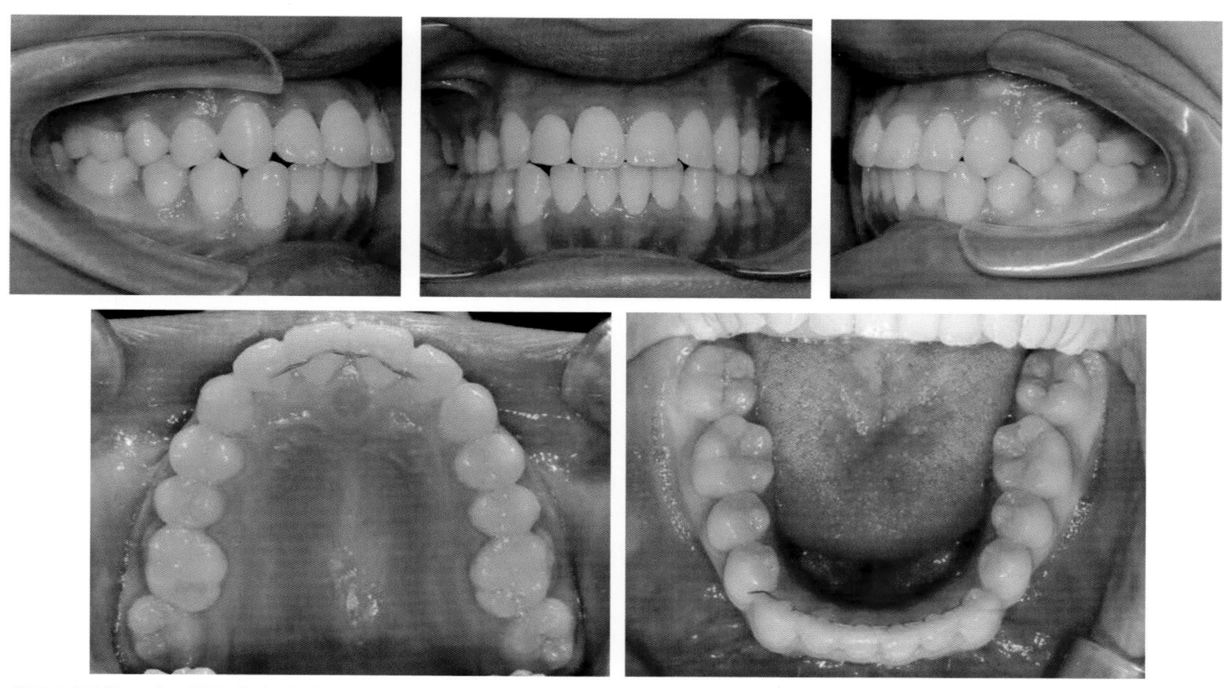

치료 종결한 모습: 하악에서 전치부 고정식 고정장치가 탈락하여 절치 변위가 있어 미니튜브를 설측 부착하여 개선 중인 모습이다.

총생 증례 3

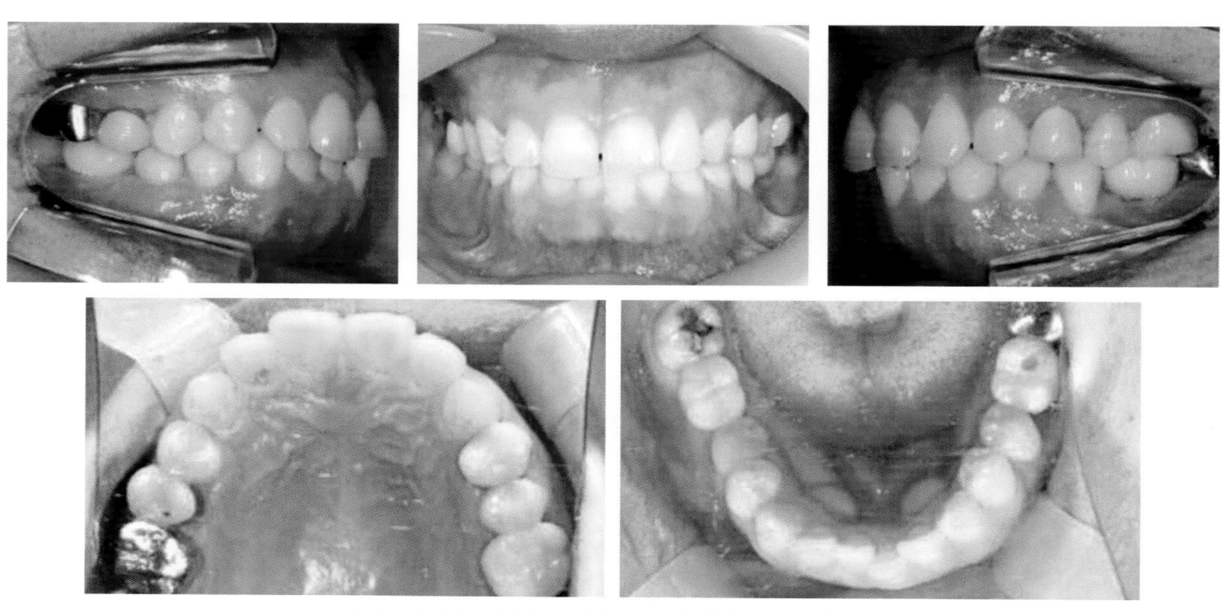

초진 구내사진: 상악중절치(#11, 21) 치간 틈이 존재하고,
하악 전치부에 총생이 있어 하악중철치(#31)가 협측으로 변위된 상태이다.

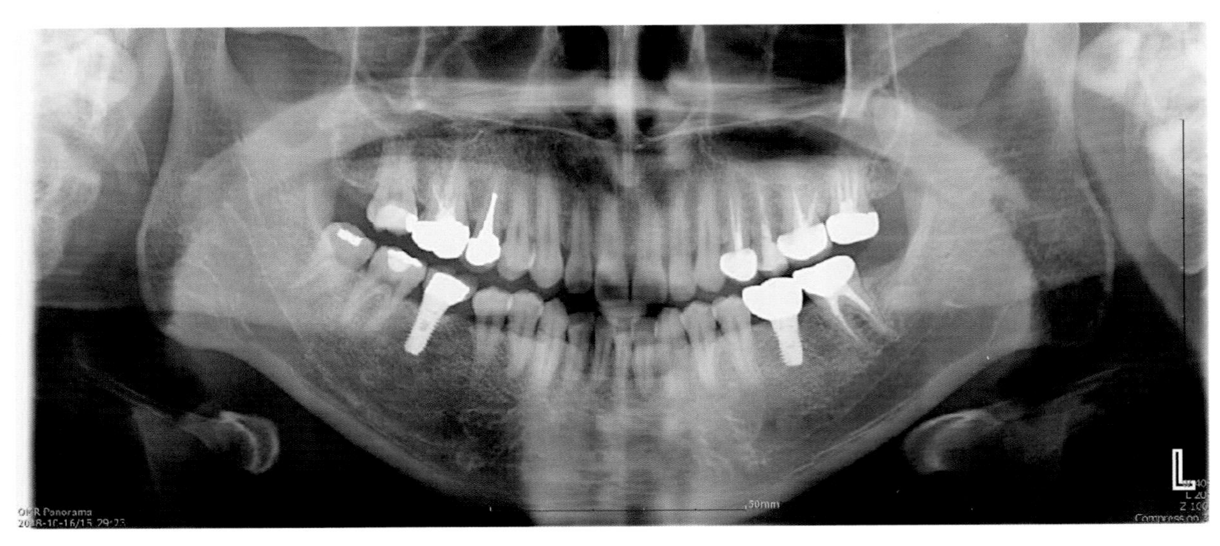

초진 시 파노라마방사선사진

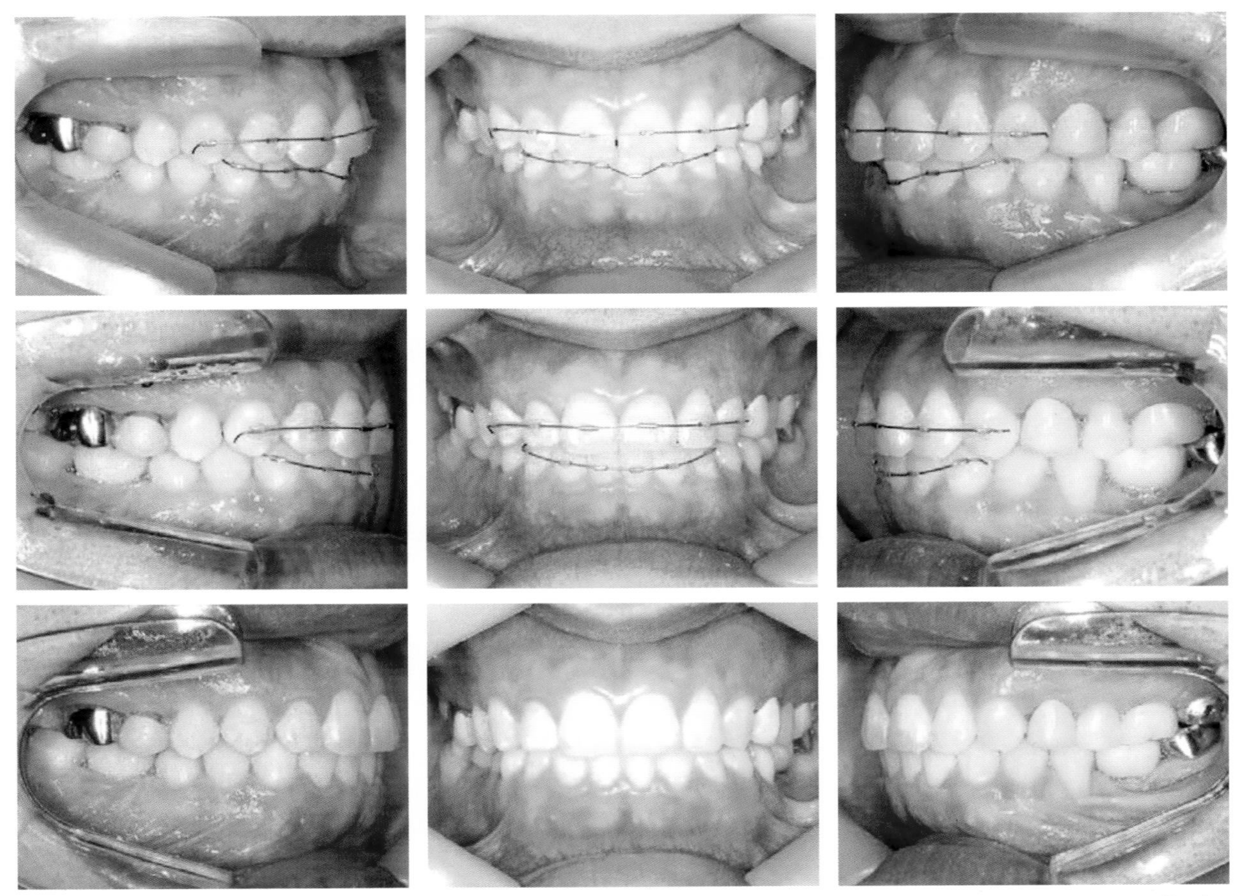

장치 부착과 치료 중(치간삭제를 통한 배열) 그리고 장치 제거 후 구내사진: 상악의 경미한 공간 폐쇄와 하악의 총생 해소한 치료 기간은 7개월이었다.

총생 증례 4

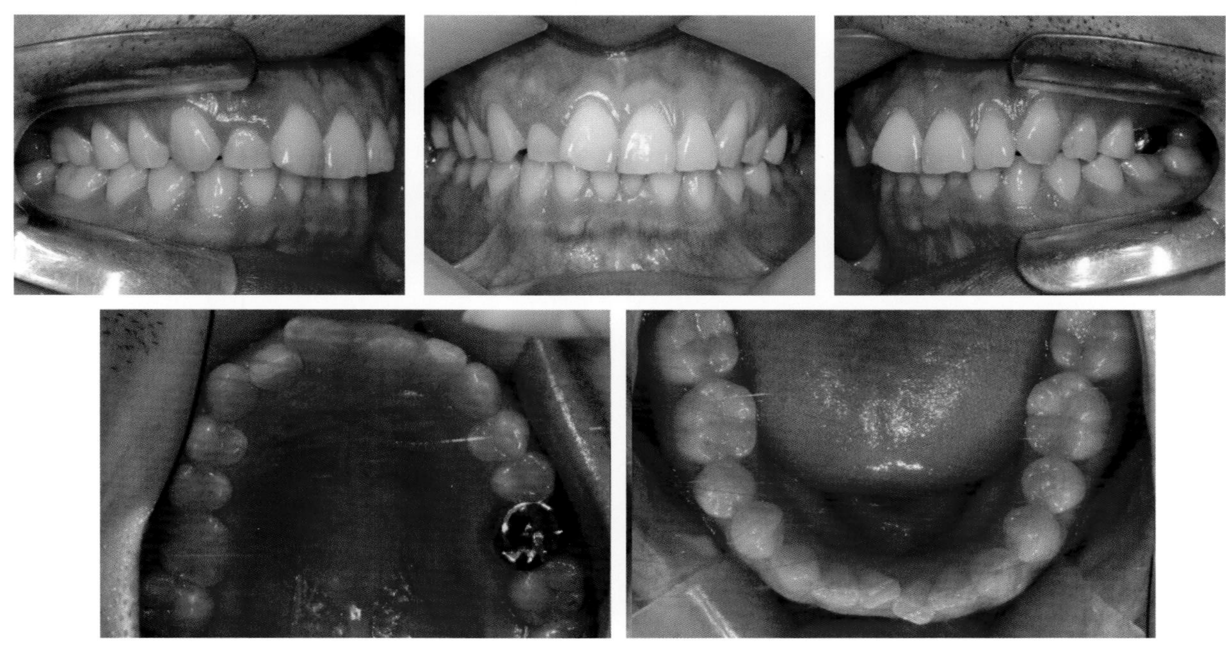

초진 시 구내사진: 상하악 전치부 총생

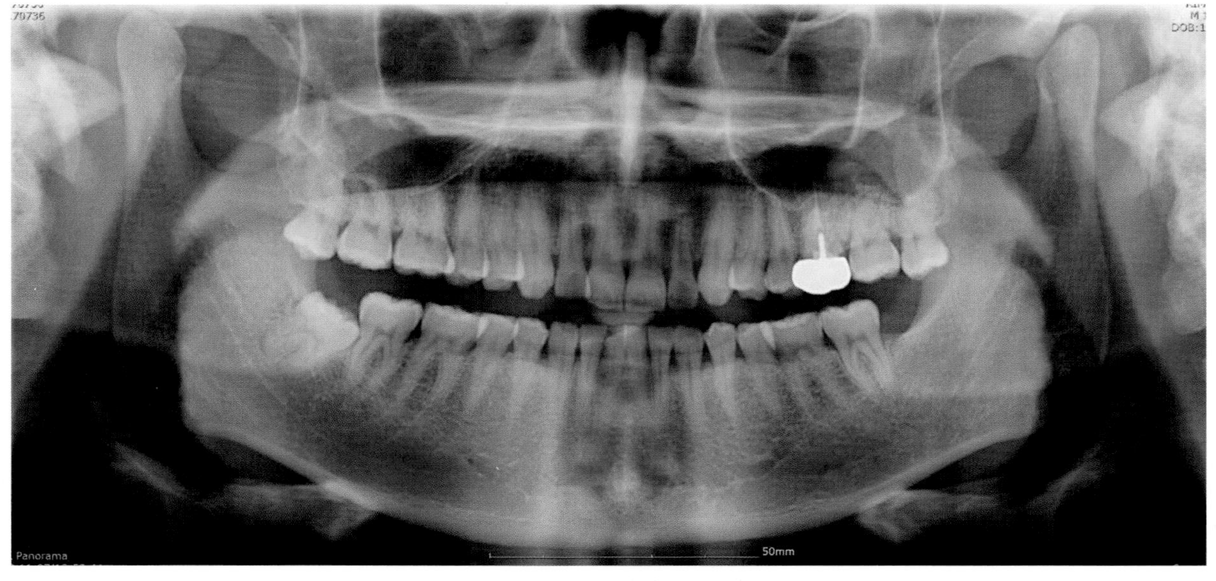

초진 시 파노라마방사선사진

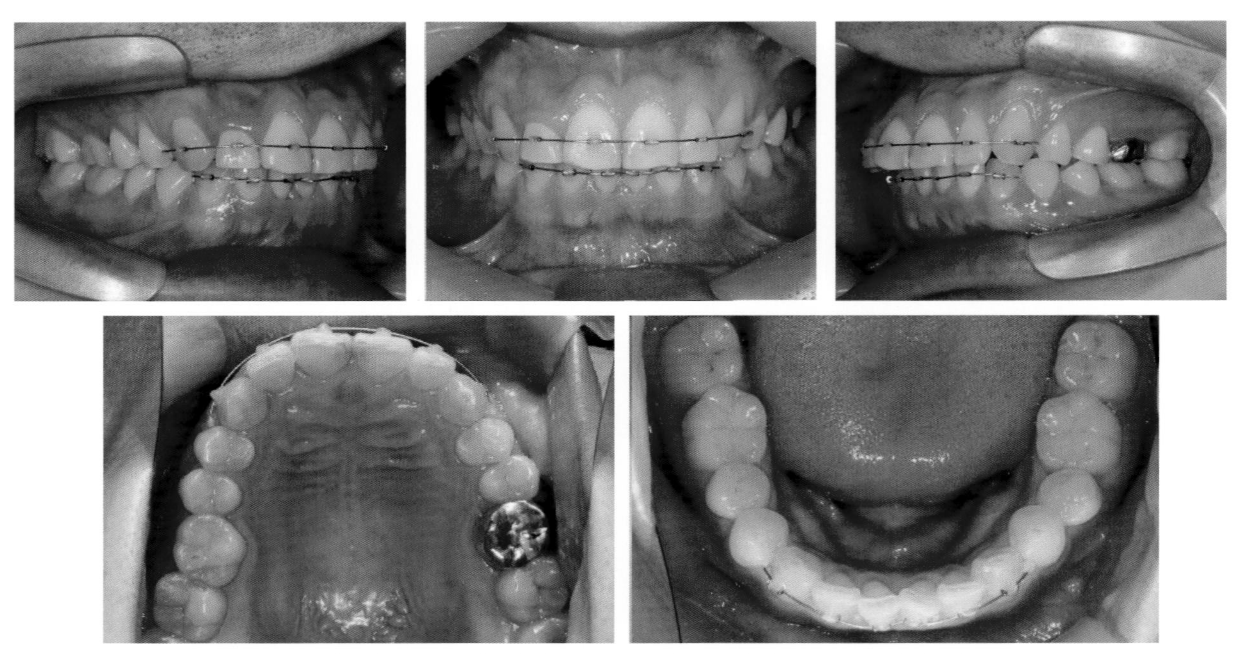

치료 경과 3개월 후: 장치 부착(012 나이타이 와이어)과 치간삭제 시행하였다.

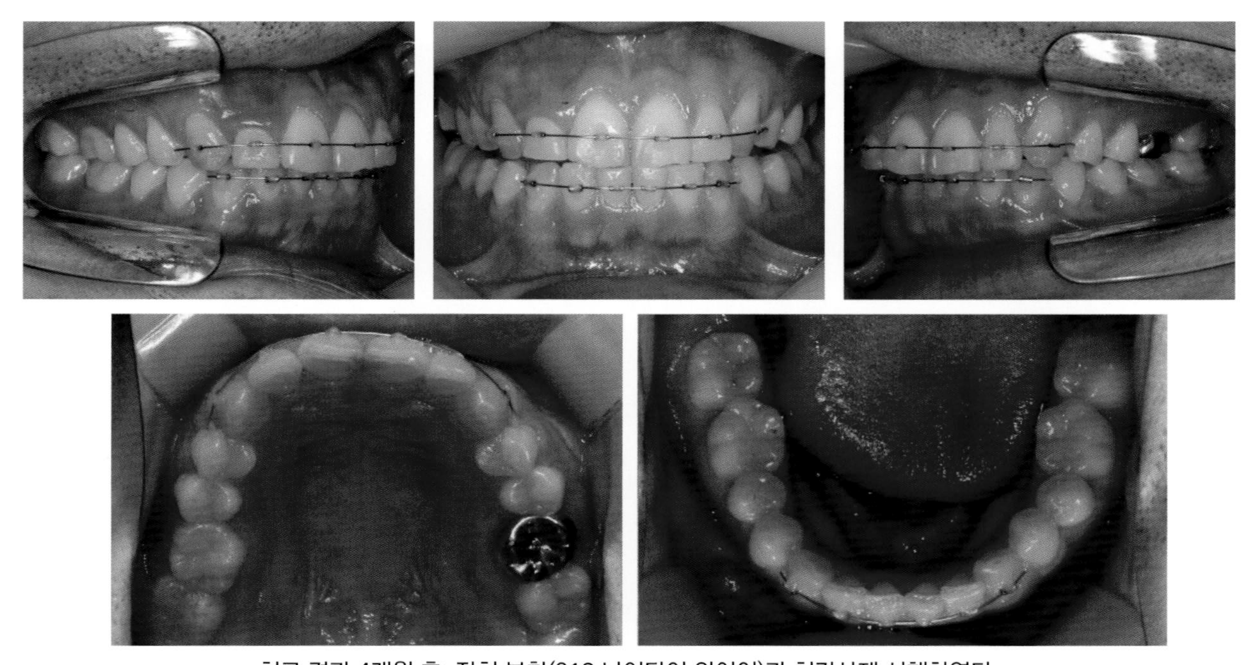

치료 경과 4개월 후: 장치 부착(012 나이타이 와이어)과 치간삭제 시행하였다.

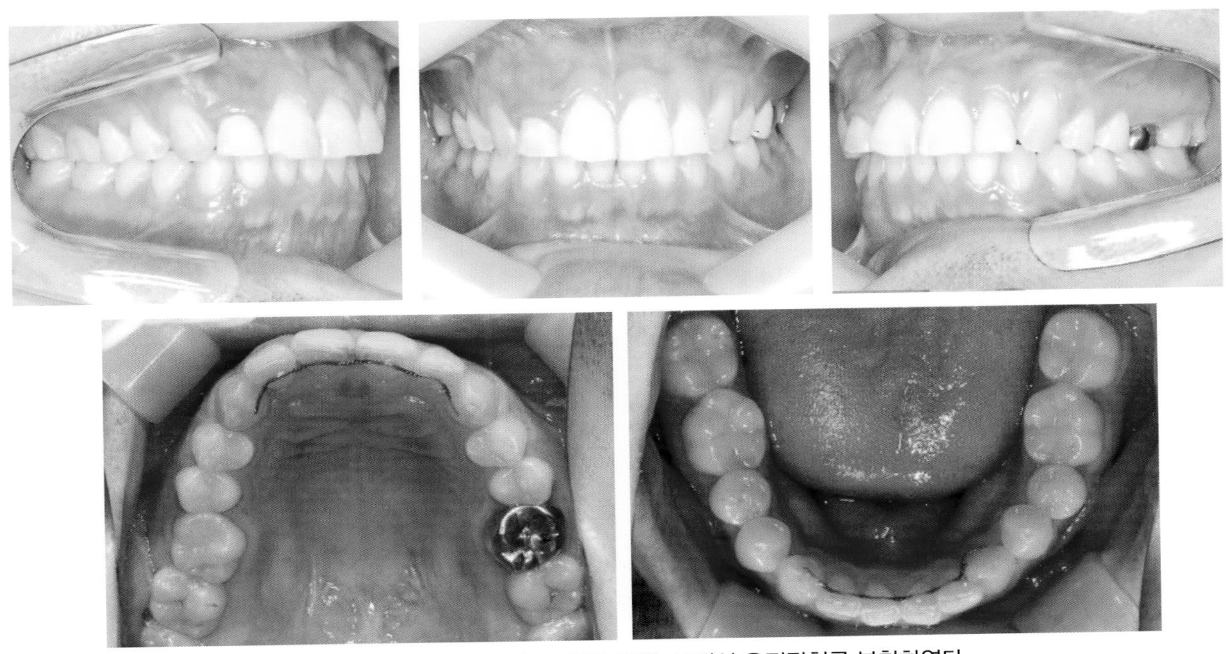

치료 종료 후 구내사진: 치료 기간 5개월, 고정식 유지장치를 부착하였다.

총생 증례 5

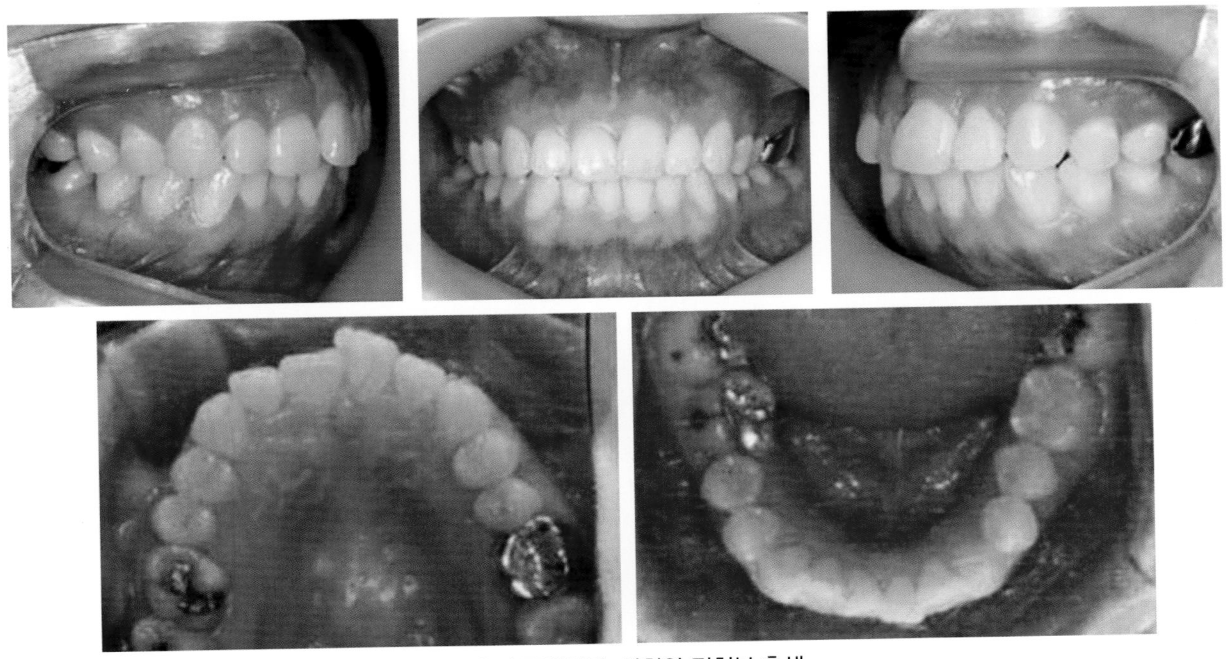

초진 시 구내사진: 상하악 전치부 총생

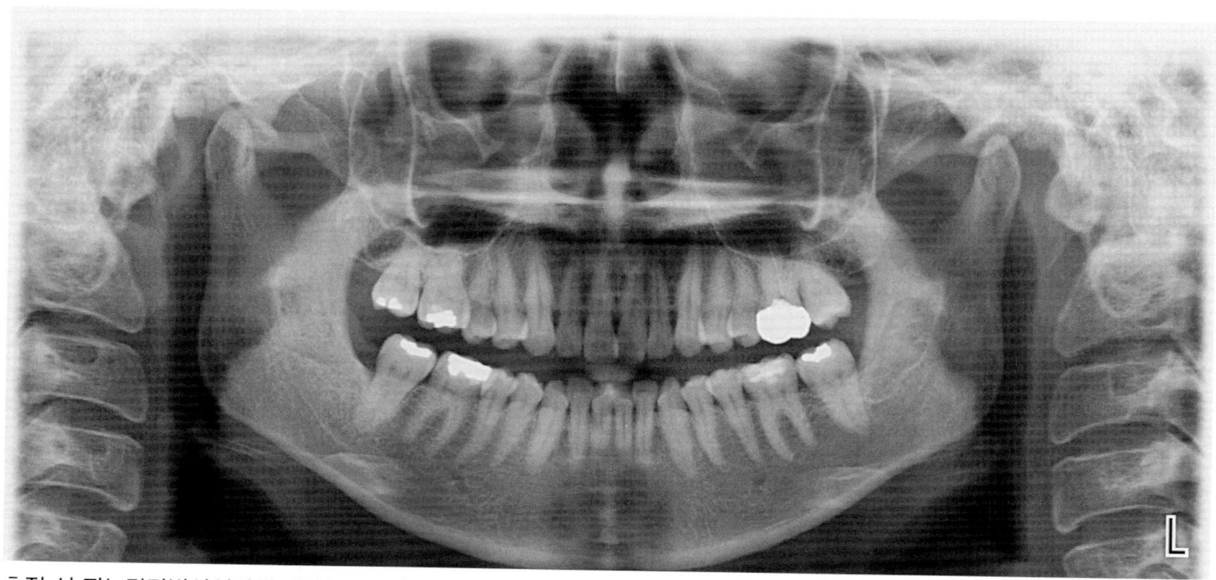

초진 시 파노라마방사선사진: 상악중절치(#11, 21) 사이 치조골 높이와 치아 형태로 블랙 트라이앵글(black triangle) 발생 가능성을 예측할 수 있다.

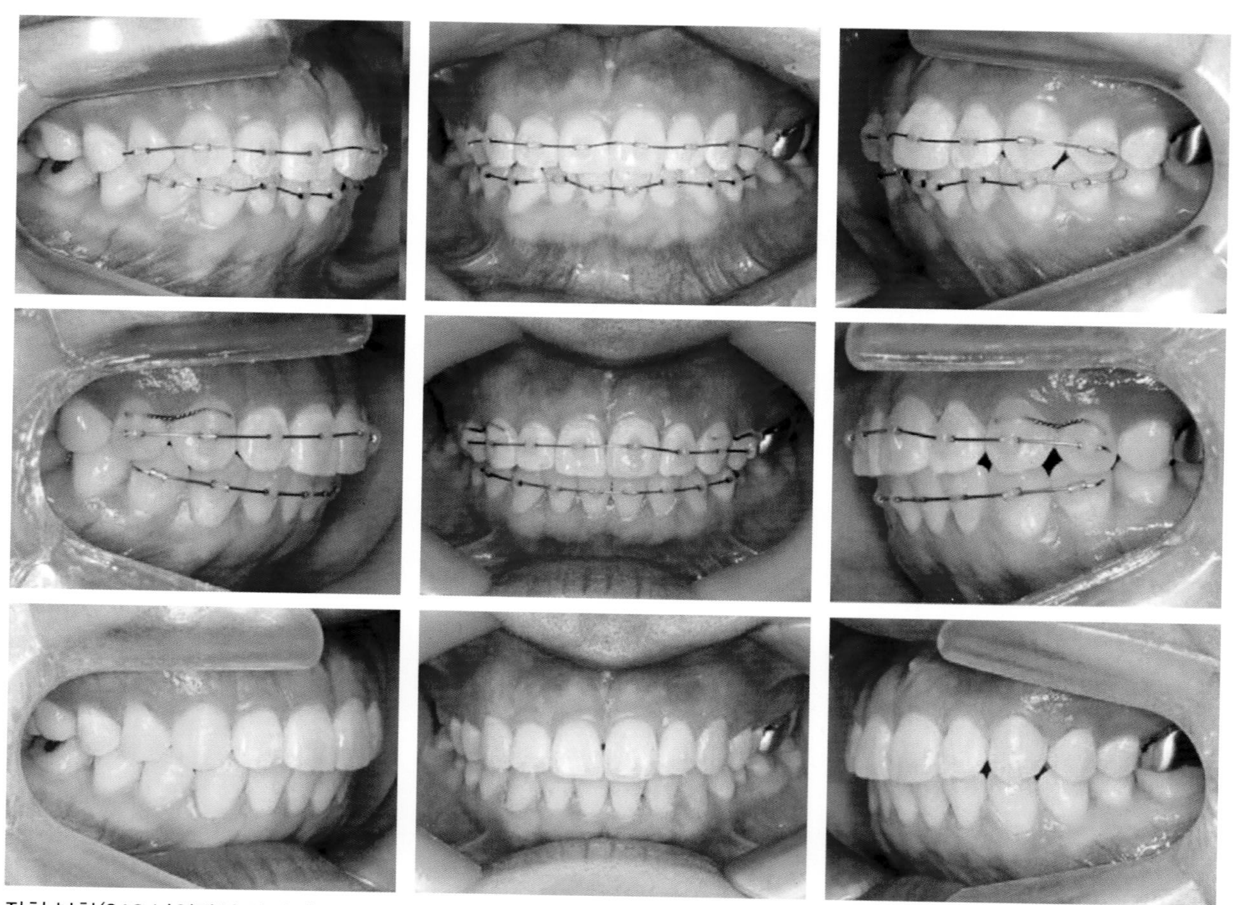

장치 부착(012 나이타이 와이어), 치료 중(치간삭제 및 상악 견치-제1소구치(#3-4) 고정원 보강), 그리고 장치 제거 후 구내사진(상악 전치부 블랙 트라이앵글(black triangle)이 관찰된다): 총 치료 기간은 8개월이다.

총생 증례 6

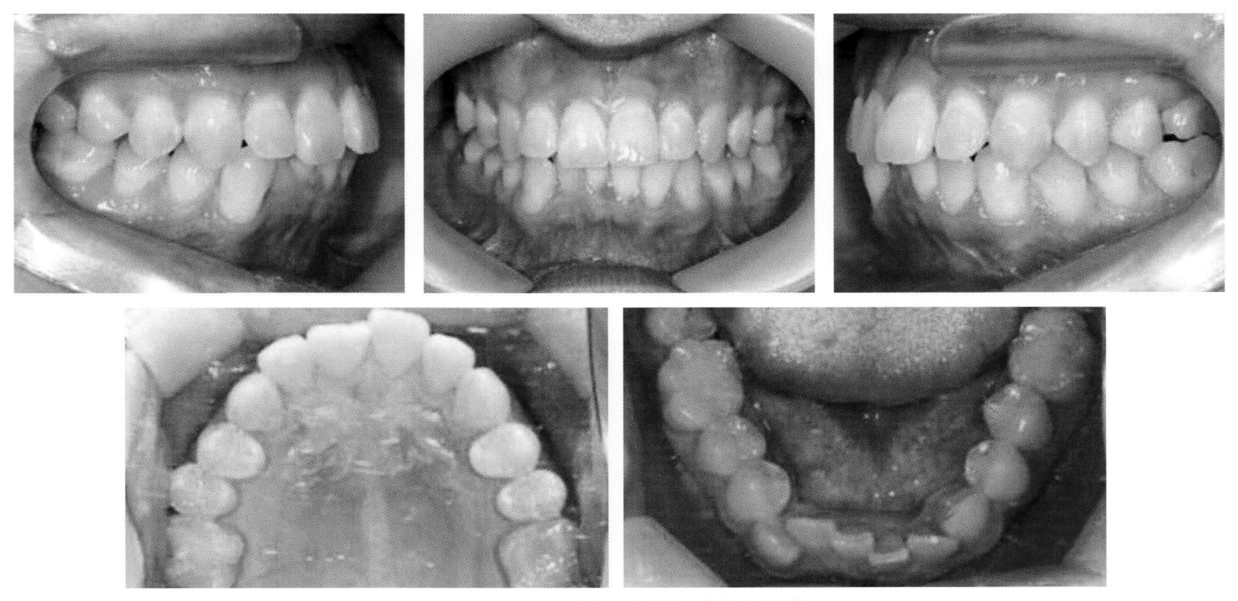

초진 시 구내사진: 상하악 전치부 총생

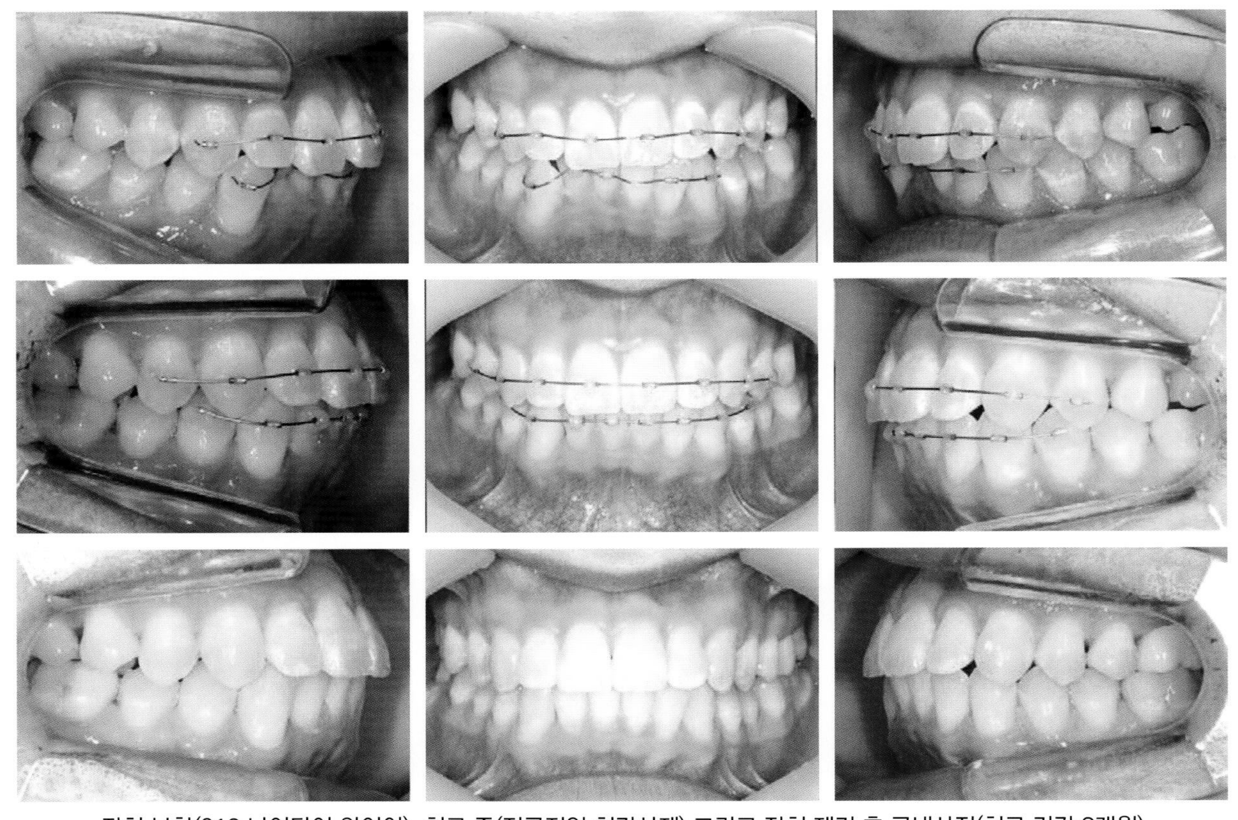

장치 부착(012 나이타이 와이어), 치료 중(적극적인 치간삭제) 그리고 장치 제거 후 구내사진(치료 기간 8개월)

총생 증례 7

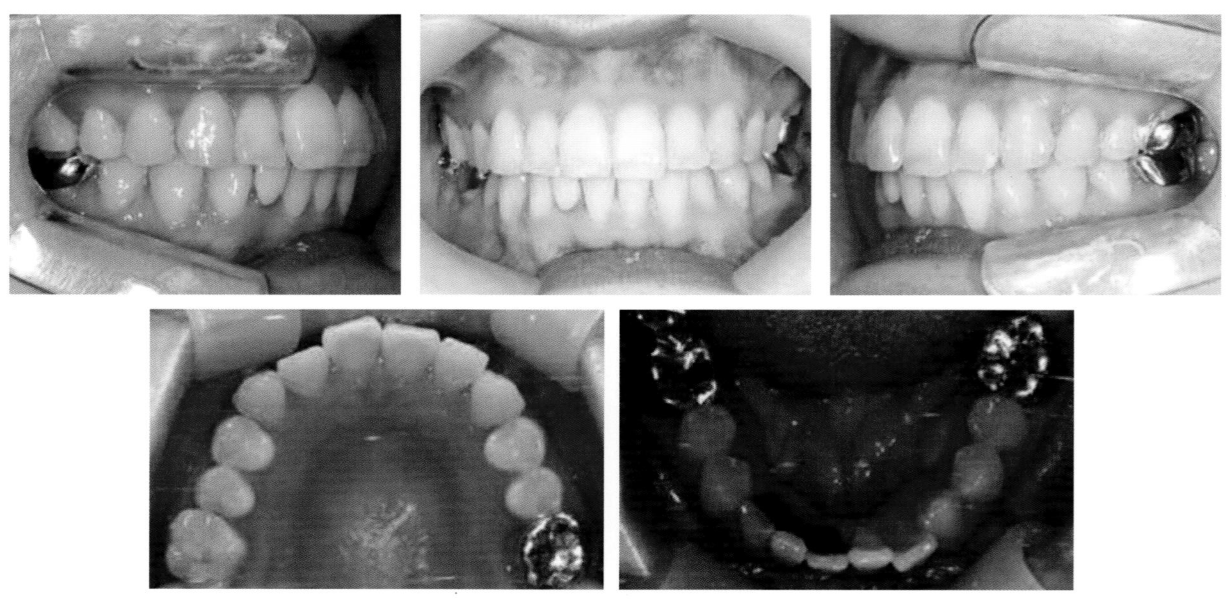

초진 시 구내사진: 상하악 전치부 총생

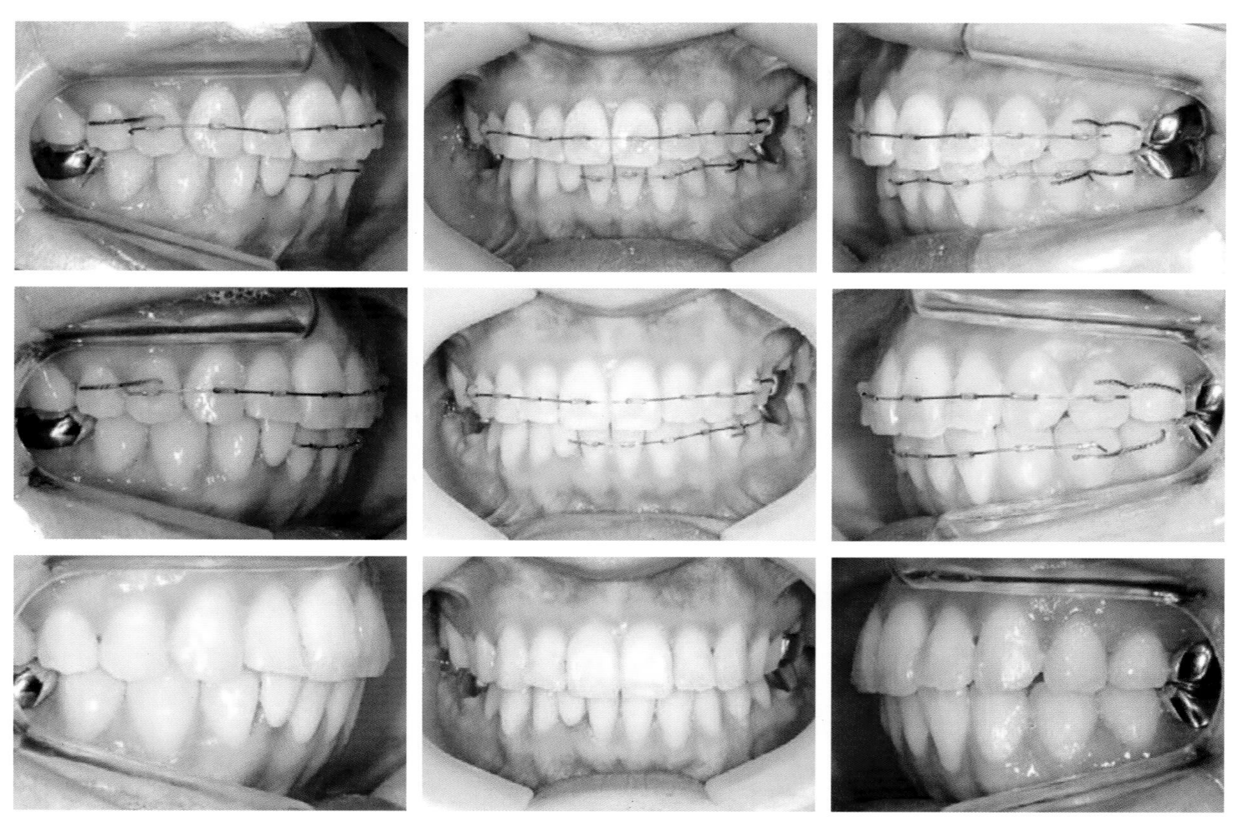

장치 부착(012 나이타이 와이어, 제1소구치-제2소구치(#4-5) 고정원), 치료 중(치간삭제) 그리고 장치 제거 구내사진(치료 기간 6개월)

총생 증례 8

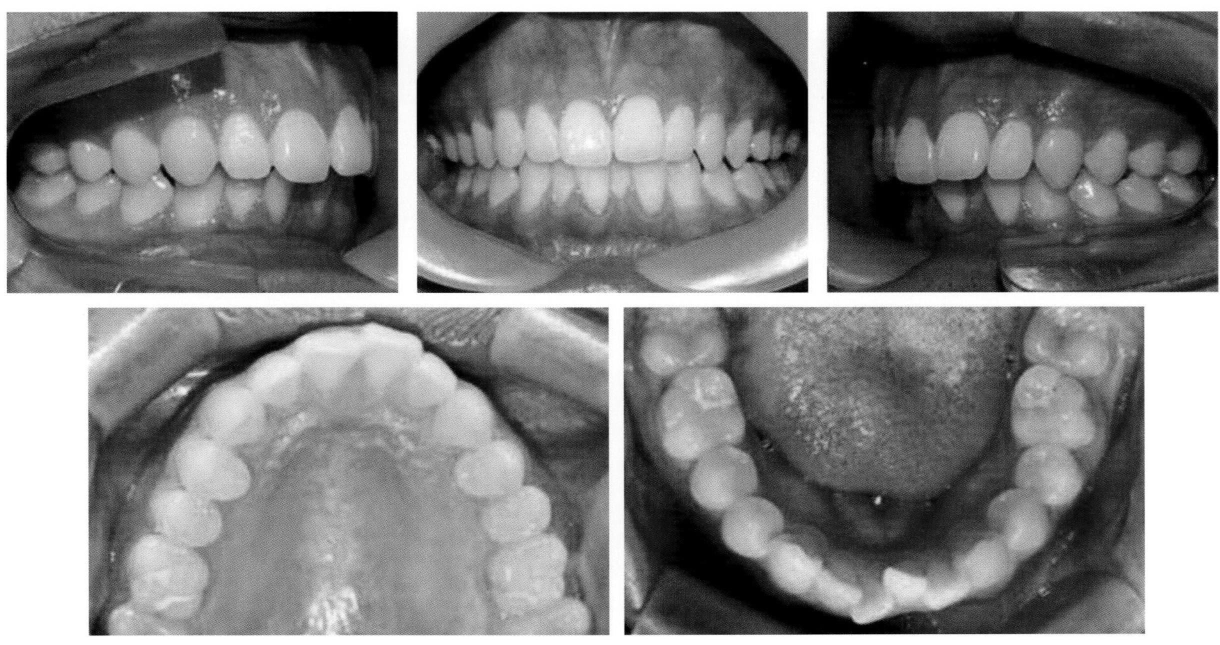

초진 시 구내사진: 상하악 전치부 총생, 뾰족한 악궁(V-shape)과 큰 수평 피개를 보인다.

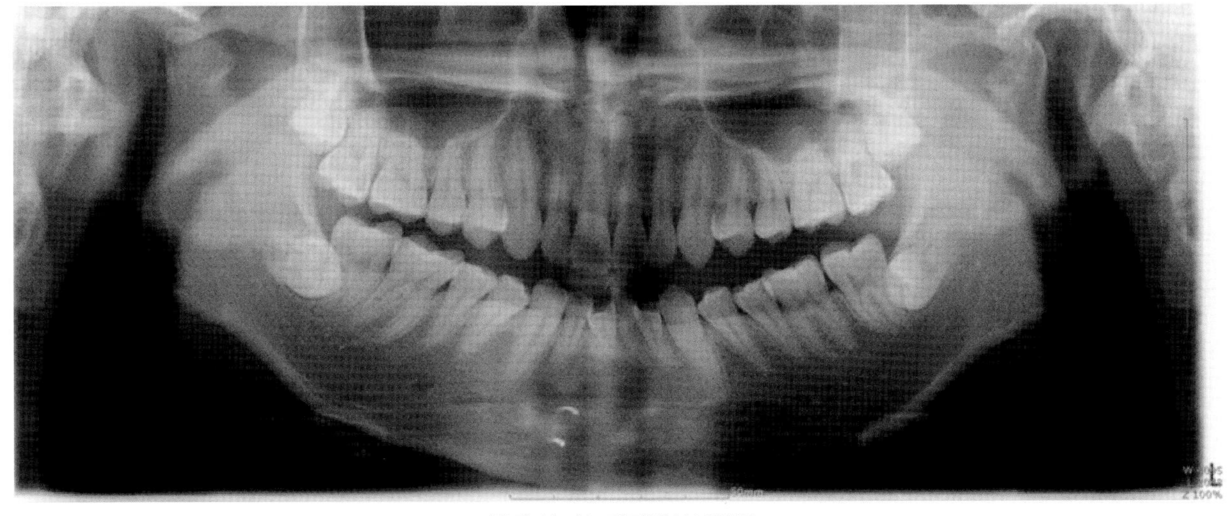

초진 시 파노라마방사선사진

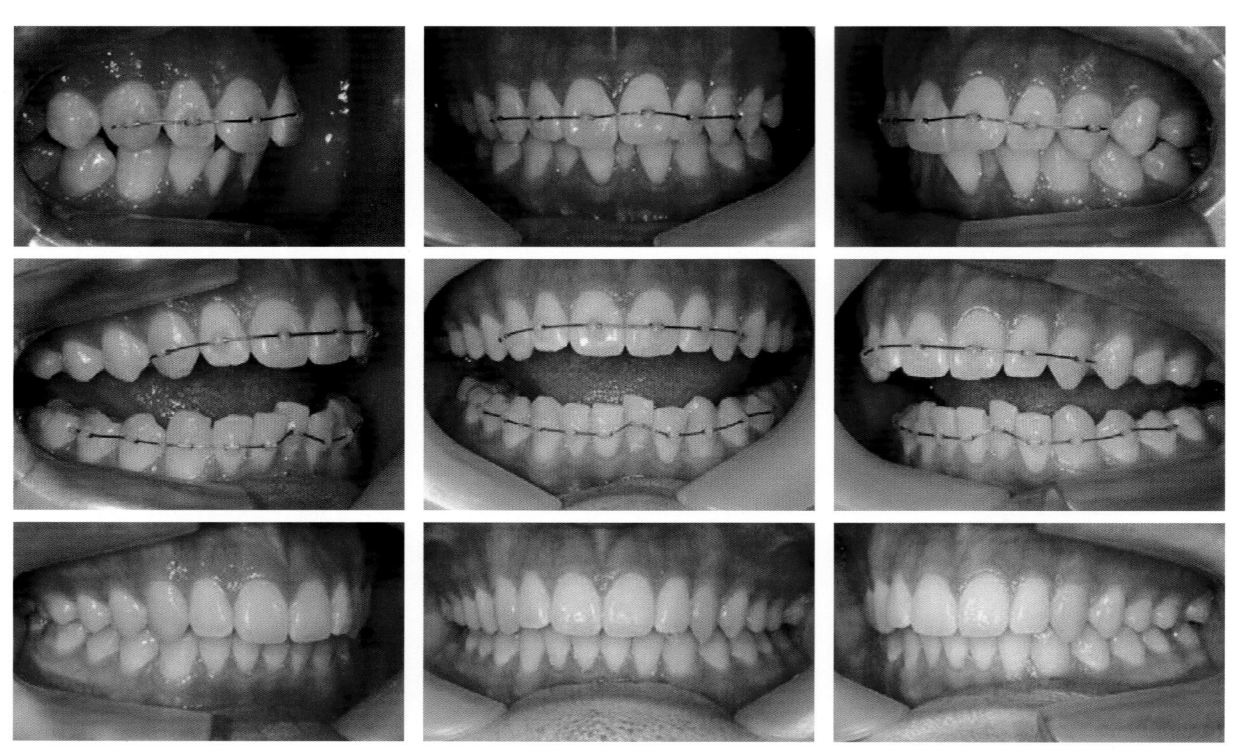

장치 부착(상악 이동 먼저 시행, 012 나이타이 와이어), 치료 중(하악 장치 부착) 그리고 장치 제거 후 구내사진: 총 치료 기간은 10개월이며, 골격적인 부분 수용하고 치아배열로 마무리하였다.

총생 증례 9

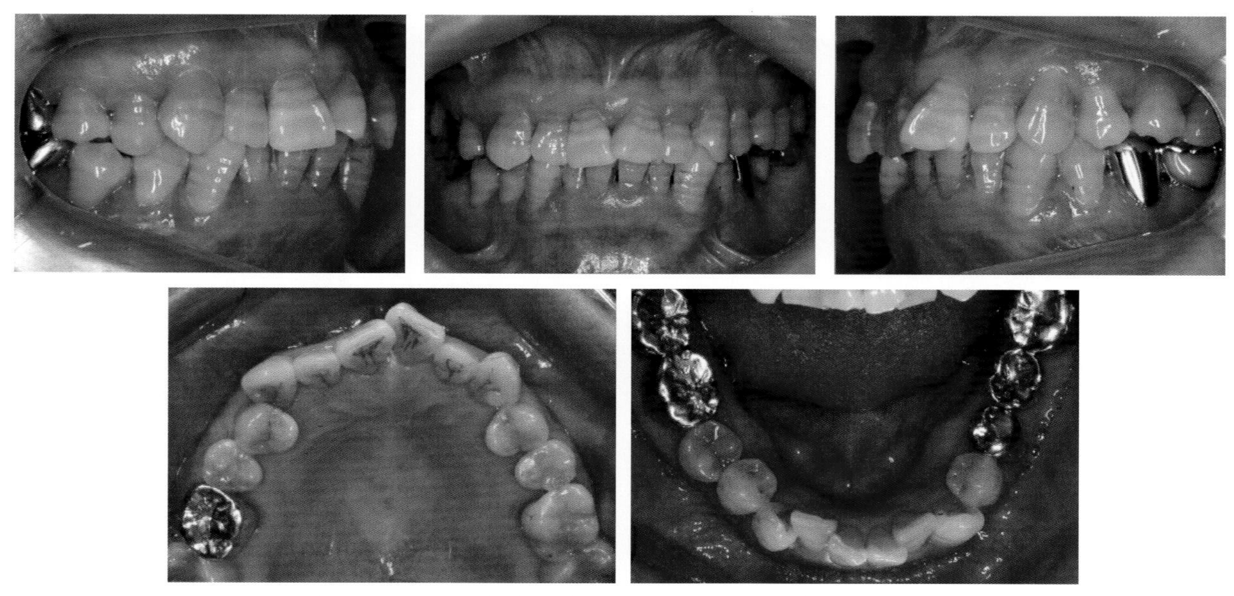

초진 시 구내사진: 총생과 교정 장치에 대한 거부감 등으로 미니튜브 장치로 치료하기로 하였다. 상하악의 치간삭제량이 많아 불편감이 발생할 수 있음을 미리 언급하였다.

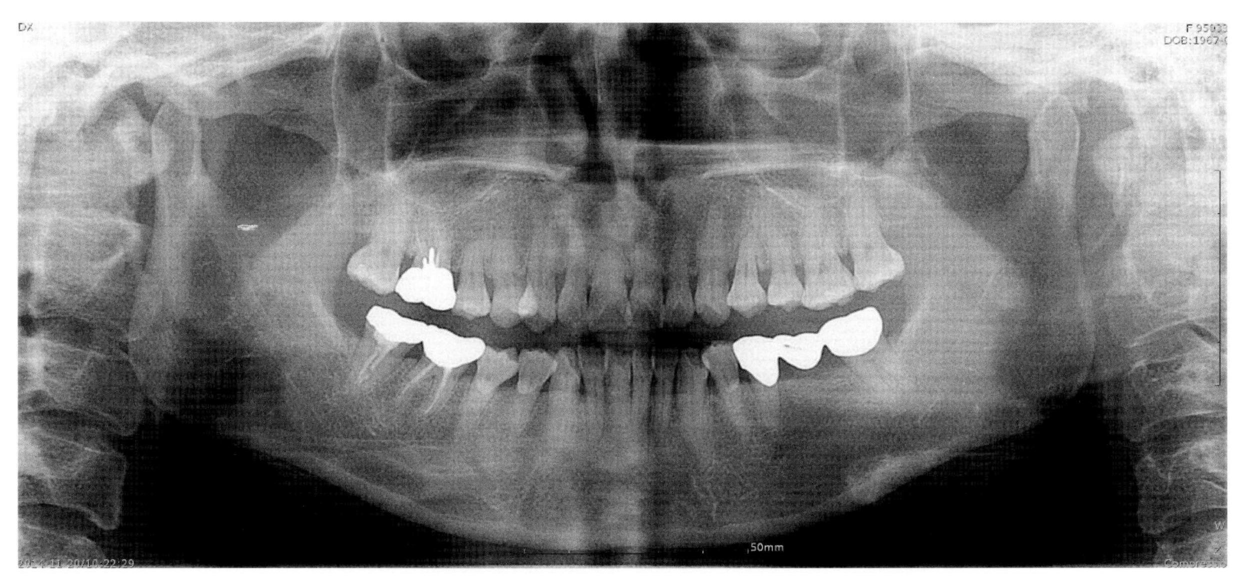

초진 시 파노라마방사선사진: 상악 전치의 짧은 치근이 관찰된다.

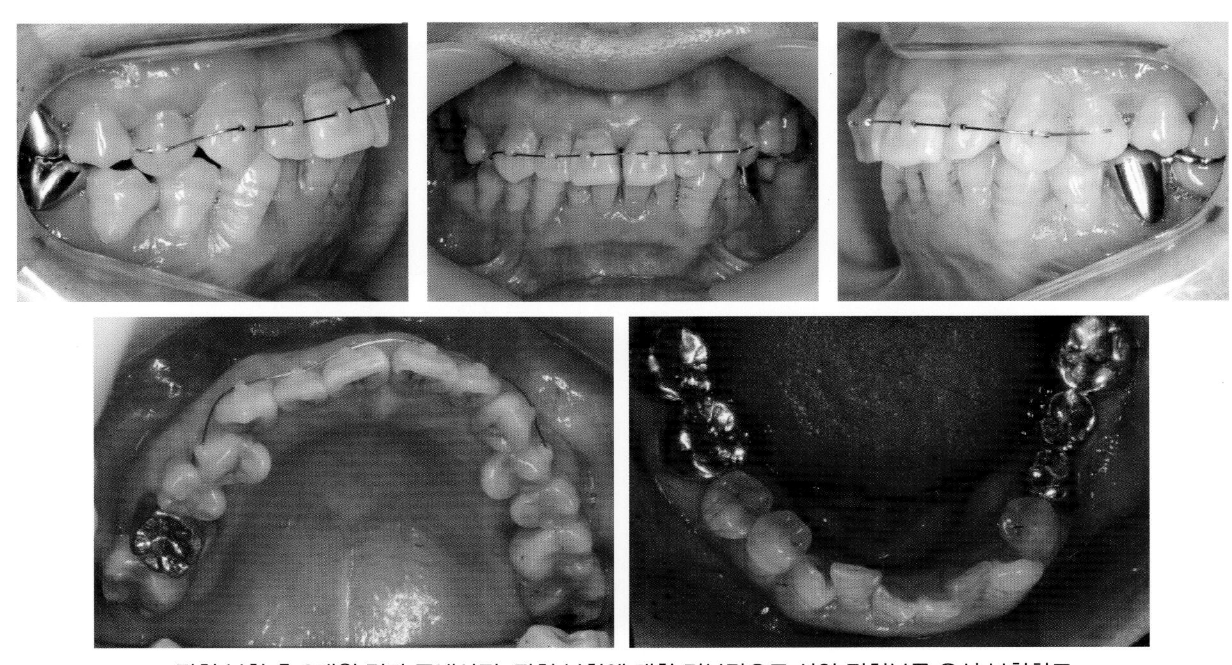

장치 부착 후 3개월 경과 구내사진: 장치 부착에 대한 거부감으로 상악 전치부를 우선 부착하고
치간삭제를 시행하였다(매월 내원 시마다 시행함).

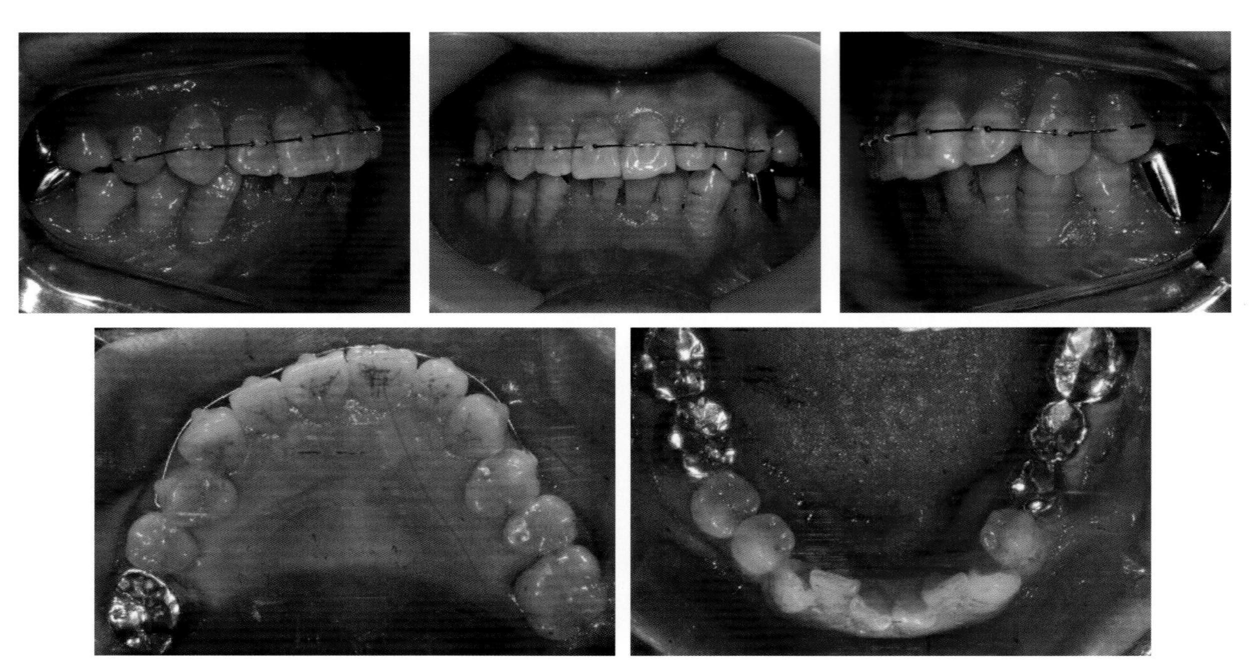

장치 부착 후 5개월 경과 구내사진

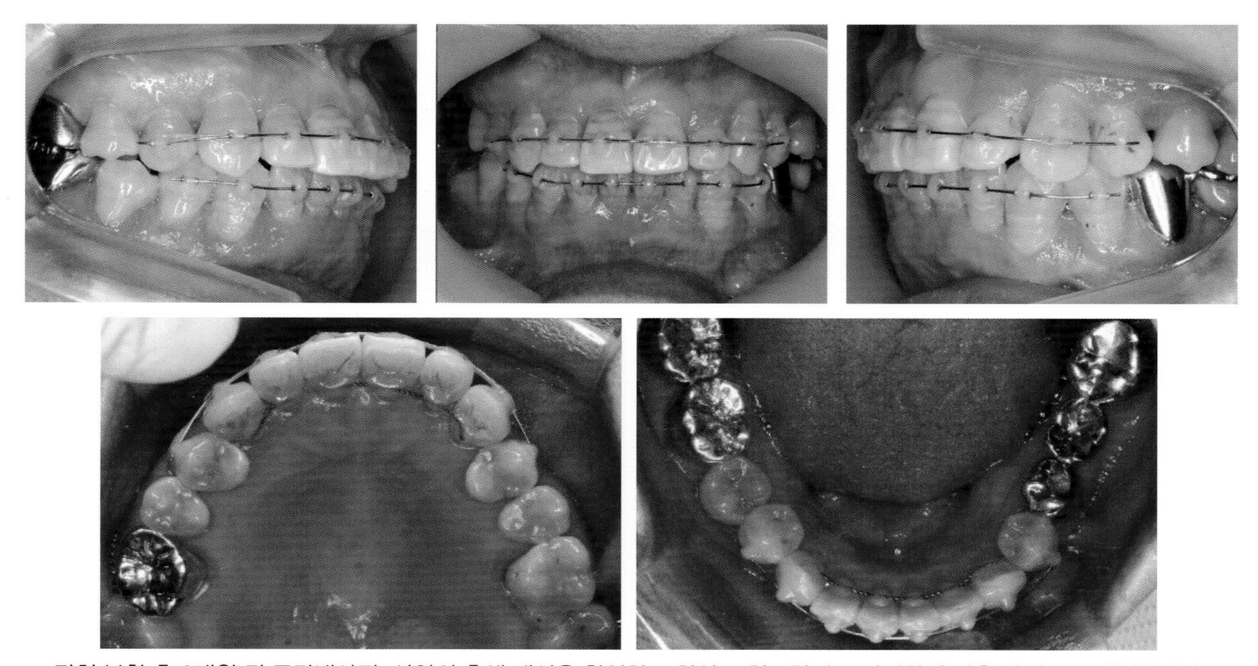

장치 부착 후 9개월 뒤 구강내사진: 상악의 총생 개선을 확인하고 하악도 치료하기로 결정하여 같은 방법으로 진행하였다.

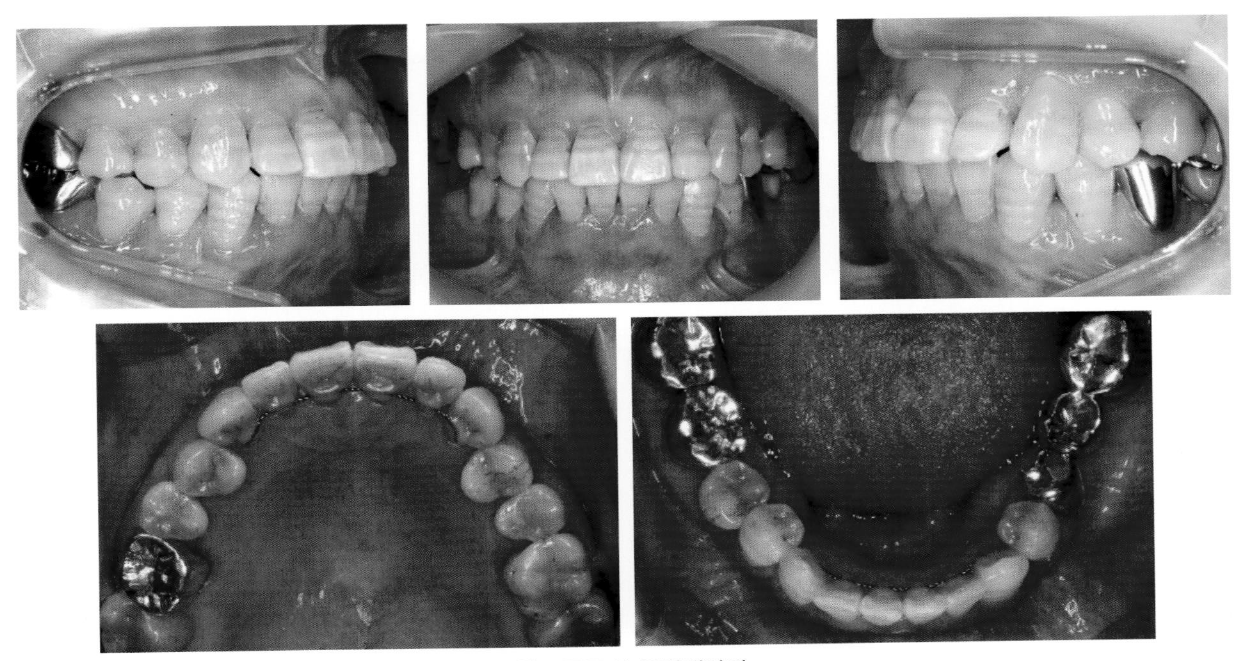

치료 종료 후 구강내사진

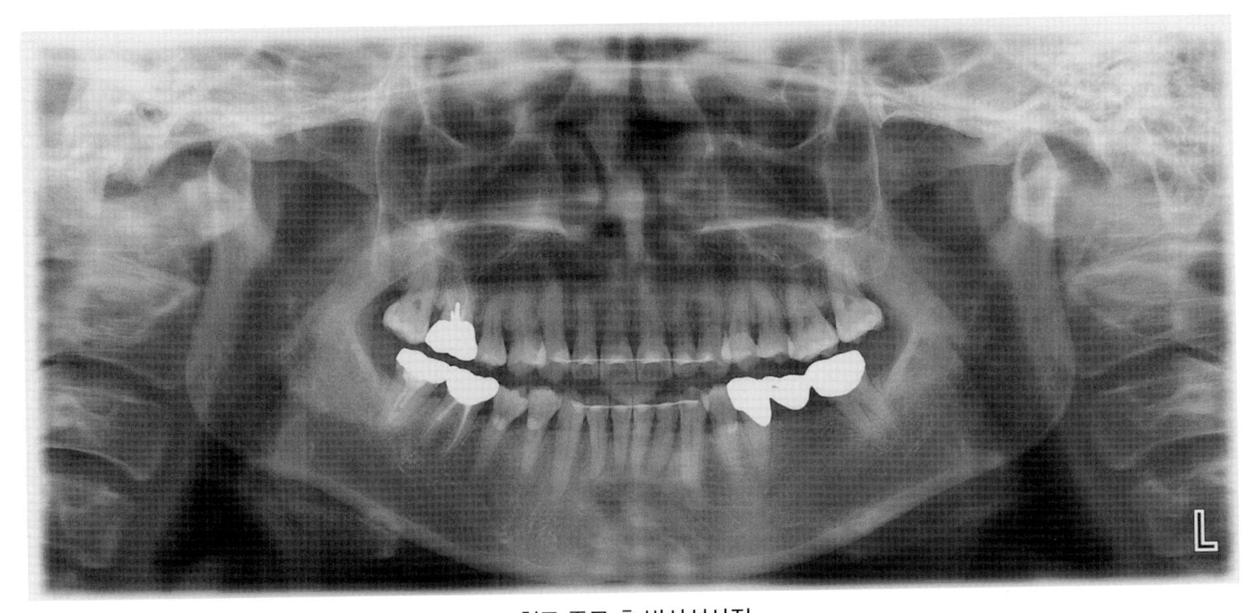

치료 종료 후 방사선사진

공간(Spacing)

미니튜브 장치를 활용한 공간 해결은 주로 전치부에 초점이 맞추어져 있다. 그만큼, 전치부 공간을 해결하는 방법으로 미니튜브 장치는 효율적일 수 있다. 특히 교정치료 후 나타나는 경미한 정도의 재발은 투명 장치를 활용해도 좋으나, 미니튜브는 투명교정 장치보다 효율적이다. 다만 공간을 폐쇄함에 있어 삽입되는 와이어가 가는 나이타이 와이어이므로 공간 폐쇄를 위한 고무줄(superthread)과 파워체인의 힘도 약한 힘을 적용하여야 한다. 필요에 따라서는 공간 폐쇄에 따른 고정원의 강화도 필요하다는 것을 명심해야 한다. 장치가 달라짐에 따라 치료의 기본 원리가 바뀌는 것은 아니기 때문이다. 상악 전치의 공간 폐쇄는 하악 전치의 위치에 영향을 받는다. 즉 교합 관계에 의해서 전치부 공간이 완벽히 폐쇄되지 않을 수 있다. 중년의 교정치료에서 절충치료를 원하는 경우가 많으므로, 전치부 공간이 견치 후방으로 모여지는 경우 사전에 환자와 충분히 논의하고 치료 후 결과에 대해서 공유하는 것이 필요하다. 환자에게 치료 후의 상태를 보여주는 효과적인 방법도 있다. 이는 앞서 이야기한 치아 모형의 셋업이다. 이를 적극 활용하면 치료 계획 수립과 환자와의 상담에도 효과적으로 활용할 수 있다.

공간 증례 1

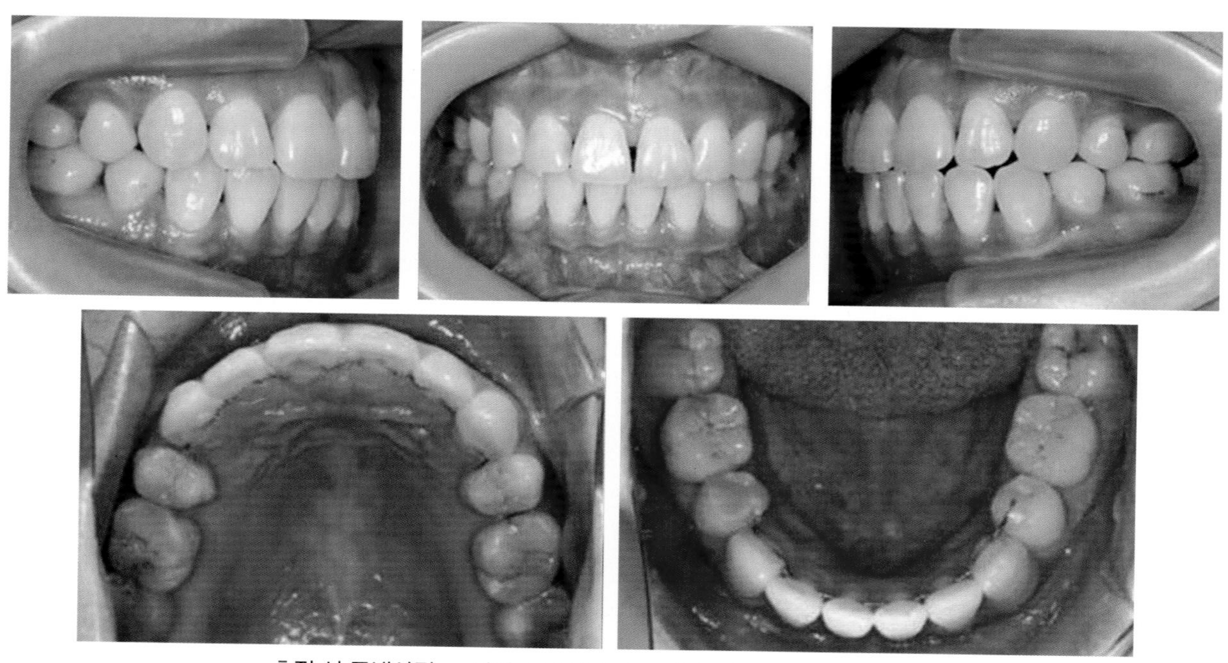

초진 시 구내사진: 교정치료 후 재발로 상하악 전치부 공간이 나타났다.

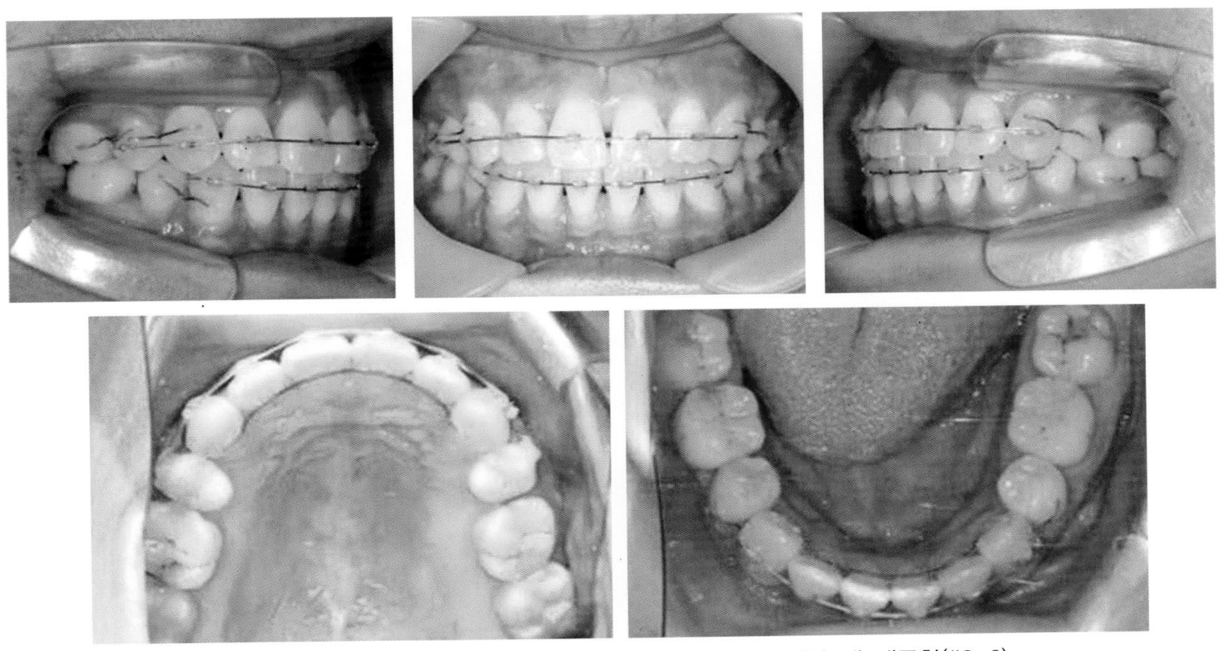

치료 경과 2개월 경 구내사진: 012 나이타이 와이어와 상악 견치-제1대구치(#3-6),
하악 견치-제1소구치(#3-4)를 고정원으로 사용하였다.

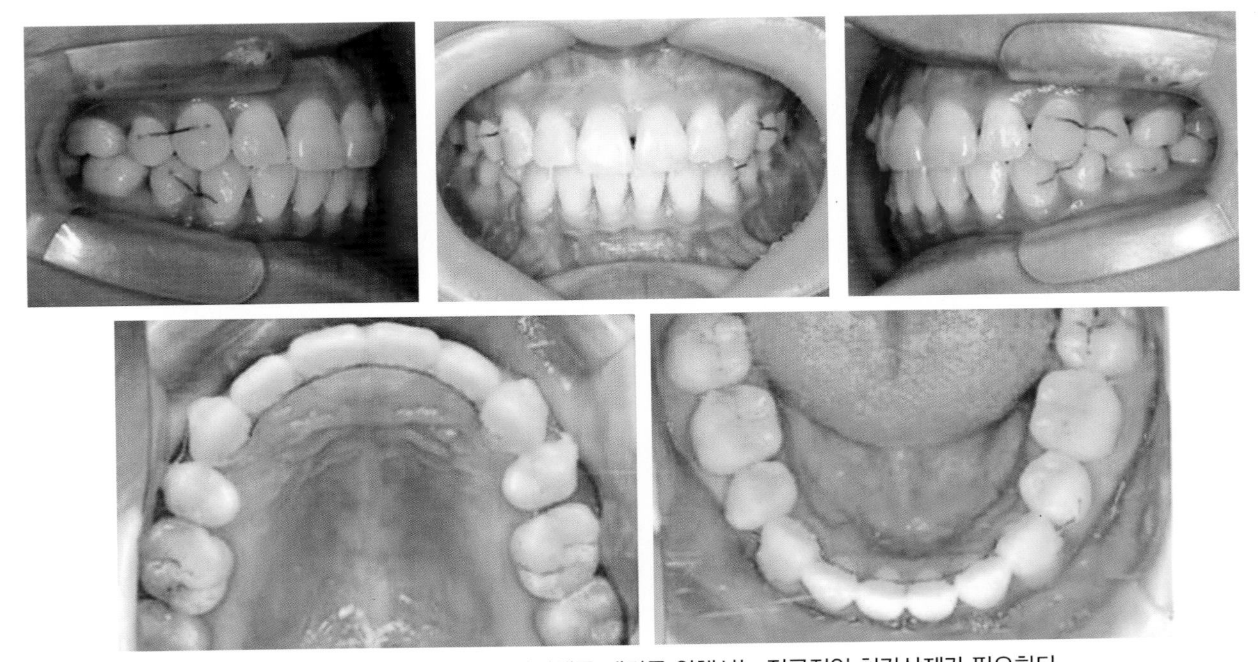

치료 종료 후 구내사진: 블랙 트라이앵글 제거를 위해서는 적극적인 치간삭제가 필요하다.

공간 증례 2

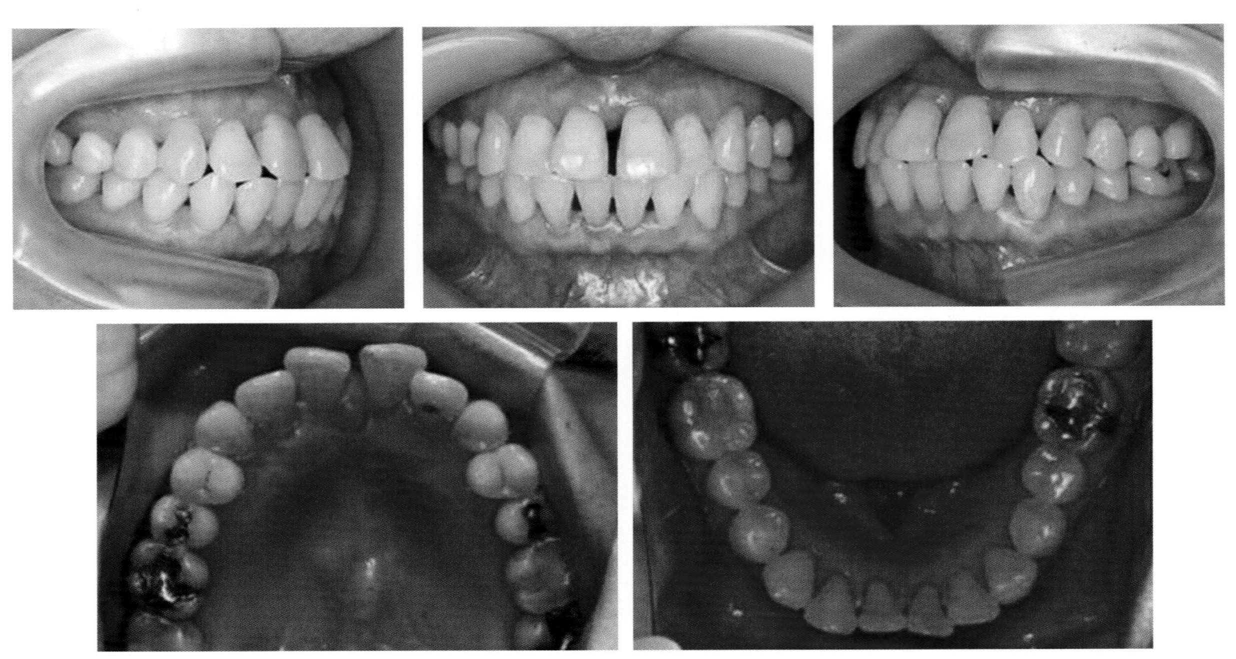

초진 시 구내사진: 상악 전치부 치간이개(diastema)가 관찰된다. 얕은 수평 피개 및 상악측절치(#22)가 절단 교합(edge to edge) 상태이다. 상악 전치 공간 폐쇄를 위해서는 하악 전치의 위치 개선 역시 반드시 필요한 상황이다.

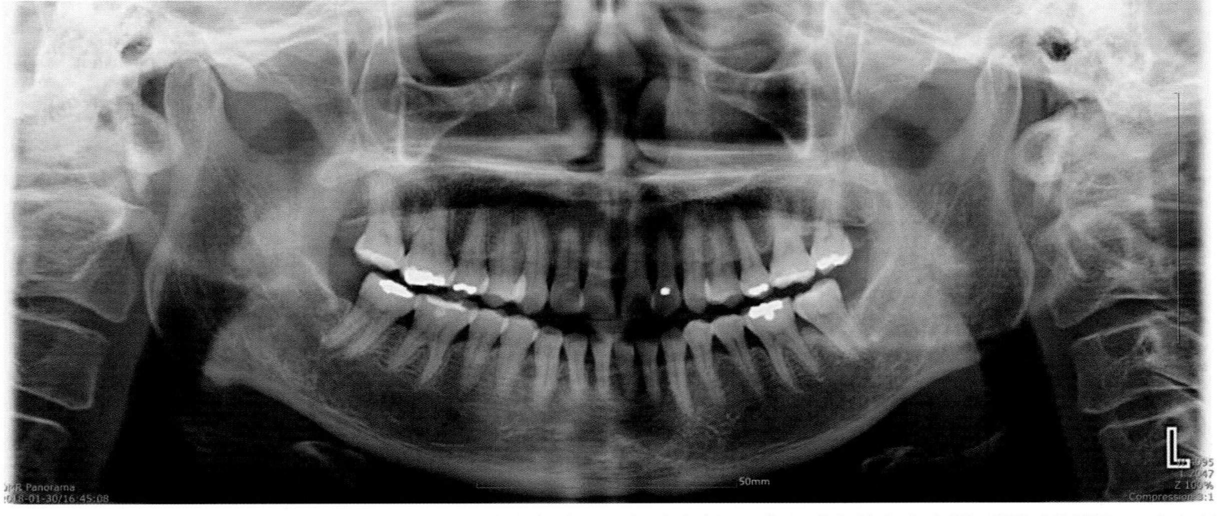

초진 시 파노라마방사선사진: 중등도 치주염으로 상하악 치조골이 전반적으로 흡수되어 있으며, 특히 상악중절치(#11, 21) 심한 골 소실 상태로 동요도 존재하였다.

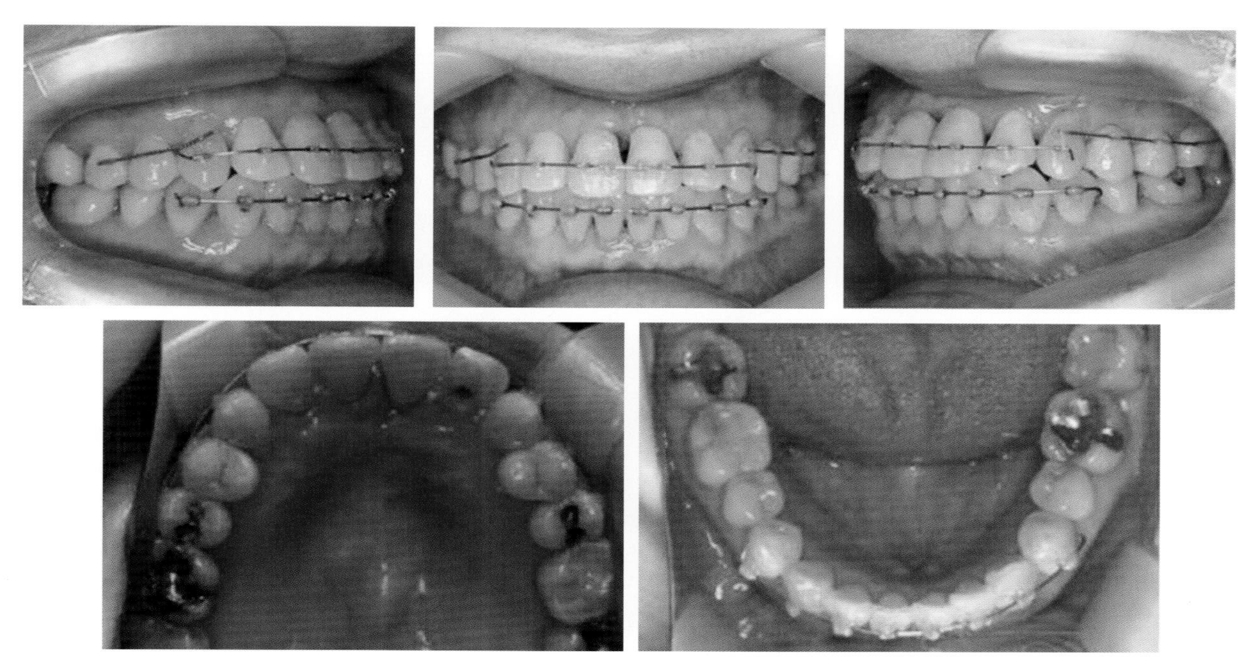

치료 경과 4개월 경 구내사진: 012 나이타이 와이어, 우측 견치부터 좌측 견치까지 파워체인으로 힘을 가하여 치간공극을 폐쇄하였다. 고정원을 보강하기 위해 상악 견치부터 제1대구치(#3-6)까지 고정식 유지장치 부착하였다. 치료 경과 2개월 후, 하악에 적극적으로 치간부 삭제 시행하여 공간 폐쇄하였다.

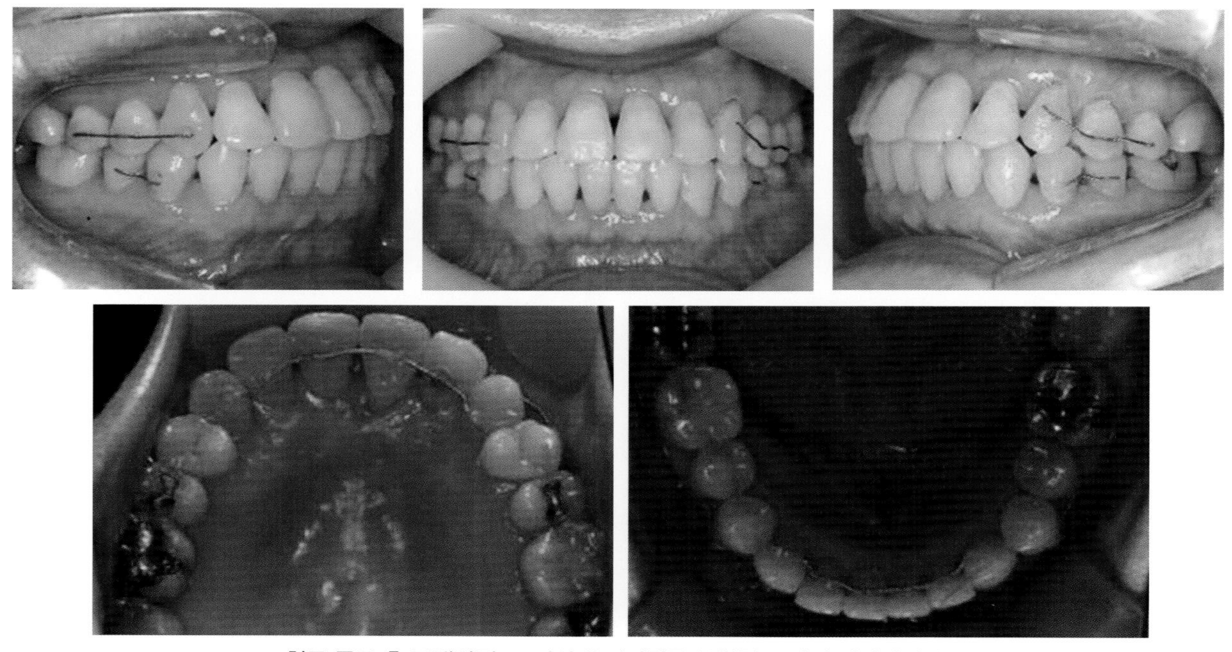

치료 종료 후 구내사진: 고정식 유지장치를 부착하고 장치 제거하였다.

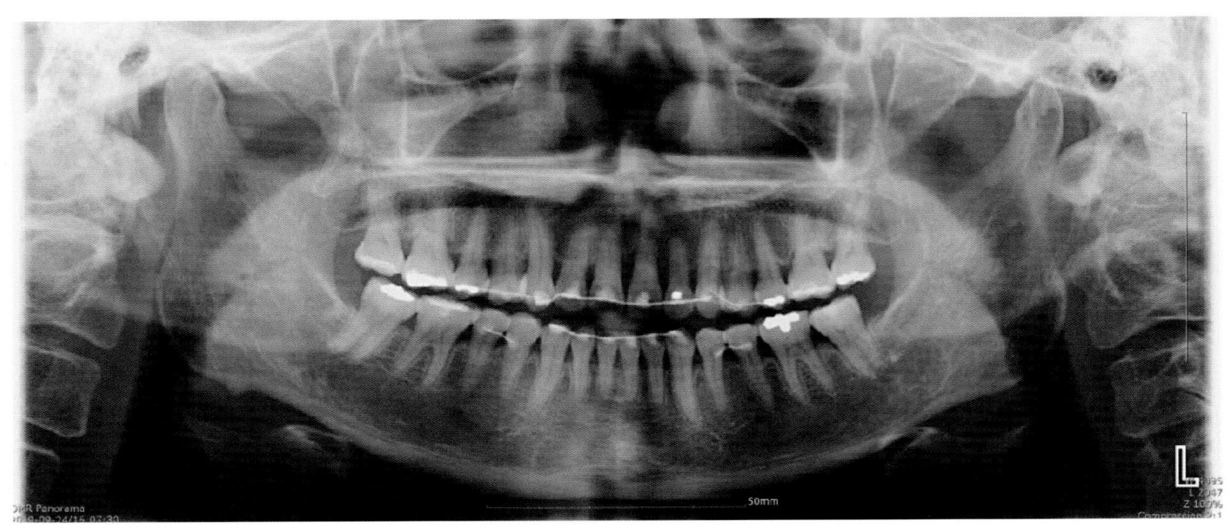

치료 종료 후 파노라마방사선사진

공간 증례 3

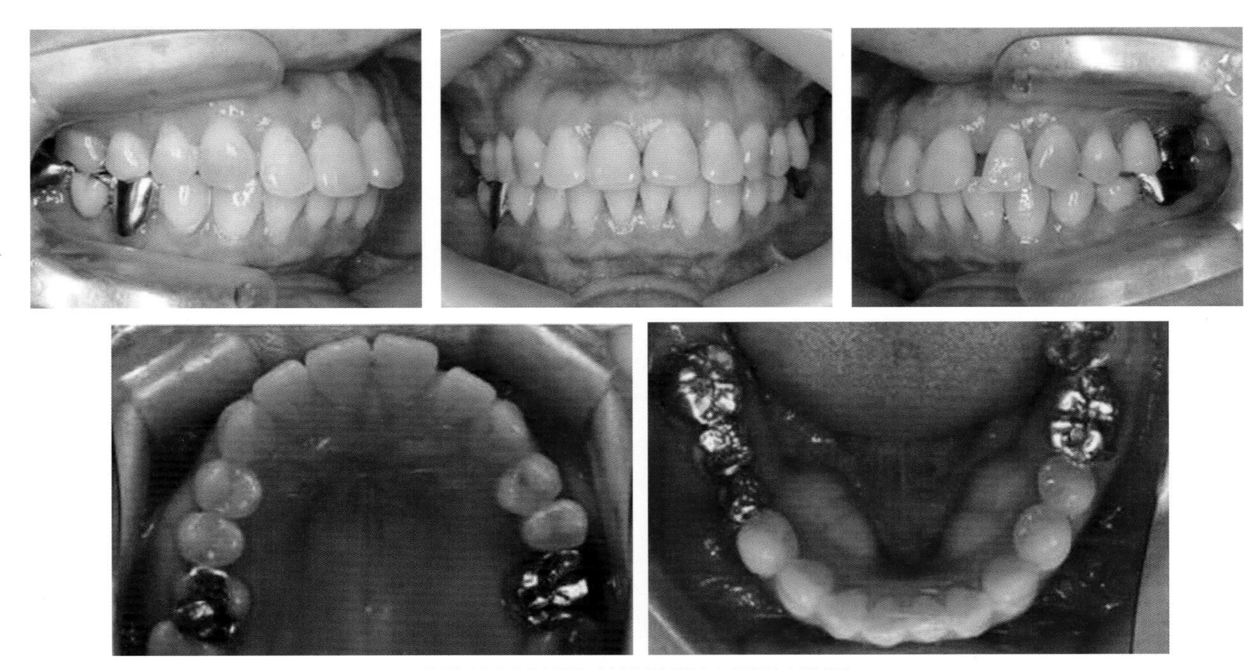

초진 시 구내사진: 상악 전치부 공간이 보인다.

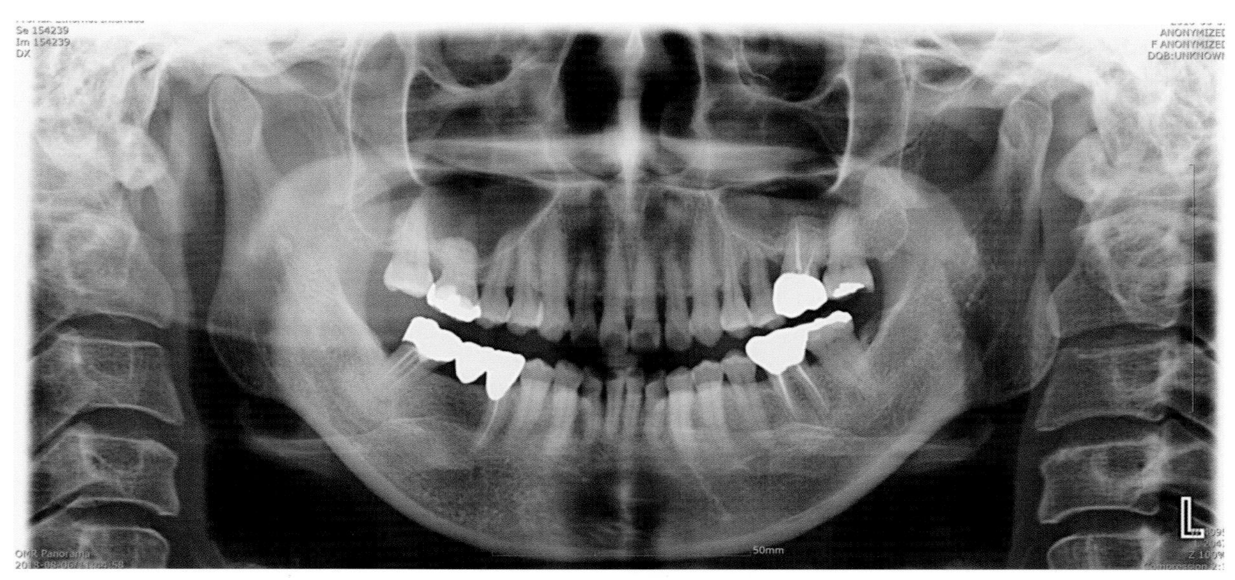

초진 시 파노라마방사선사진

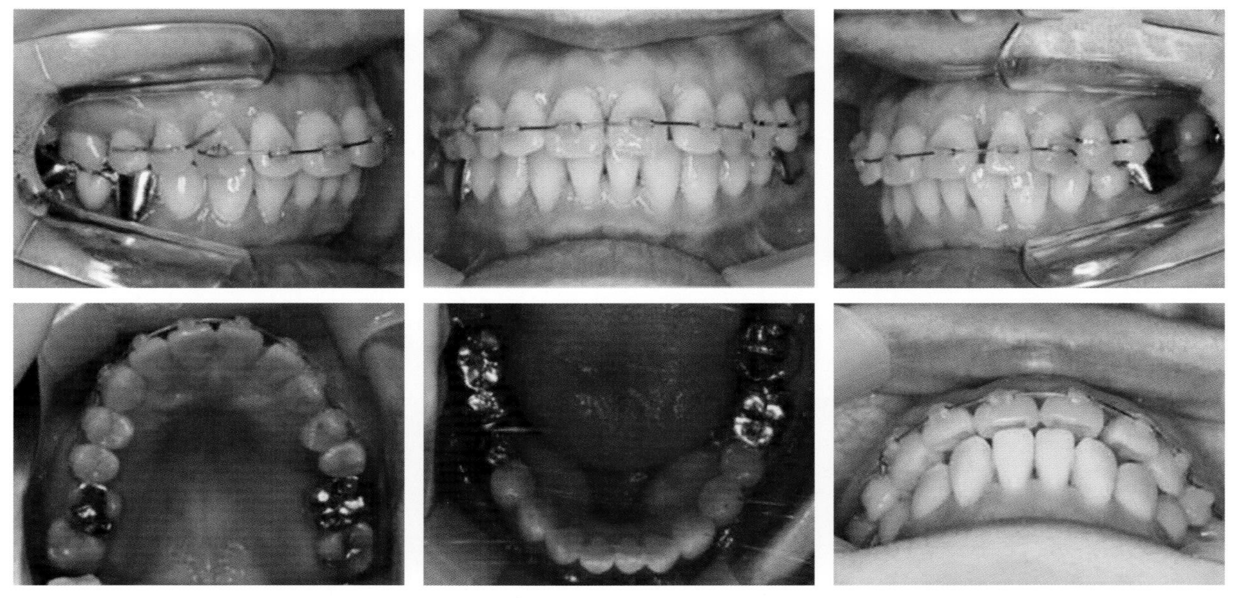

치료 경과 2개월 경 구내사진: 상악에 미니튜브를 부착하고 012" 나이타이 와이어를 삽입하였다.

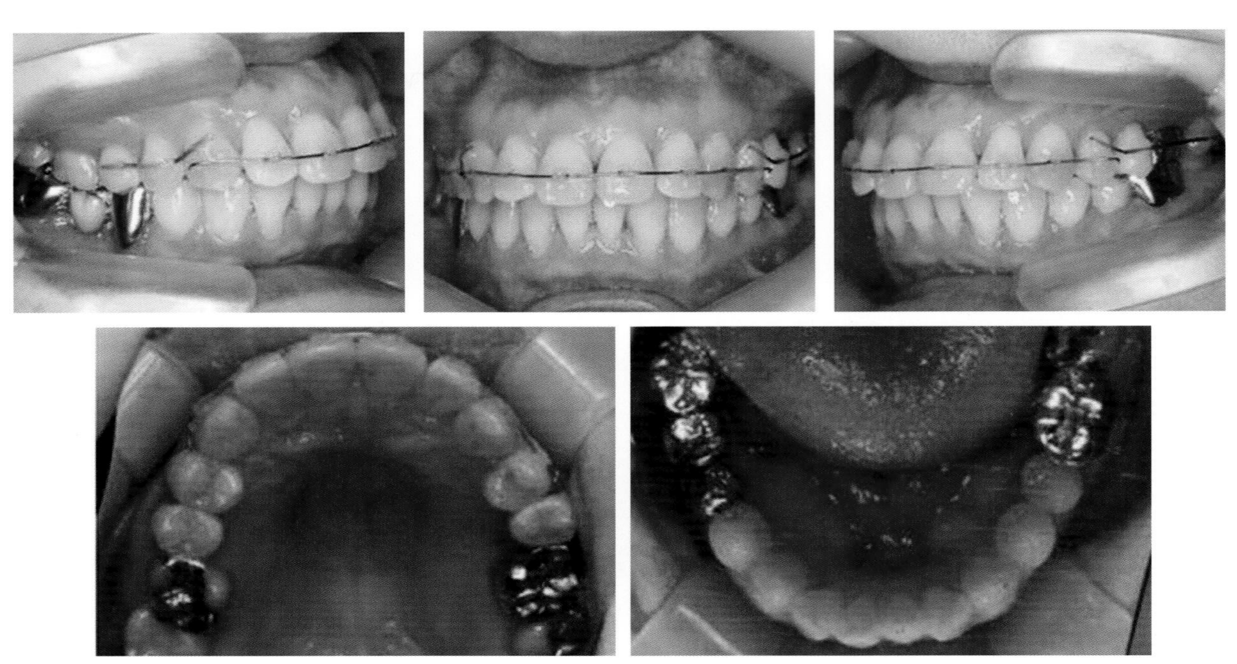

치료 경과 4개월 경 구내사진: 약한 힘의 파워체인을 이용하여 공간 폐쇄 시행하였다.

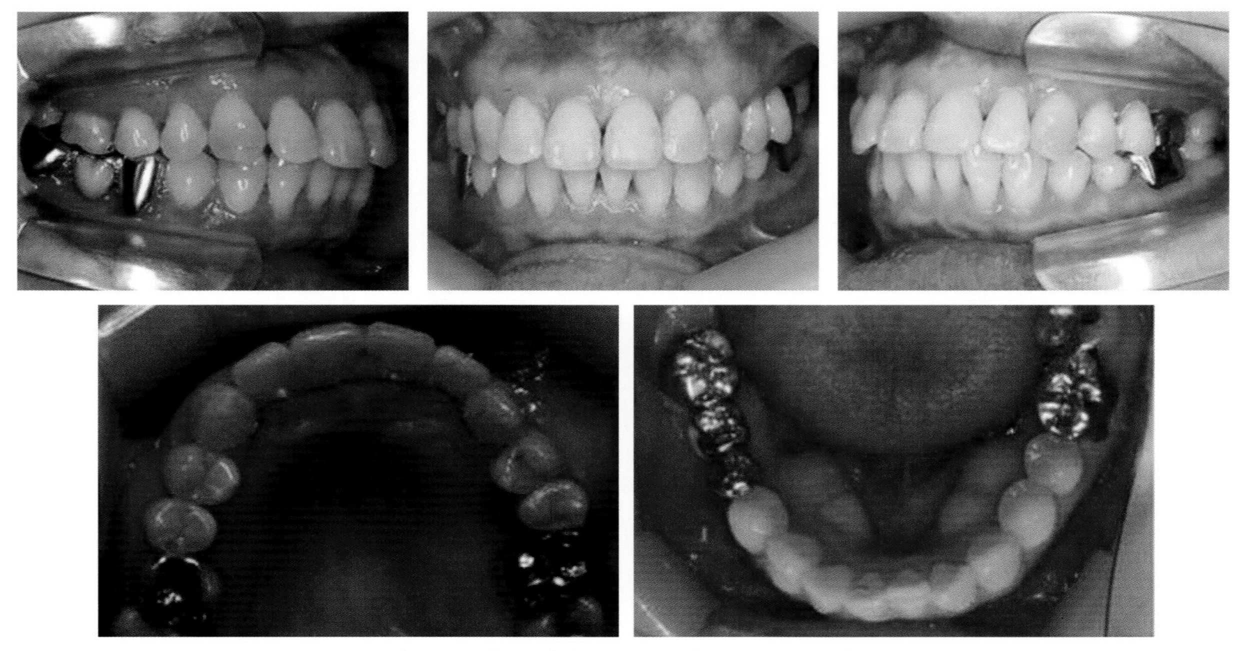

치료 종료 후 구내사진: 4주 간격으로 지켜본 다음
4개월째 고정식 유지 장치를 부착함으로써 상악 전치부 치료를 마무리하였다.

공간 증례 4

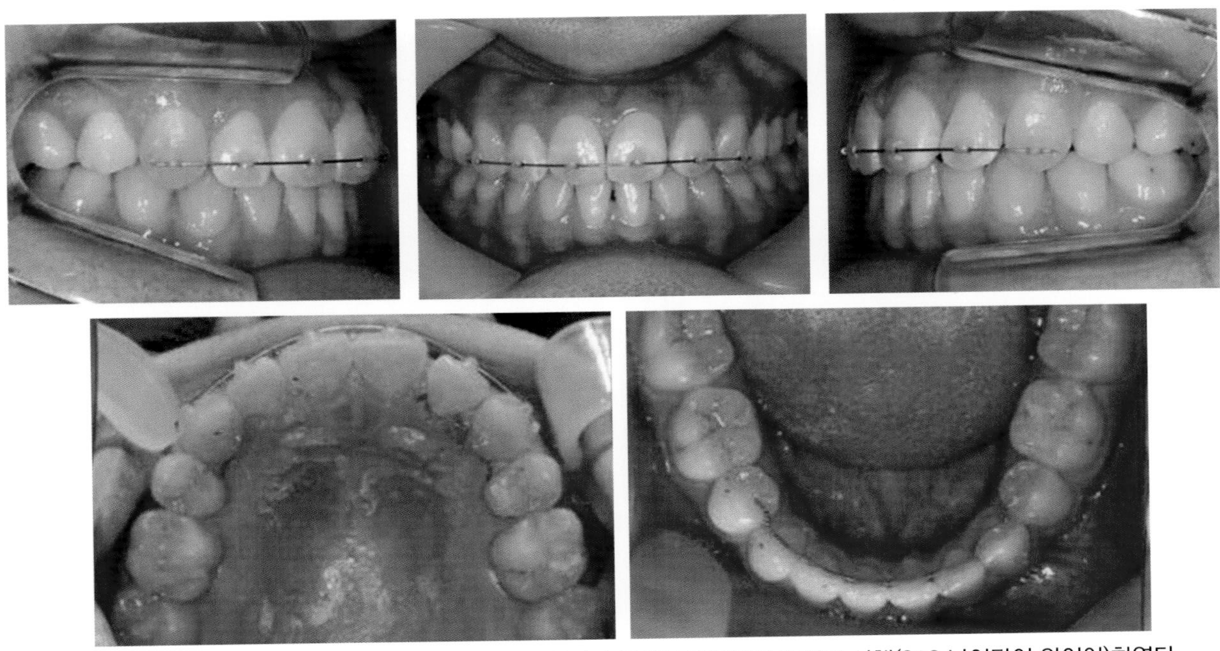

상악 미니튜브 부착 후 구내사진: 교정치료 후 치아 회전과 공간이 재발되어 재치료 시행(012 나이타이 와이어)하였다.
하악견치에서 제1소구치(#13-14, 23-24)의 구개측 유지 장치는 유지하였다.

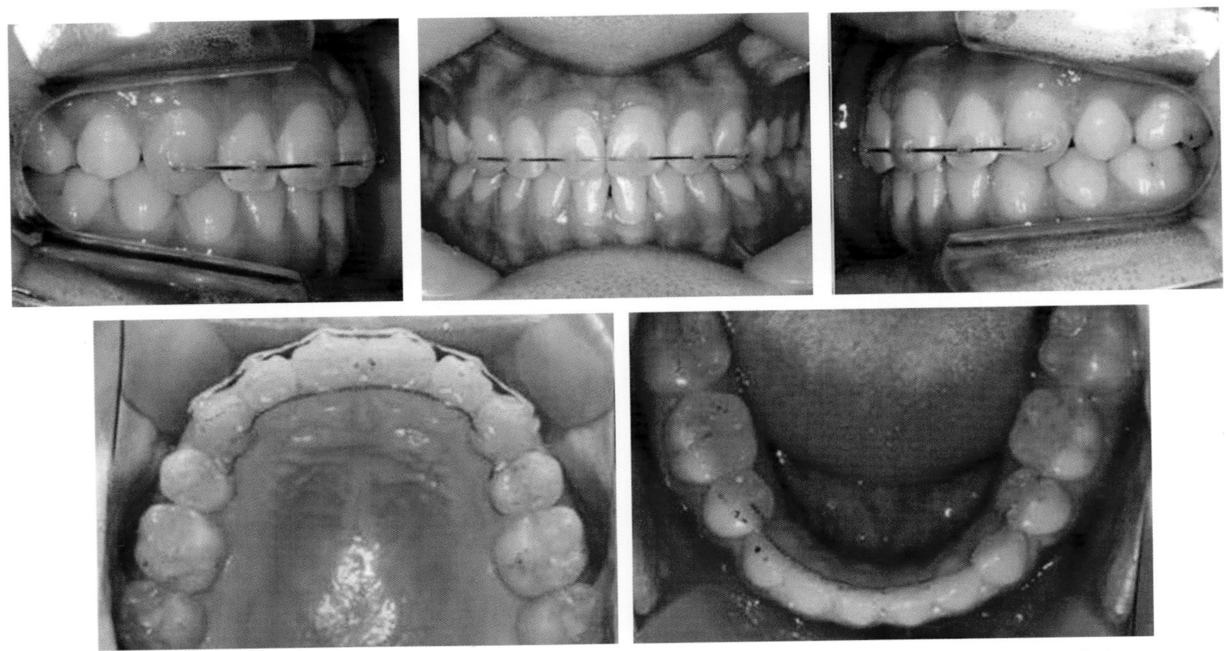

치료 경과 2개월 경 구내사진: 치료 2개월 후 상악중절치(#21) 회전이 개선되면서 공간이 대부분 닫혔다.
지속적인 공간 폐쇄를 위하여 약한 힘을 적용할 수 있는 약한 파워체인을 이용하였다.

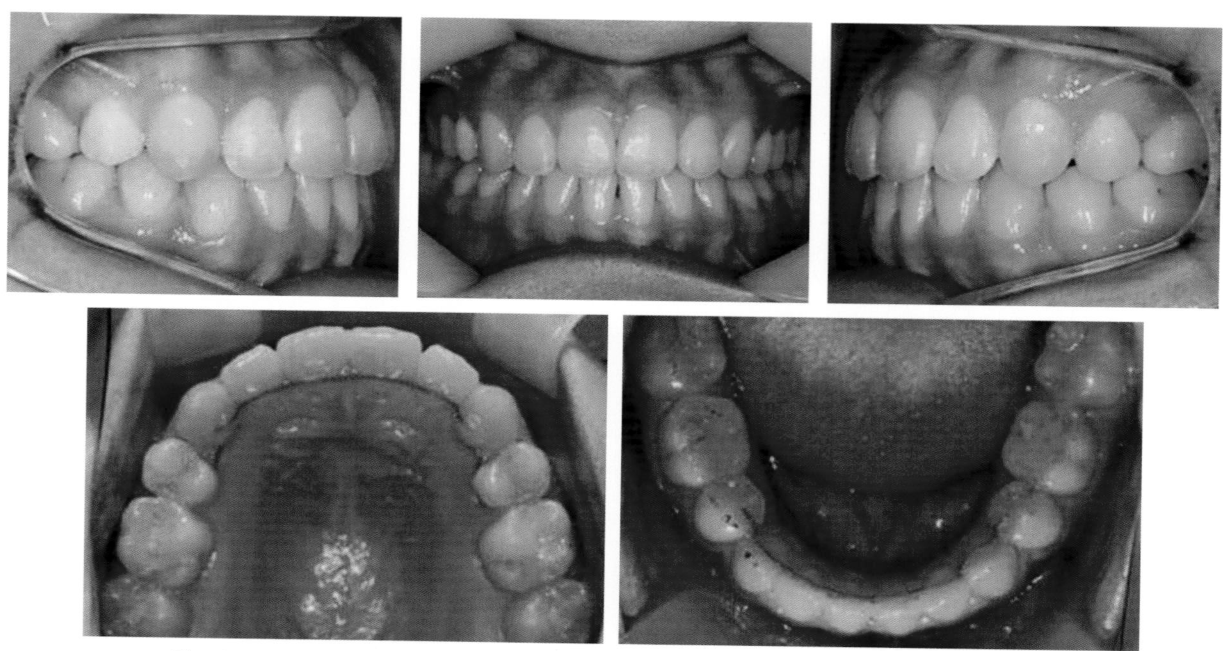

치료 종료 후 구내사진: 치아 배열 완료까지 4주 간격으로 2회 관찰한 뒤 치료를 종료하였다.

공간 증례 5

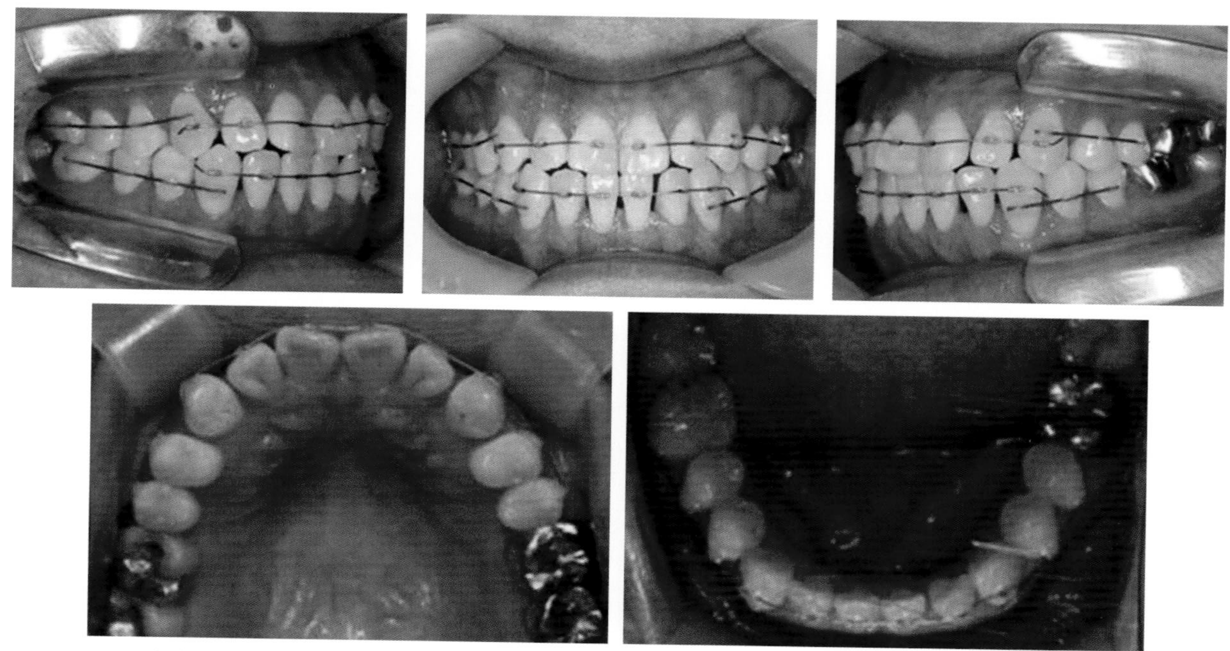

상하악 미니튜브 부착 후 구내사진: 치주염으로 인한 골소실로 상하악 전치부에 공간이 발생하였다.
미니튜브를 이용하여 전치부만 부분교정하기로 치료계획하고, 견치 후방으로 공간이 남을 수 있음을 고지하였다.

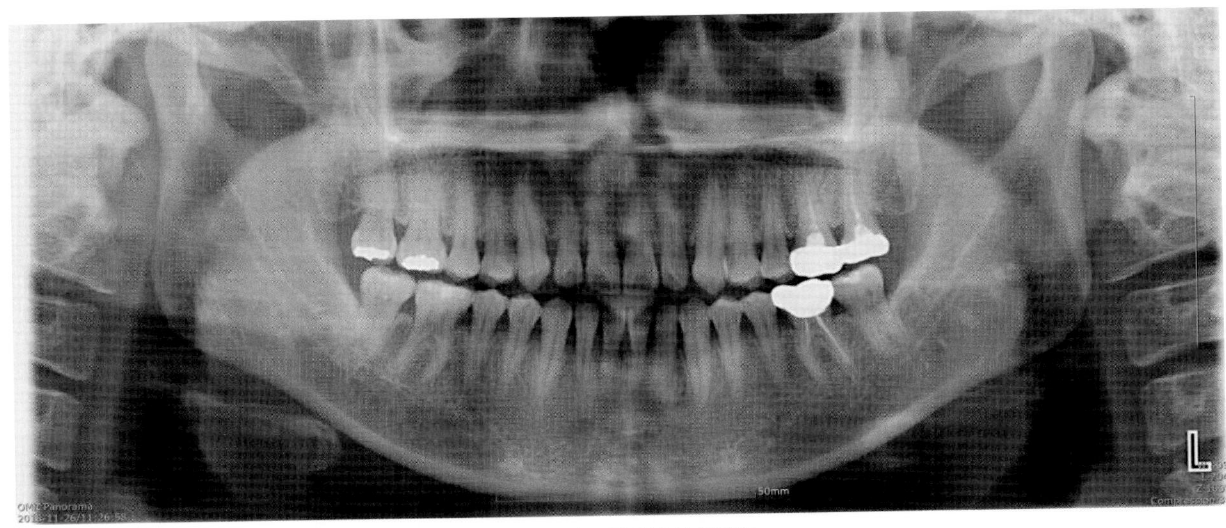

초진 시 파노라마방사선사진

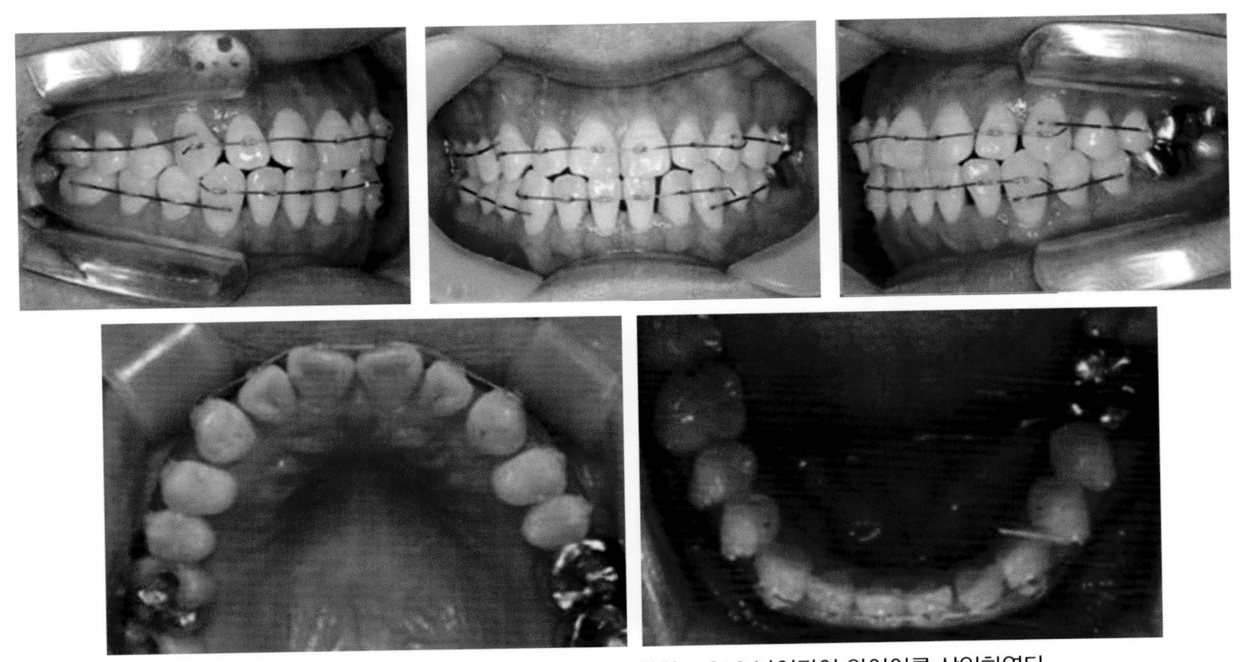

치료 경과 2개월 경 구내사진: 미니튜브를 부착하고 012 나이타이 와이어를 삽입하였다.

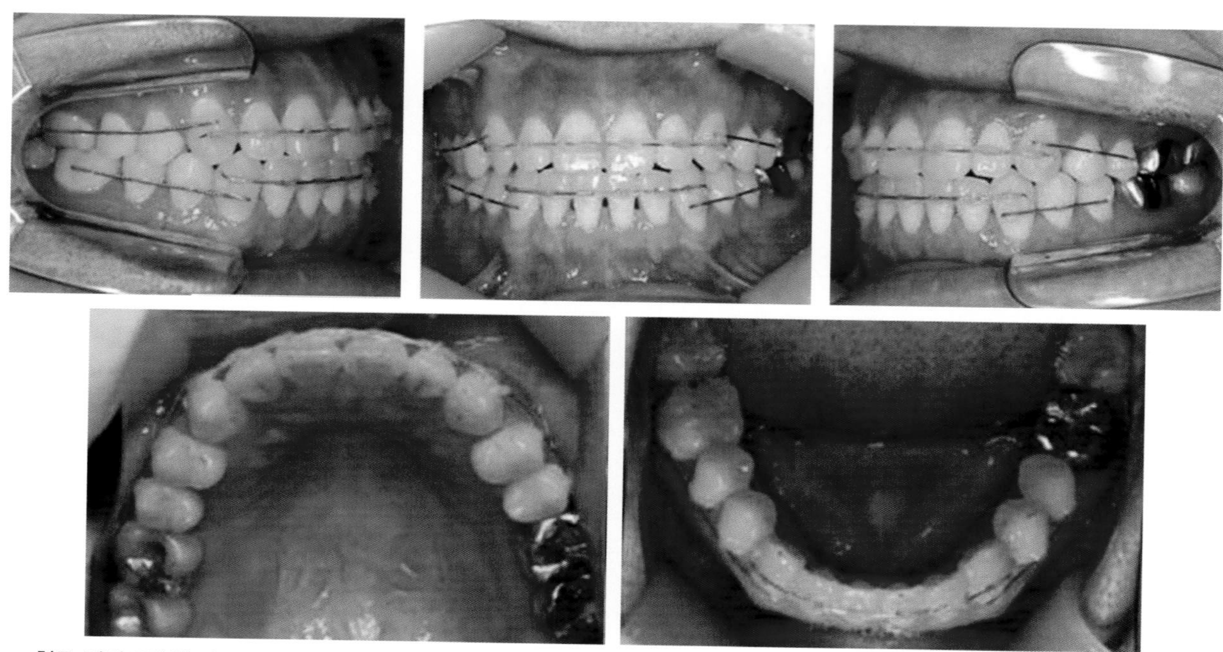

치료 경과 5개월 경 구내사진: 고정원 강화 후 전치부 공간 폐쇄 시행하였고, 하악 전치부 치간 인접면 삭제를 시행하였다.

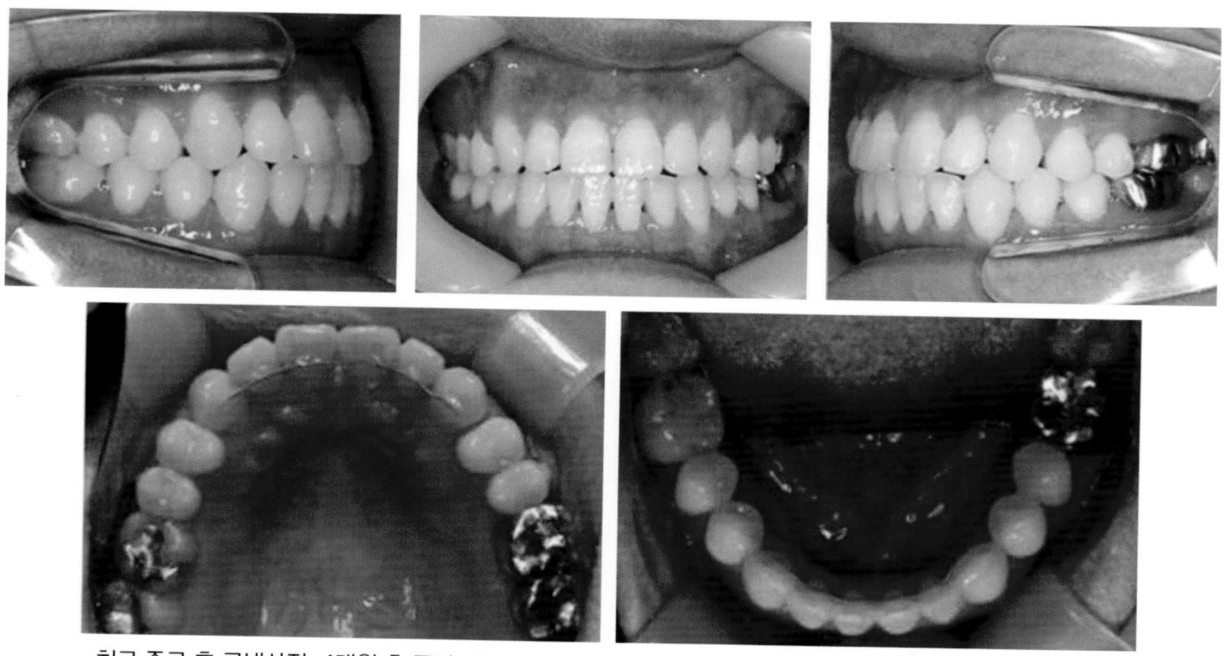

치료 종료 후 구내사진: 4개월 후 공간 폐쇄가 완료되었다. 상하악 전치부 치간공극이 발생하는 재발을 막고 안정적인 유지를 위해서 고정식 유지장치를 제작하여 부착하고 교정장치를 제거했다.

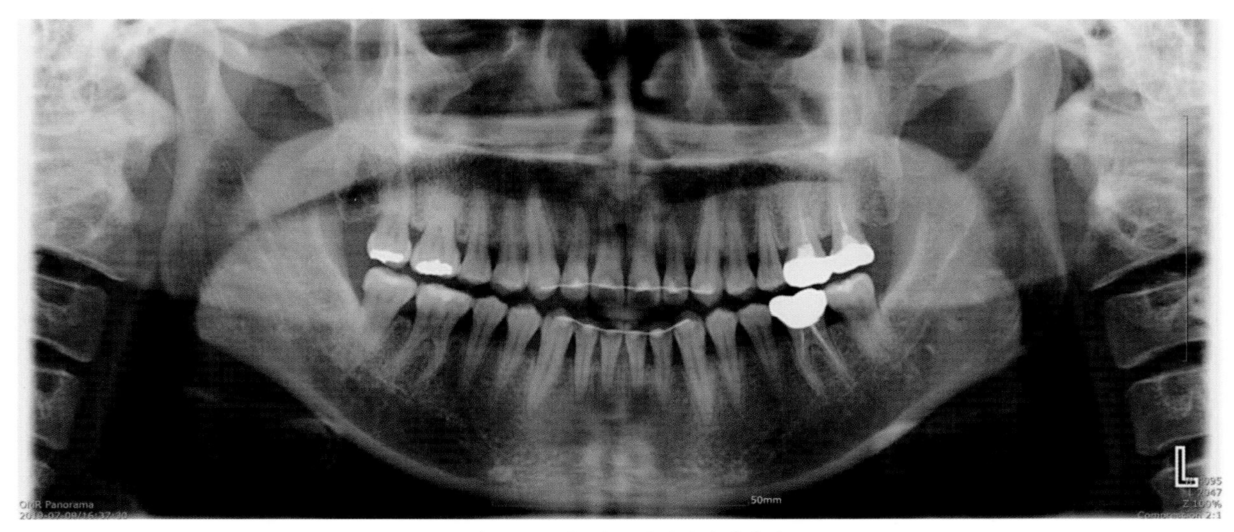

치료 종료 후 파노라마방사선사진

함입과 치간이개(Instrusion & Diastema)

미니튜브 장치를 이용한 함입은 한두 개의 치아에 국한되어 적용하는 것이 바람직하다. 앞서 설명한 것처럼 장치가 달라졌다고 해서 치아 이동의 생역학이 달라진 것이 아니기 때문이다. 약한 힘으로 한두 개 치아의 함입은 미니튜브 장치로 효과적으로 치료할 수 있다. 정출된 치아주변으로 공간이 있는 경우, 함입을 하면 공간이 줄어들게 되어, 적절한 증례를 선택하면 공간 폐쇄와 함입을 동시에 해결할 수 있다. 특히 치주질환으로 인한 정출 및 공간이 생긴 환자는 함입되면서 자연스럽게 공간이 폐쇄된다. 그러나 합입하고자 하는 치아가 많은 경우 함입이 쉽게 얻어지지는 않으며 부가적인 고정원이 더 필요할 수도 있다. 따라서, 함입하는 치아의 개수가 적을수록 좋은 결과를 얻을 수 있다.

함입과 치간이개(Instrusion & Diastema) 증례 1

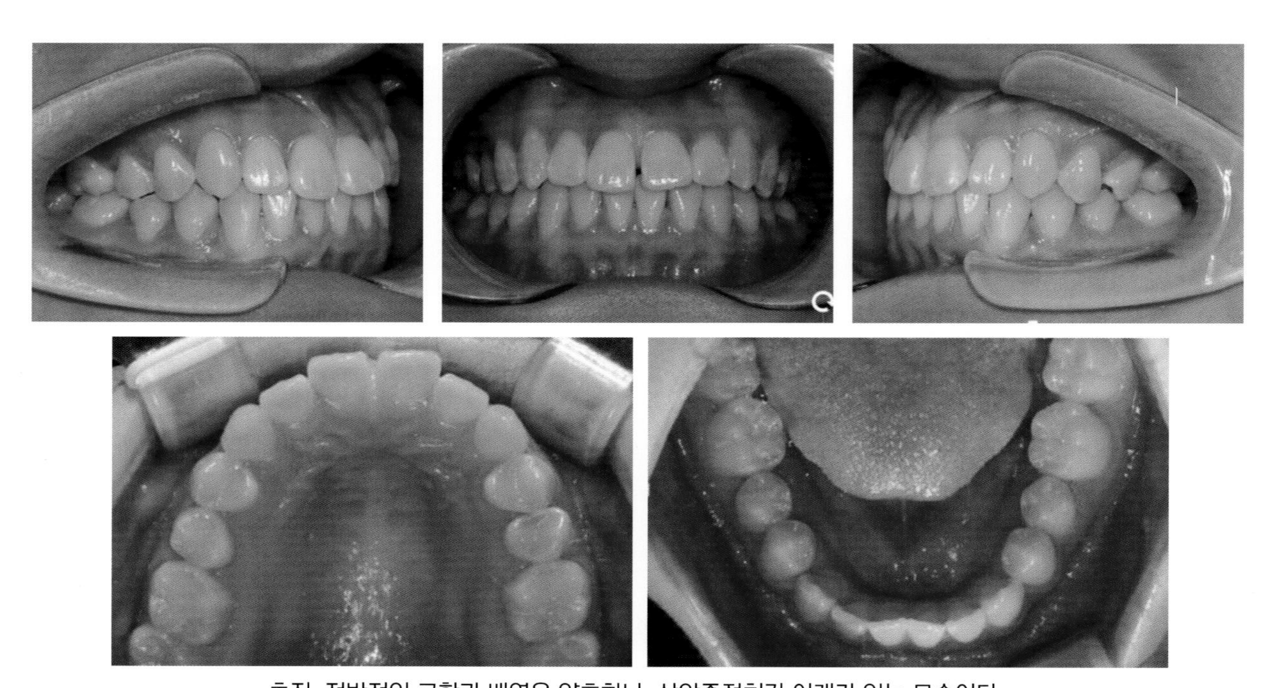

초진. 전반적인 교합과 배열은 양호하나, 상악중절치간 이개가 있는 모습이다.

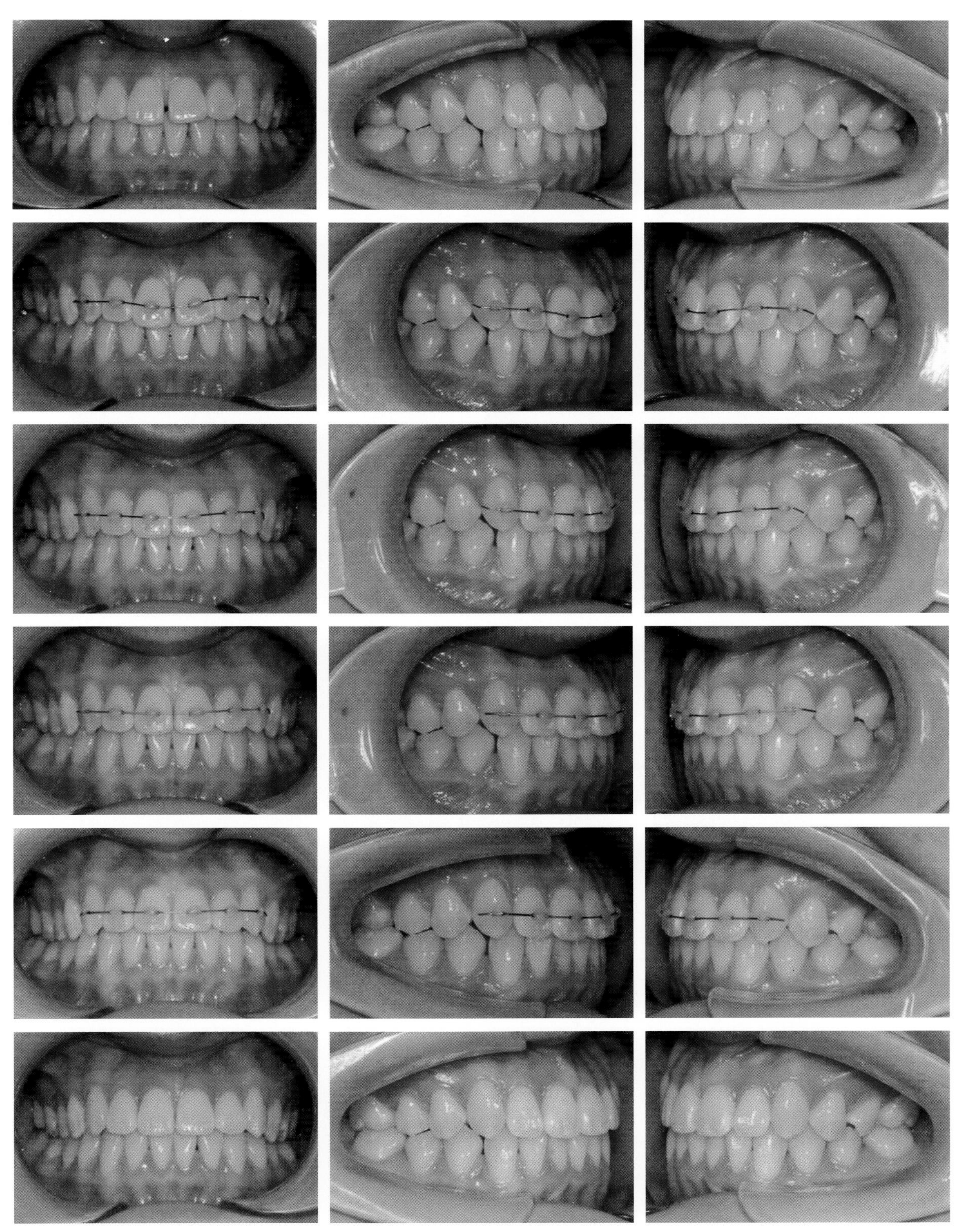

보철 혹은 보존적인 치료로 정중치간 이개를 폐쇄하는 것보다, 상악중절치의 치축을 개선하여 폐쇄해 보기로 하였고 필요하다면 측절치 원심으로 공간재분배하는 안으로 치료계획을 설정하였다. 상악 좌측에서 우측 견치(#13-23)까지 미니튜브를 부착하였다. 장치 부착 후 4주 만에 상악중절치간 공극이 폐쇄되었음을 확인하였다. 약한 힘으로 상악중절치의 함입성 치축개선을 얻을 수 있었다.

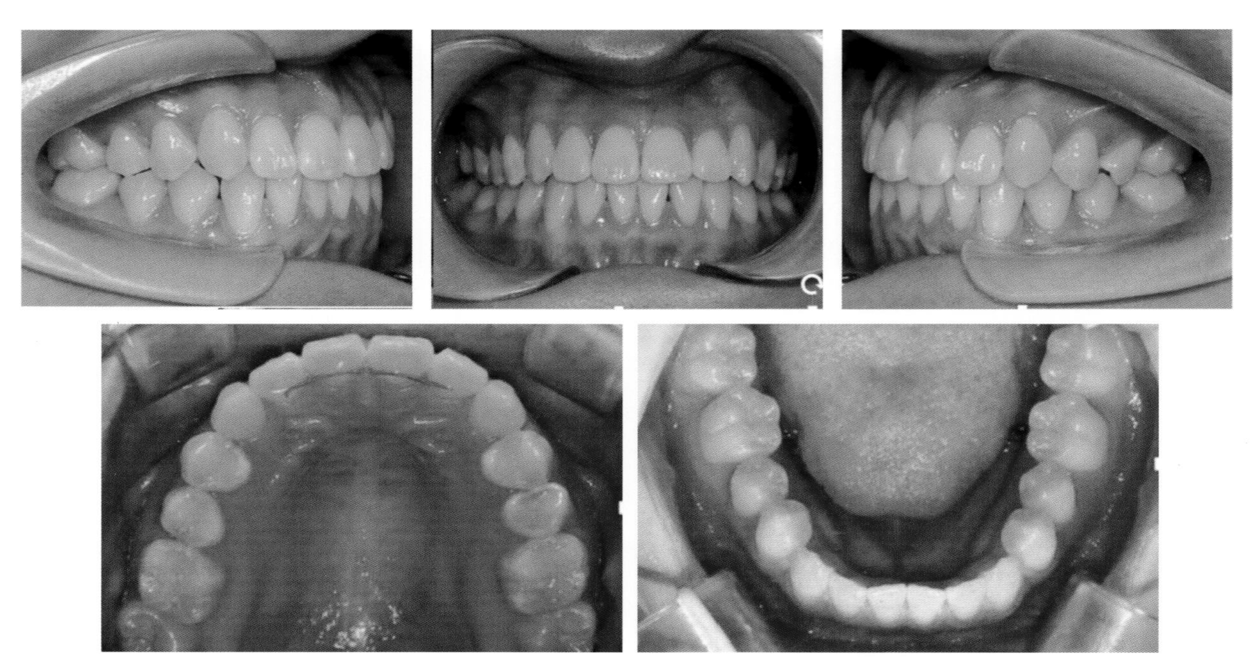

치료 후 구강내사진: 총 치료 기간은 12개월이며, 치료 후 3개월 차에 가시적인 배열을 이루었고
배열안정화기간을 거친 후 고정식 유지장치를 부착 후 치료를 마무리하였다.

함입(Intrusion) 증례 2

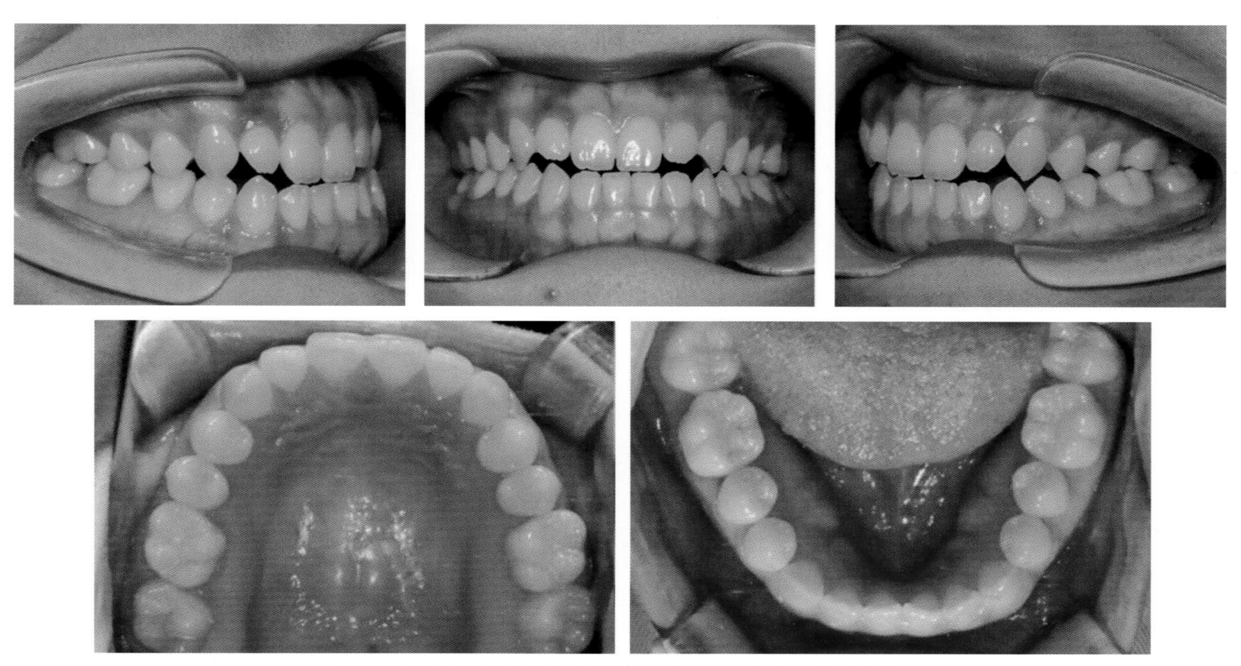

골격성 III급 안면비대칭이 있어, 수술교정 예정된 환자이다.

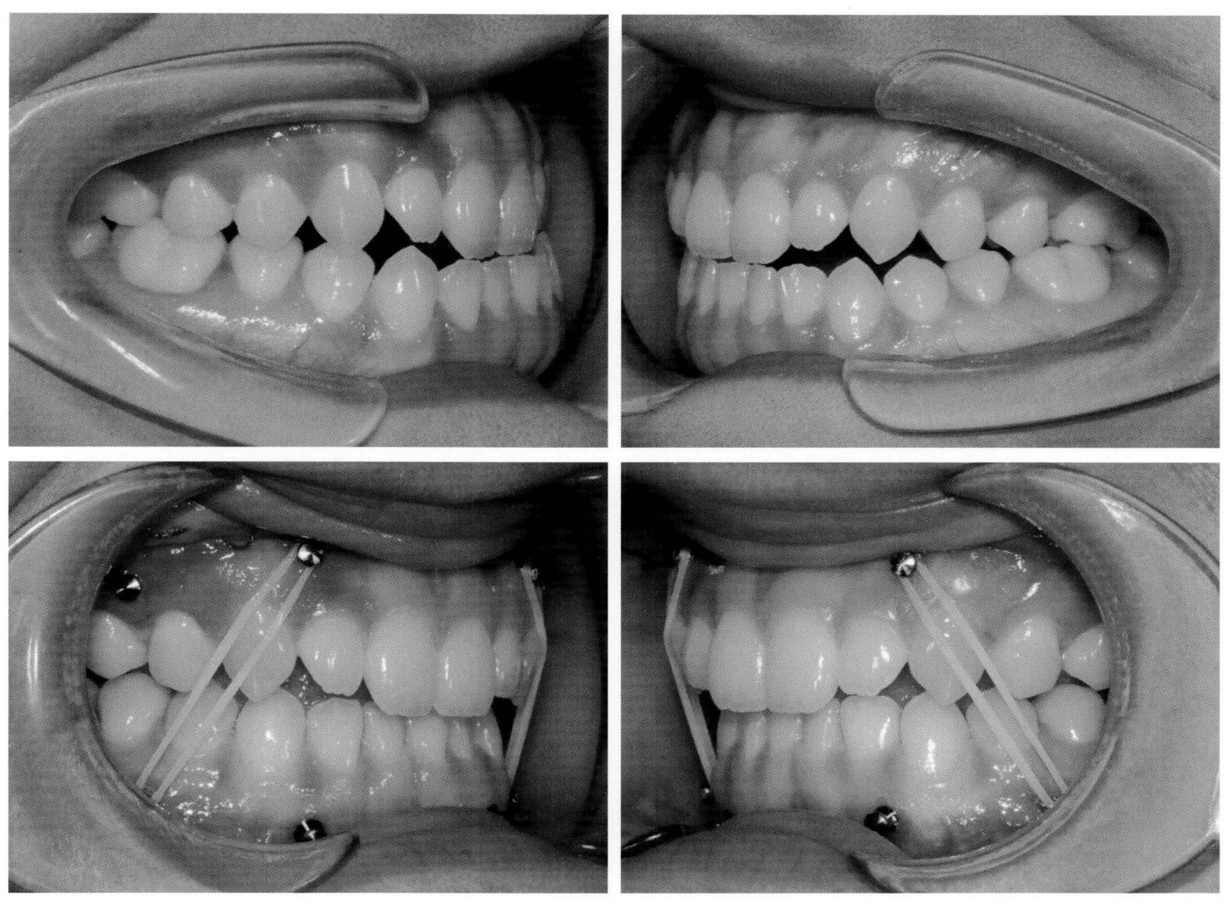

상하악 치아 배열 양호하여 선수술을 진행하였다.

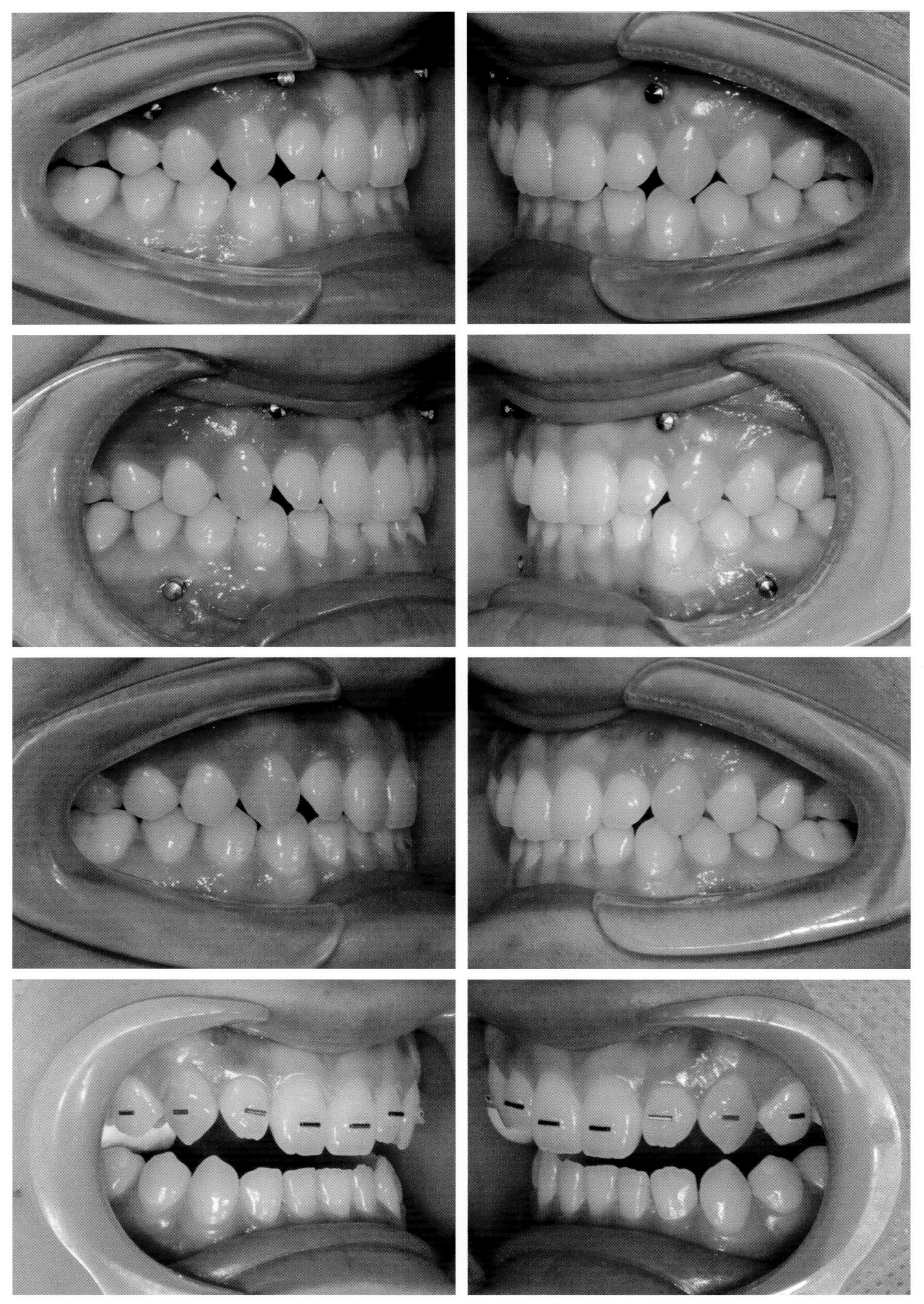

수술 후 교합 안정화 단계 거친 후, 5주 차에 수술용 스크류(Surgical screw) 제거한 후 상악 전치부에 장치를 부착한 모습이다. 상악중절치와 측절치간의 미니튜브 위치의 편차가 있다. 상악견치의 치아 변색(Discoloration)을 확인할 수 있다(수술 전에 이에 대한 가능성을 설명하였다.).

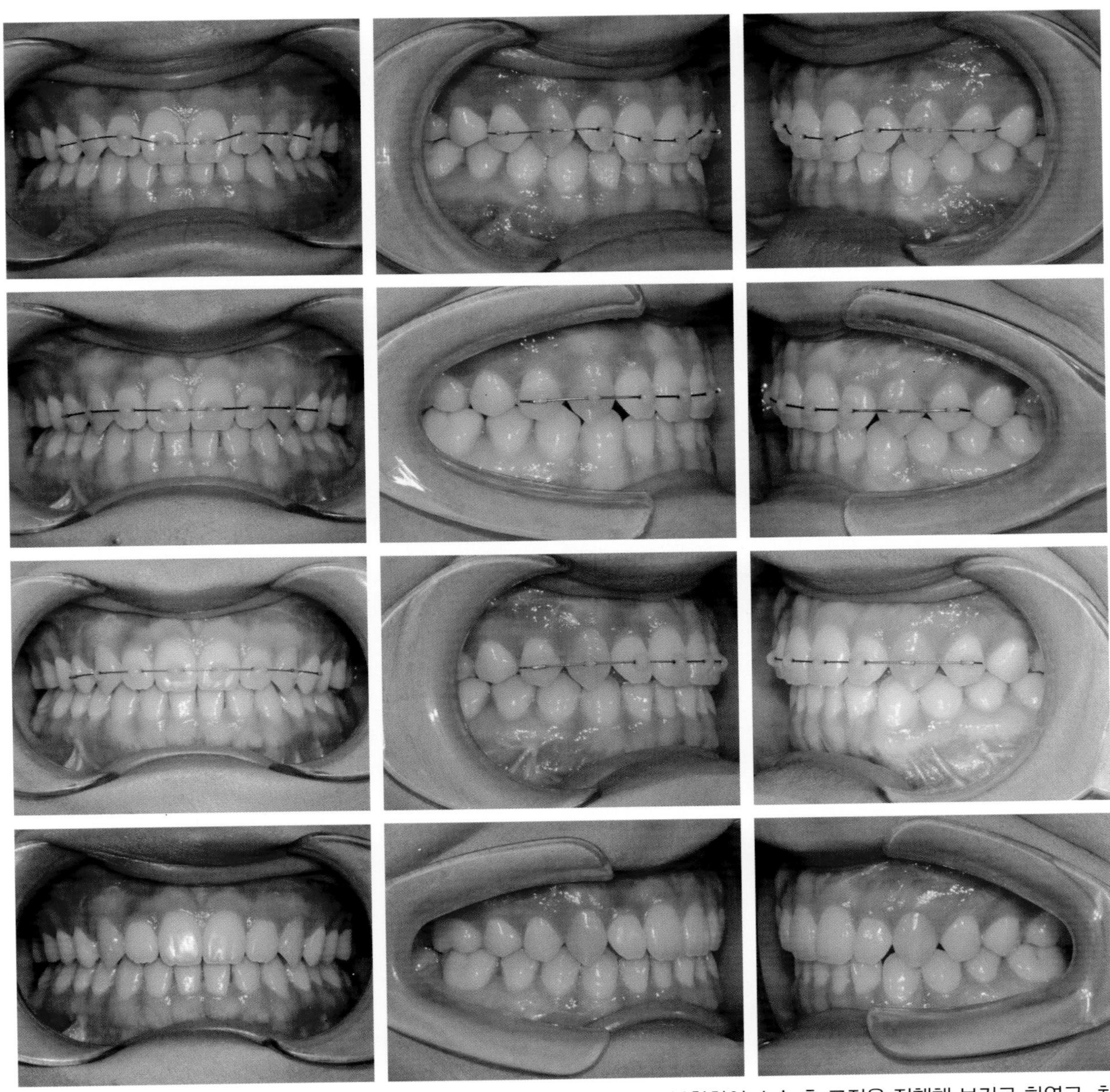

우선 상악 우측 제1소구치에서 좌측 제1소구치(#14-24)까지 미니튜브를 부착하여 수술 후 교정을 진행해 보기로 하였고, 치료 초기에 의도하지 않았던 상악중절치(#11, 21)의 함입성 이동이 나타난 것을 볼 수 있었다. 위에서 두 번째 사진은 부착 후 10주 후 모습이다. 상악중절치(#11, 21)의 함입성 이동에 따라 하악중절치(#31, 41)의 노출도가 증가하였고 수직피개도도 감소한 것을 관찰할 수 있다. 수술 후 교합이 안정적이어서 수술 후 교정치료는 전체교정이 아닌 상악 전치부의 부분교정만으로 진행하여 마무리하였다.

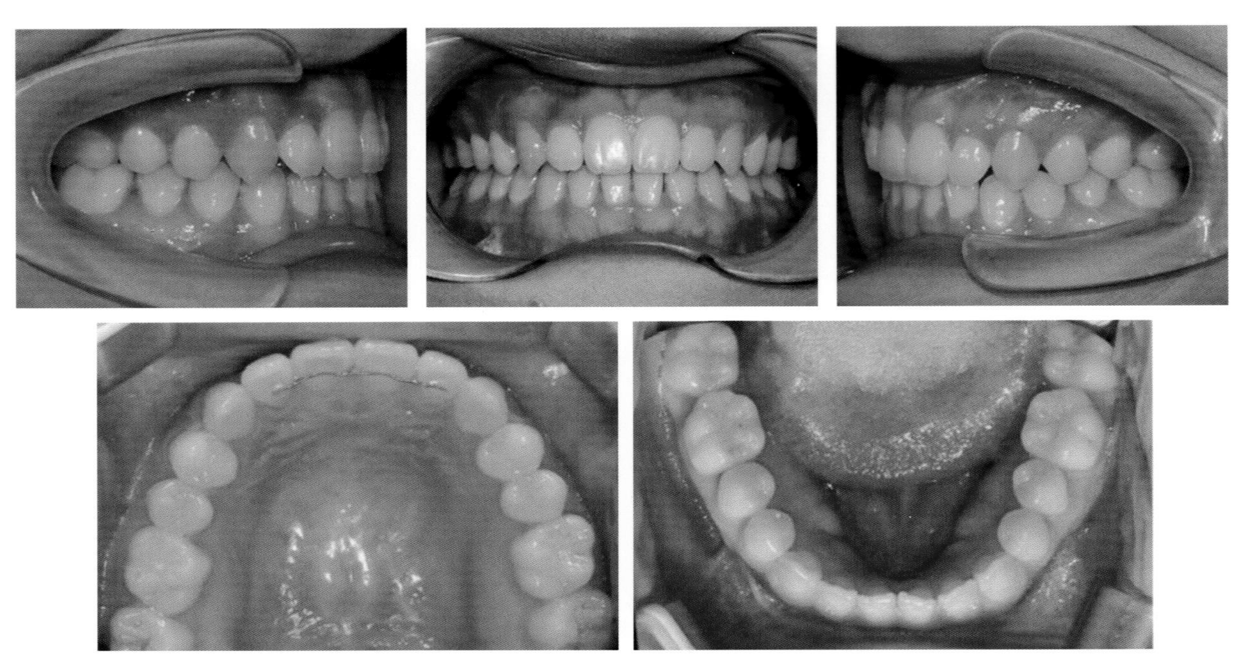

수술 후 교정 12개월 뒤 치료 종결한 구강내사진

인위적 정출술(Forced eruption)

외상 등으로 치관이 파절된 경우 보철을 위해 인위적 정출술이 필요할 때가 있다. 미니튜브를 활용한 인위적 정출술은 전치부로 한정해서 적용하는 것이 좋다. 구치부에 미니튜브와 약한 힘의 와이어를 적용하는 인위적 정출은 치료가 효율적이지 못하다. 정출은 상대적으로 쉬운 치아이동 형태이므로 약한 와이어와 미니튜브 장치만으로 쉽게 치료할 수 있다. 고정원에 대해서도 많은 고민을 하지 않아도 전치부의 정출은 쉽게 얻어진다. 다만 정출을 필요로 하는 부위에 장치를 부착하고 정출이 이루어지면 추가적으로 원하는 양만큼의 정출량을 얻기 위해서는 다시 위치를 조절해서 부착하는 수고를 감수하여야 한다. 보철 수복을 하기 전 유지기간은 충분히 있어야 한다.

인위적 정출술 증례 1

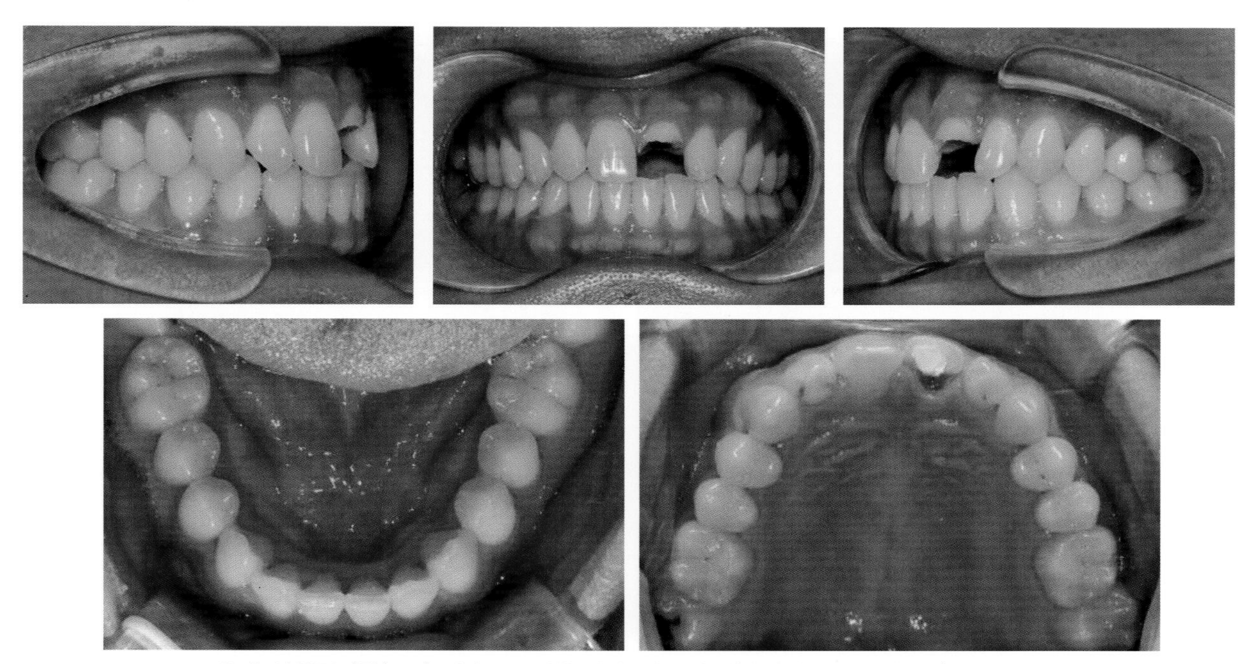

초진: 상악중절치(#21) 외상으로 인한 치관-치근 파절(자전거 타다가 넘어짐)상태이다.
상악중절치(#21) 파절부위를 제외하면 정상 교합이다.

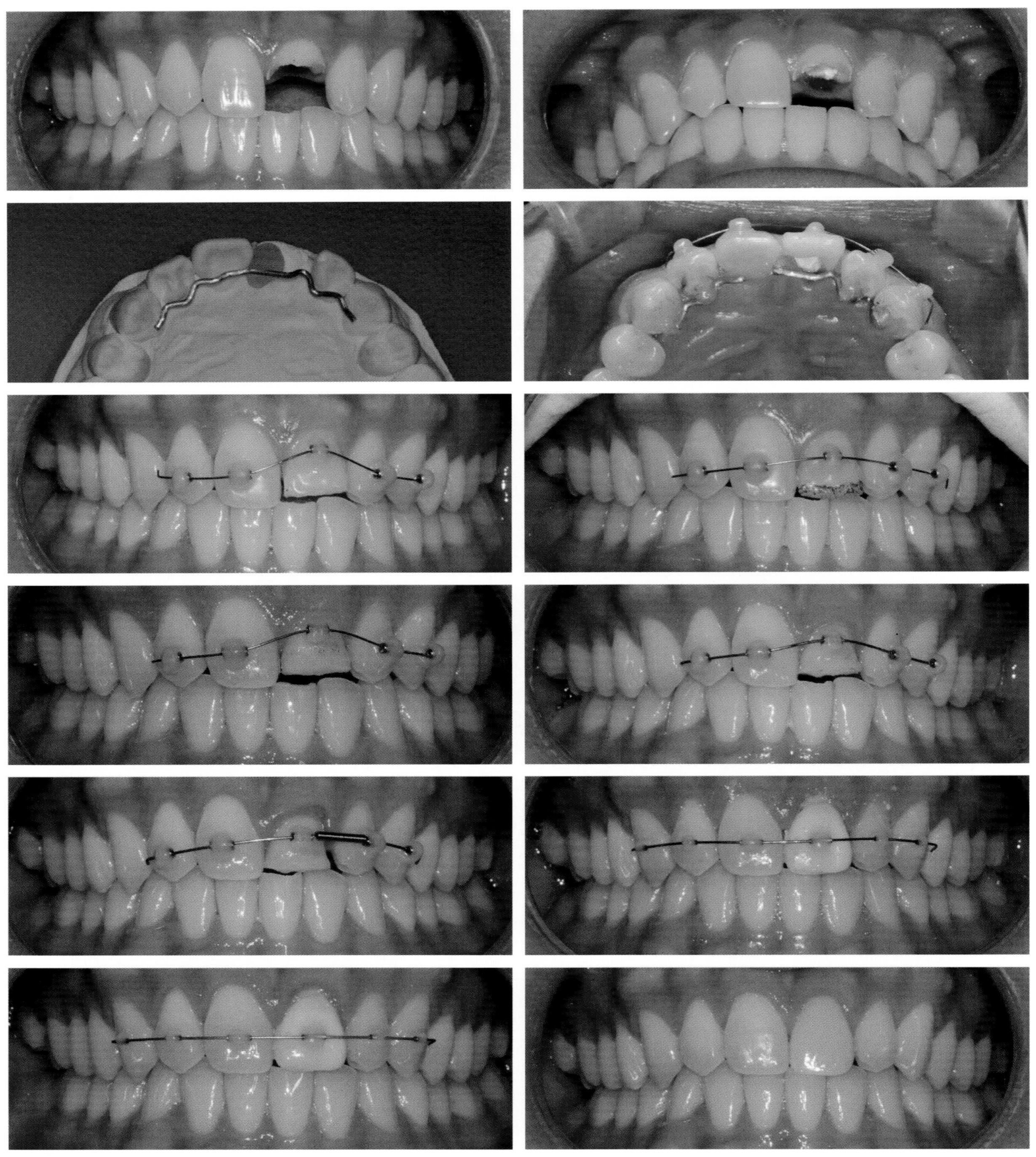

구개 측 스플린트 와이어(splint wire) 적합으로 고정원을 확보하고 순측에 폐쇄형 코일 스프링(closed coil spring)을 부착하여 상악중절치(#21)을 선택적 정출술을 시행한 모습이다. 상악중절치(#21) 임시치관상에 의도적으로 치은쪽에 가깝게 부착하여 정출을 쉽게 진행하도록 하였고, 정출에 따라 하악절치와 접촉이 생기면 절단연은 선택적으로 삭제하였다. 정출에 따른 상악중절치(#21)의 치은연 변화를 확인할 수 있고, 장치를 다시 치은연 쪽으로 재부착하여 추가 정출을 꾀하였다. 상악중절치(#21) 임시치관을 재제작한 후, 유지와 심미성 확보를 위해 미니튜브로 재부착한 후의 모습이다.

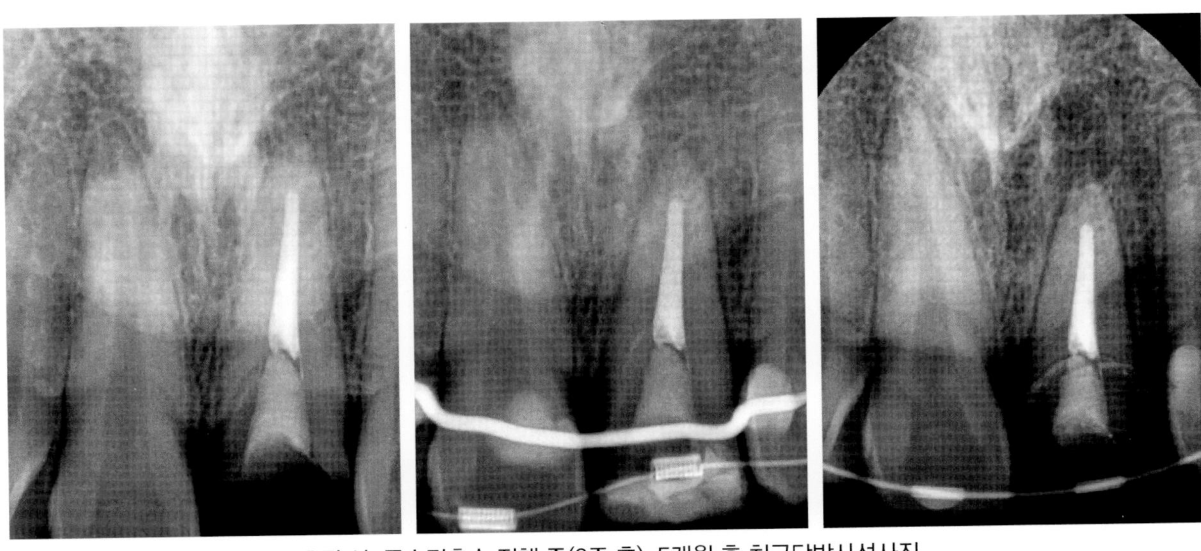

초진 시, 급속정출술 진행 중(6주 후), 5개월 후 치근단방사선사진

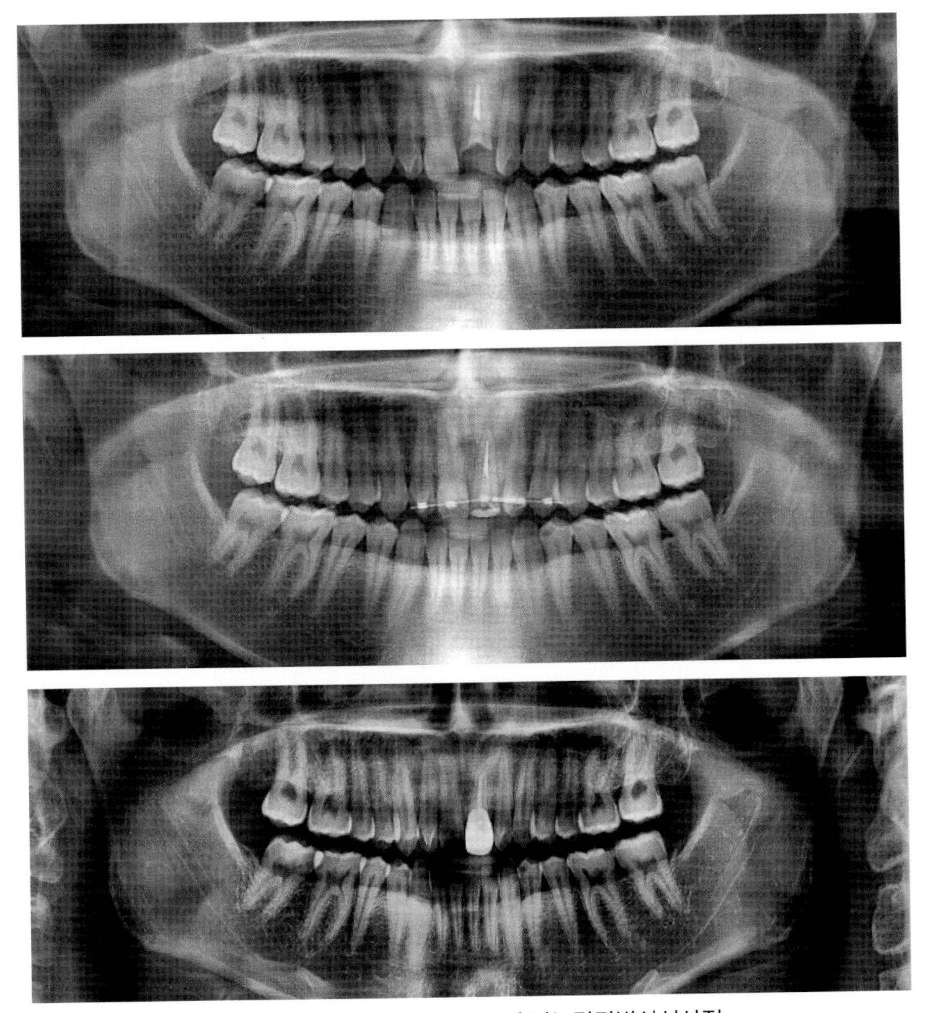

초진 시, 3개월 후: 치료 종료 시 파노라마방사선사진

인위적 정출술 증례 2

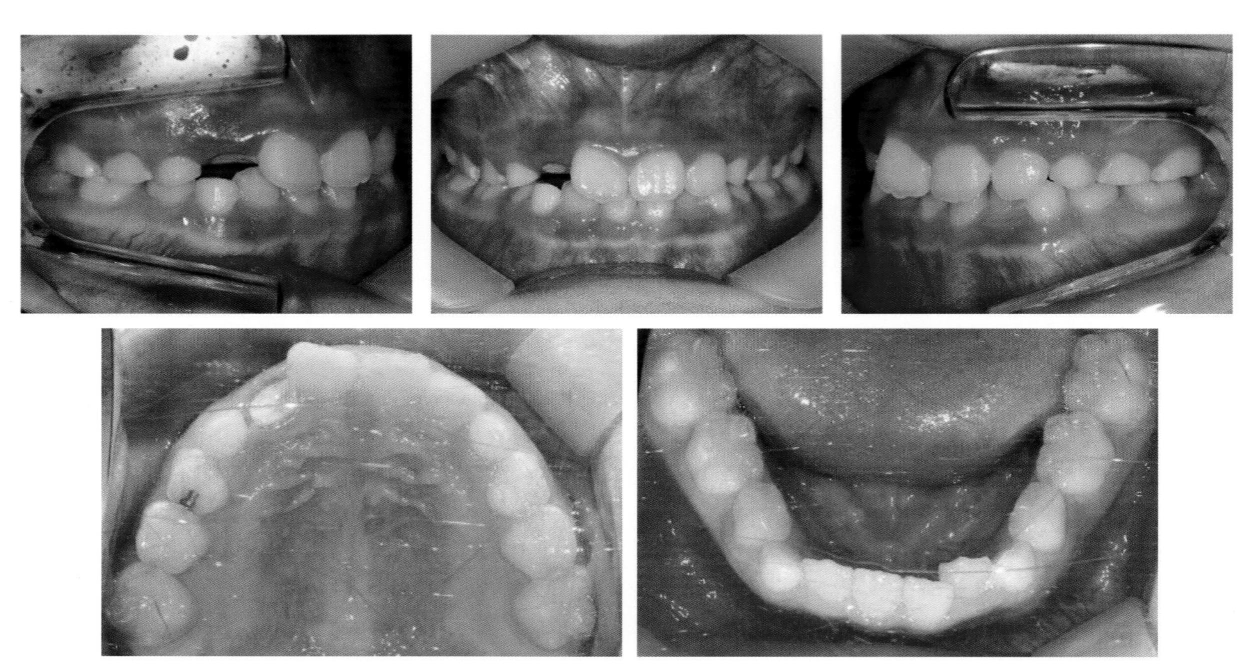

초진 시 구강내사진: 외상으로 상악측절치(#12) 치관 파절 후 내원하였다.
치관부 임시 수복한 상태이며, 보철 수복을 위해서 인위적 정출술(Forced eruption)이 필요하였다.

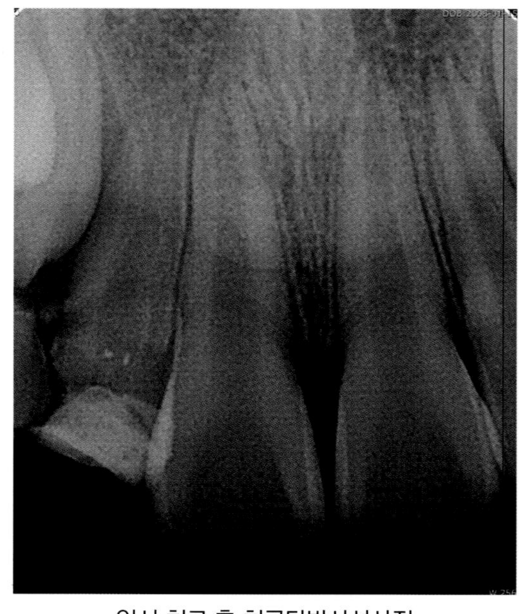

임시 치료 후 치근단방사선사진

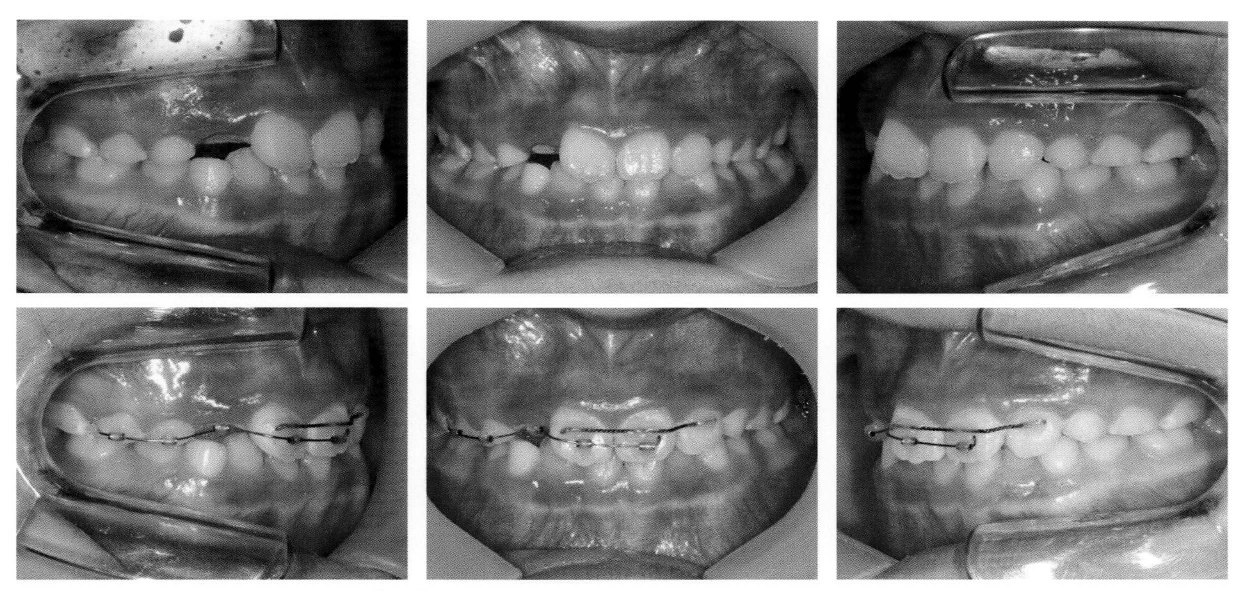

장치 부착 후 구강내사진: 상악측절치(#12)의 정출을 위해서, 미니튜브를 부착하고 012 나이타이 와이어를 삽입하였다. 상악중절치는 고정하였다.

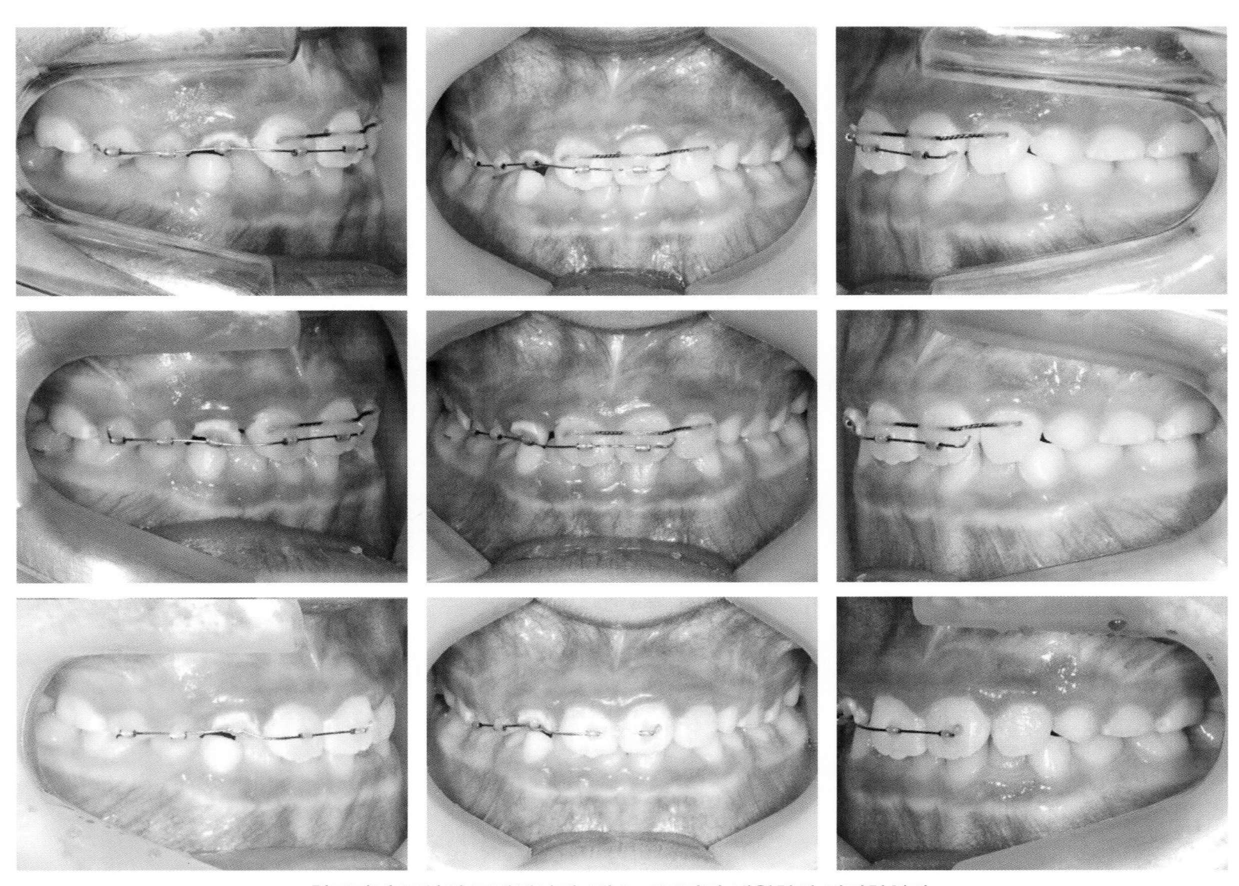

치료과정 동안의 구강내사진: 매 3-4주마다 내원하여 점검하였다.

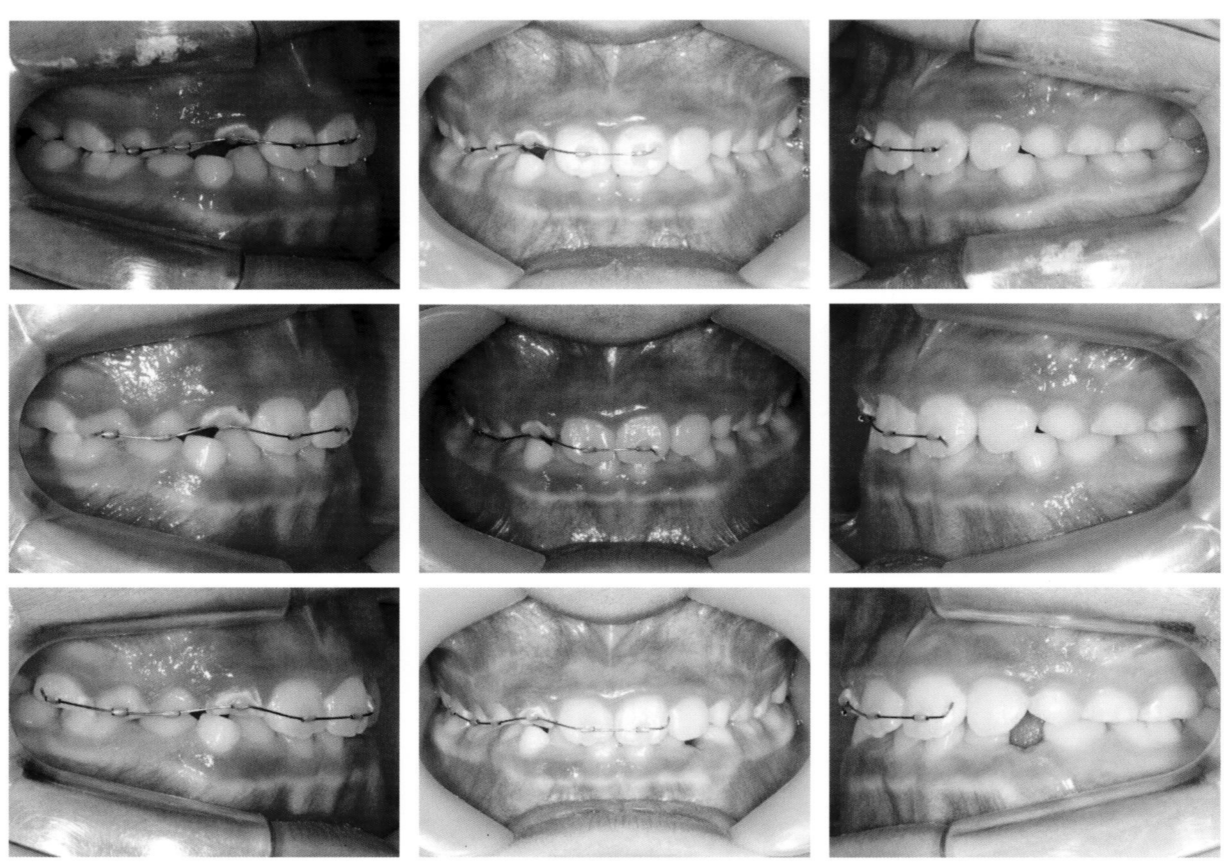

치료과정 동안의 구강내사진: 정출됨에 따라 상악측절치(#12)의 미니튜브는 위치를 바꾸어 다시 부착하였다. 정출과정 동안 고정원은 제거하였다.

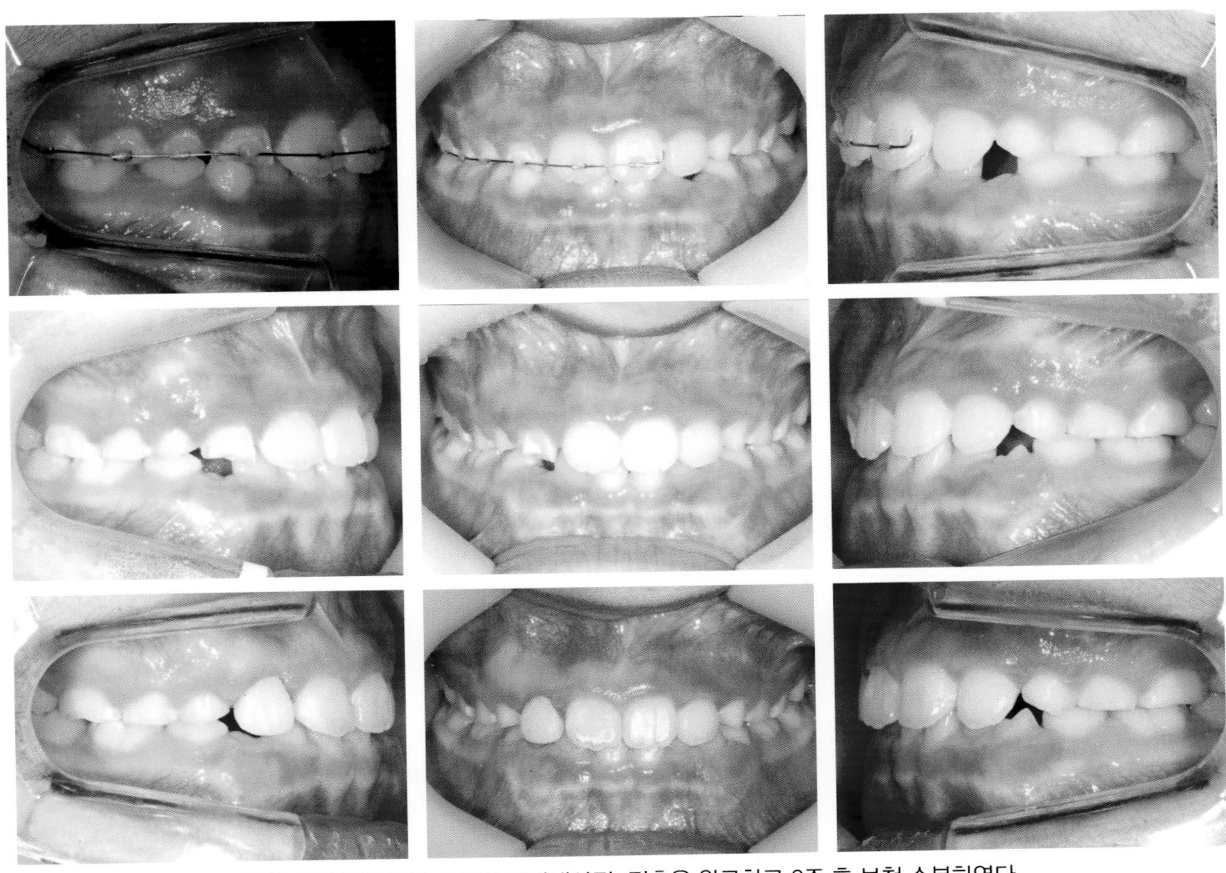

정출을 완료하고 보철 수복한 구강내사진: 정출을 완료하고 6주 후 보철 수복하였다.

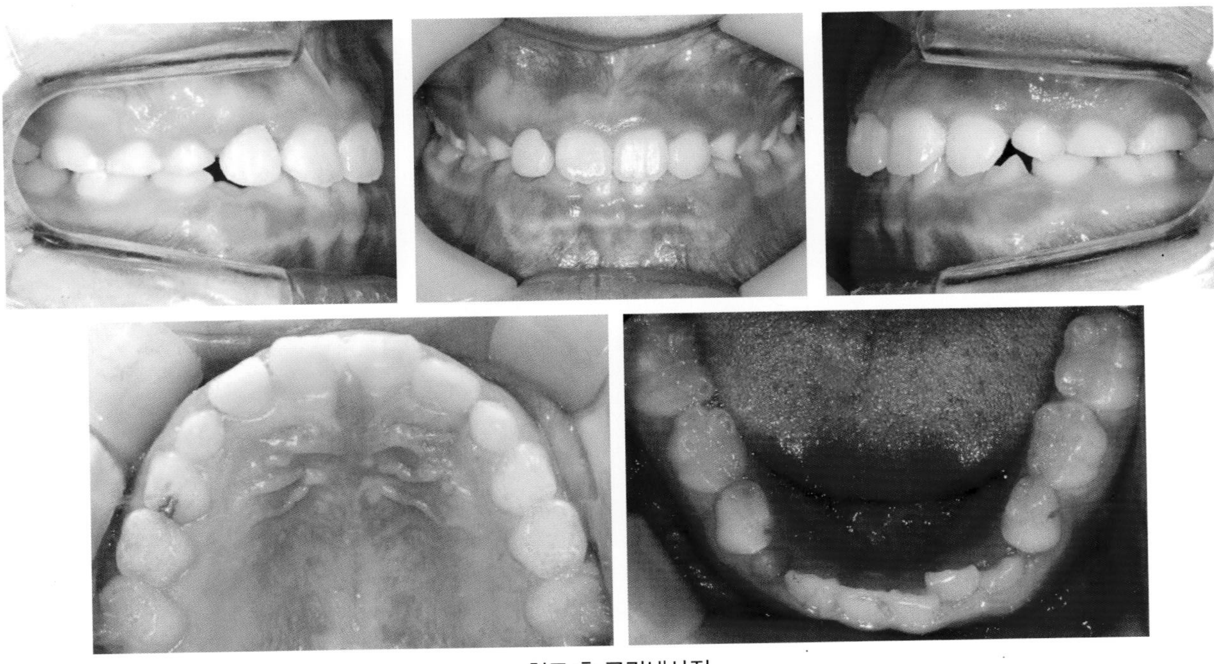

치료 후 구강내사진

인위적 정출술 증례 3

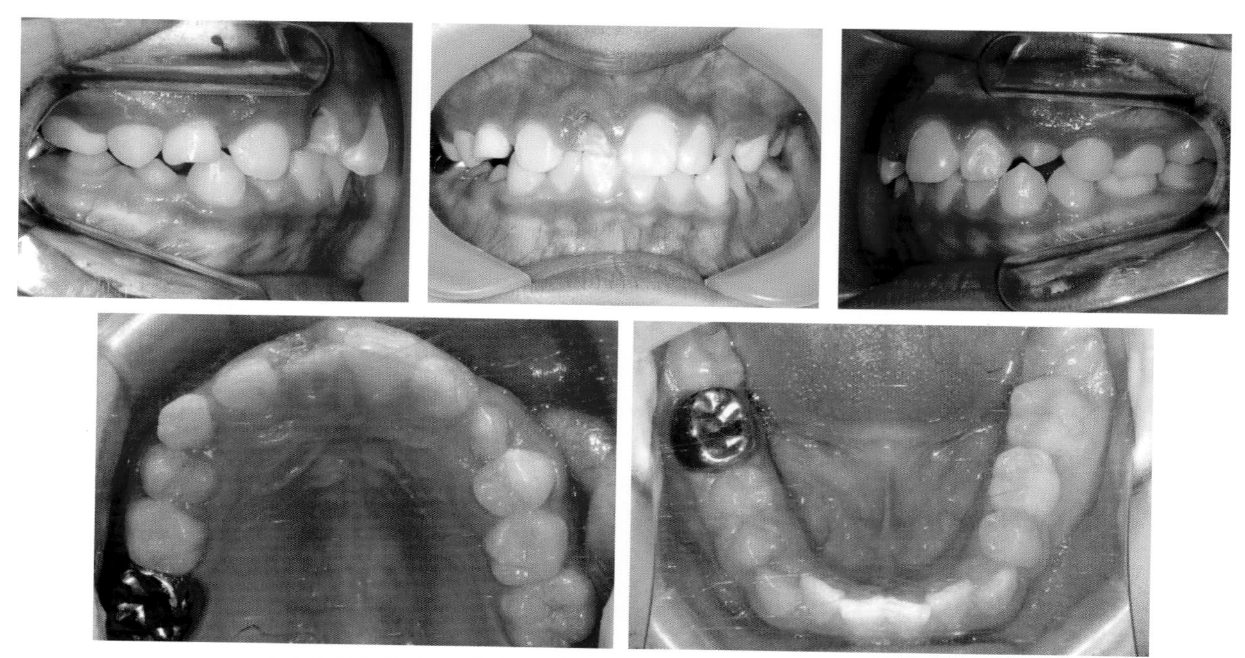

초진 시 구강내사진: 상악중절치(#11) 치관 파절로 근관 치료 후 내원하였다.

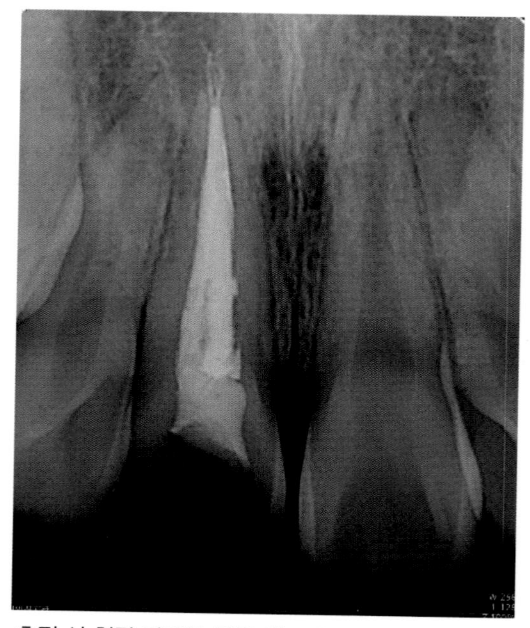

초진 시 치관 파절로 근관 치료 후 치근단방사선사진

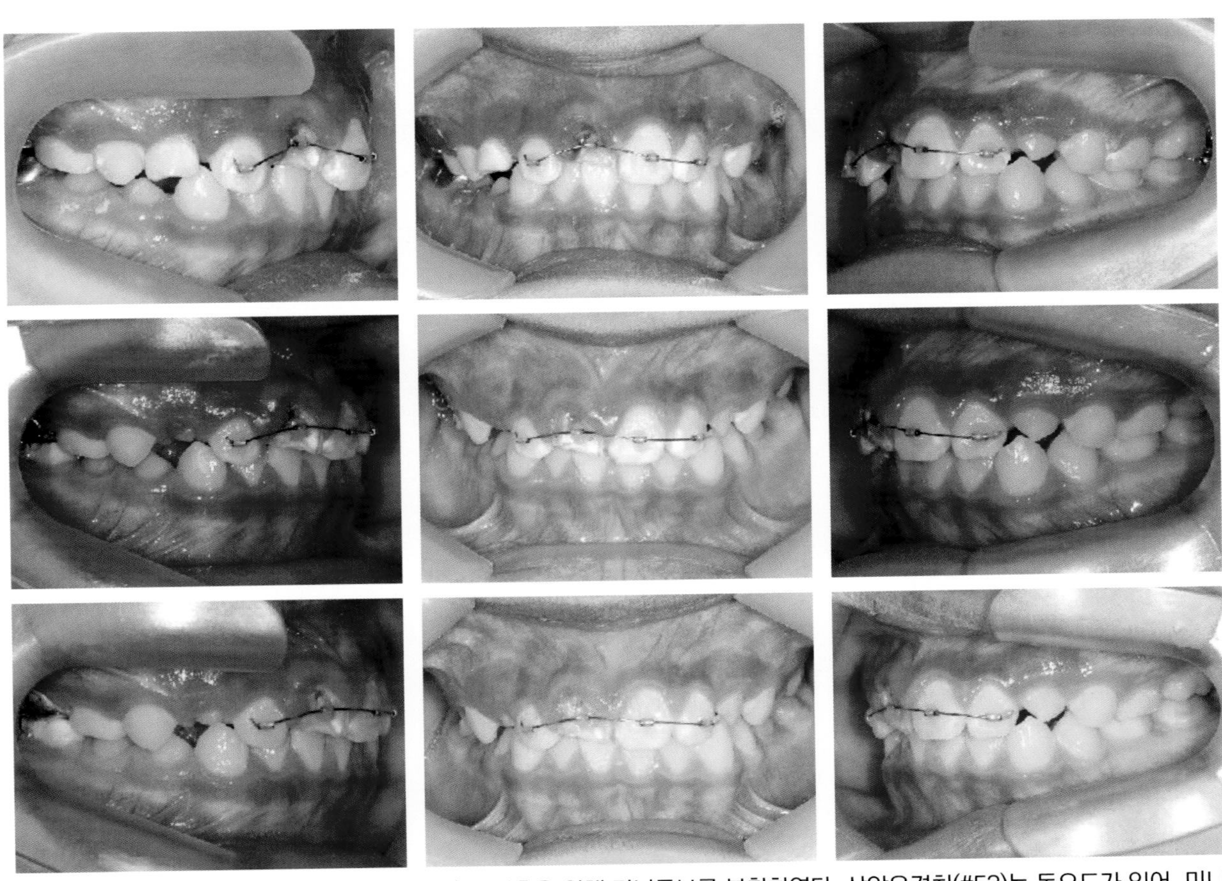

치료과정 동안의 구강내사진: 상악중절치(#11)의 정출을 위해 미니튜브를 부착하였다. 상악유견치(#53)는 동요도가 있어, 미니튜브는 부착하지 않았다. 매 3주마다 내원하여 점검하였다. 상악중절치(#11)의 미니튜브는 치아 정철에 따라 치은 쪽으로 재부착하였다.

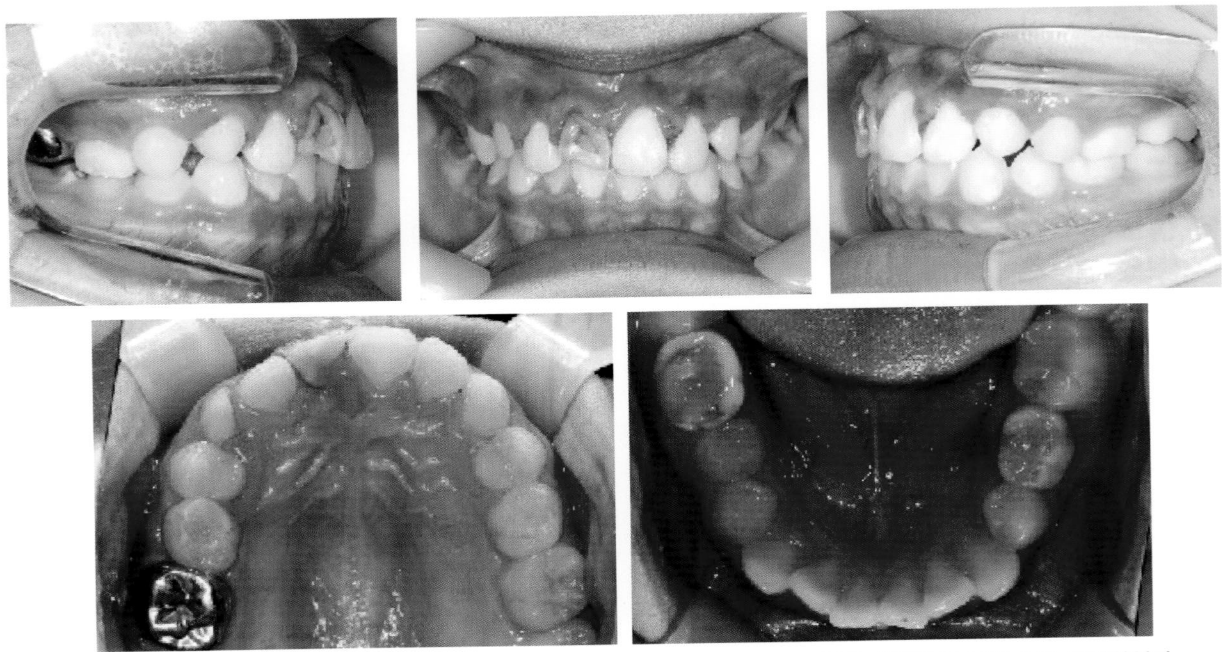

정출 완료 후 구강내사진: 정출 완료 후 보철 수복 전까지 6주 정도 유지한 후 장치를 제거한 뒤 보철 수복 의뢰하였다.

하악 3전치 - 하악 전치 발거

하악 전치의 심한 총생은 치간삭제만으로 해결하기 어려운 경우가 종종 있다. 골격적인 부조화가 동반되거나 치주질환 등으로 하악 전치부의 총생이 심화된 경우가 그러하다. 이런 경우 부득이하게 하악 절치 하나를 발거하여 하악 3전치로 공간을 재배열하고 교합관계를 완성시킬 수 있다. 다음 증례의 경우, 골격적 부조화의 절충, 치아크기 부조화 등으로 하악 3전치만으로도 교합관계가 양호할 것으로 진단하고 하악 전치 하나를 발치하고 공간을 재배열하여 마무리하였다. 이때에도 어김없이 진단용 치아 모형 셋업을 시행하면 치료계획 수립에 큰 도움이 된다. 공간 폐쇄는 총생을 해결하는 데 대부분 활용하므로 남은 공간은 치아가 쓰러지지 않도록 주의하여야 하고 필요하면, 레버암(lever arm) 등을 활용하여 부가적인 힘을 가하여야 한다. 또한 치주질환이 있거나, 치아의 모양이 삼각형에 가까운 경우 블랙 트라이앵글(black triangle)이 발생할 수 있으므로, 환자에게 사전에 언급해두는 것이 필요하다.

하악 3전치 증례 1

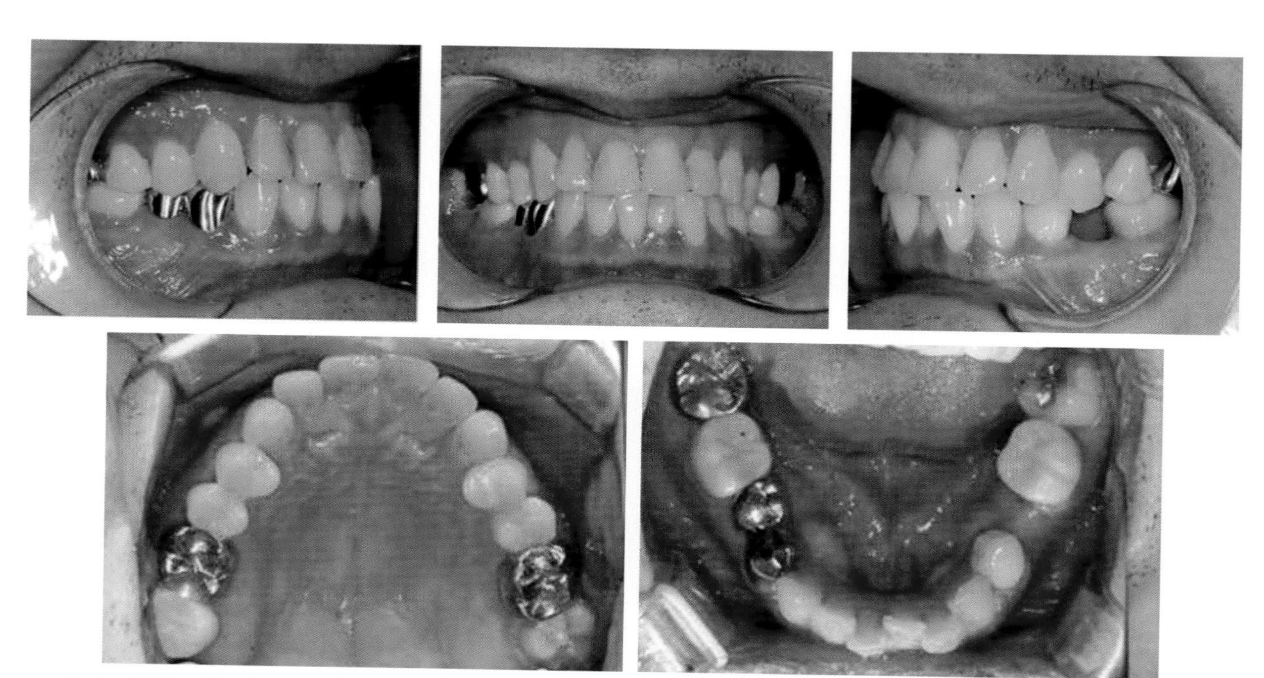

III급 골격의 하악절치 총생 및 하악중절치(#41) 절단교합, 하악측절치(#32) 반대교합이 보인다. 골격적 부조화에 대한 보상성 배열에 맞춰 상하악 구치부 보철이 진행된 것을 볼 수 있다. 상의한 결과, 하악 절치 발치 후 3절치로 배열하기로 하였다.

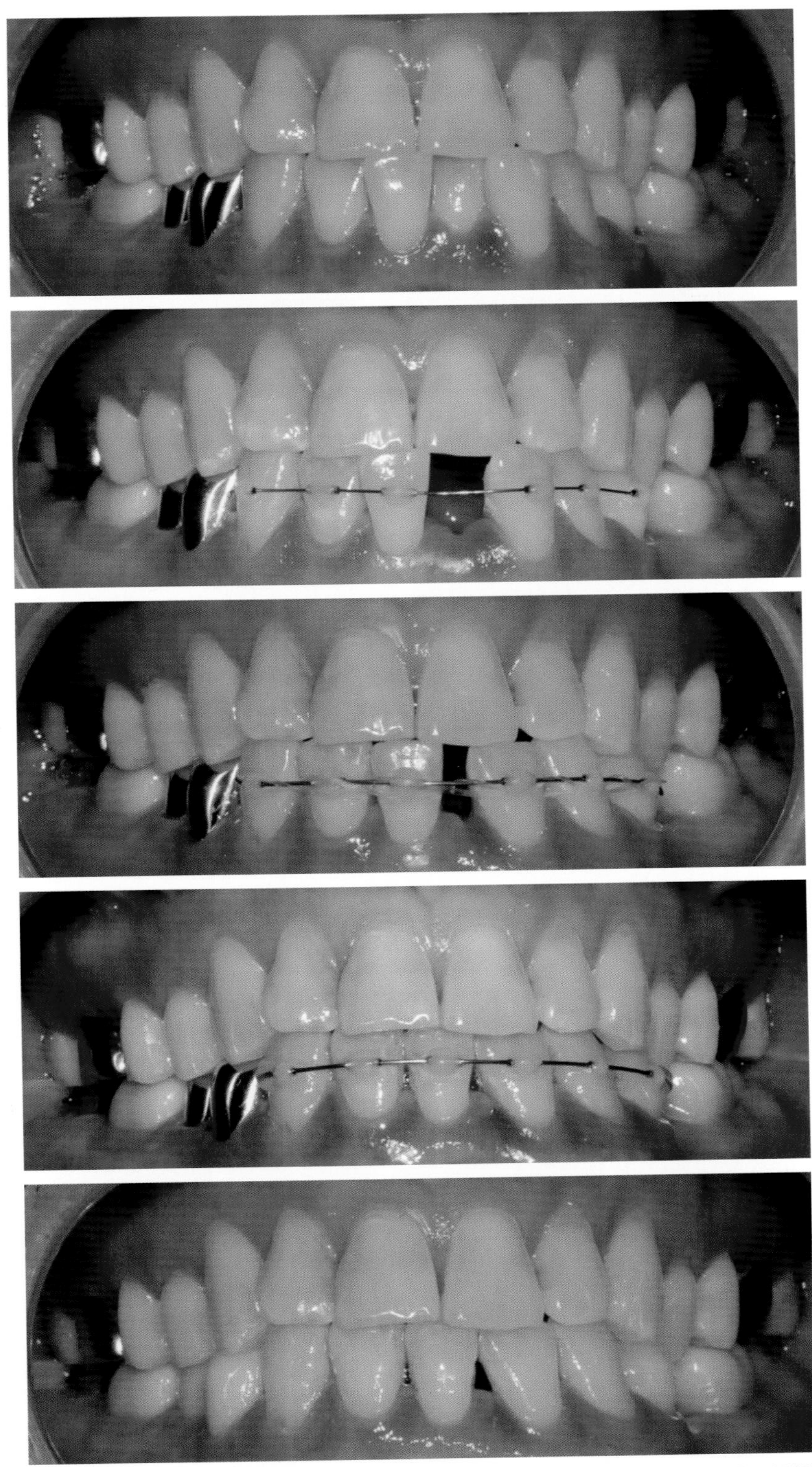

하악중절치(#31)을 발치하여 하악측절치(#32)를 설측으로 이동시키면서 공간을 폐쇄하면서 배열을 진행하는 모습이다. 하악중절치(#41) 이동에 따라 절단교합이 개선되었고, 발치 공간을 폐쇄하면서 수평 피개도 역시 개선되었다. 공간 폐쇄 시 추가적인 구치부 고정원 확보를 하지 않은 이유는 상하악 소구치부의 교두감합이 양호하여 공간 폐쇄 시 적용하는 파워체인의 탄성력에 대한 저항을 할 수 있을 것으로 판단하였기 때문이다.

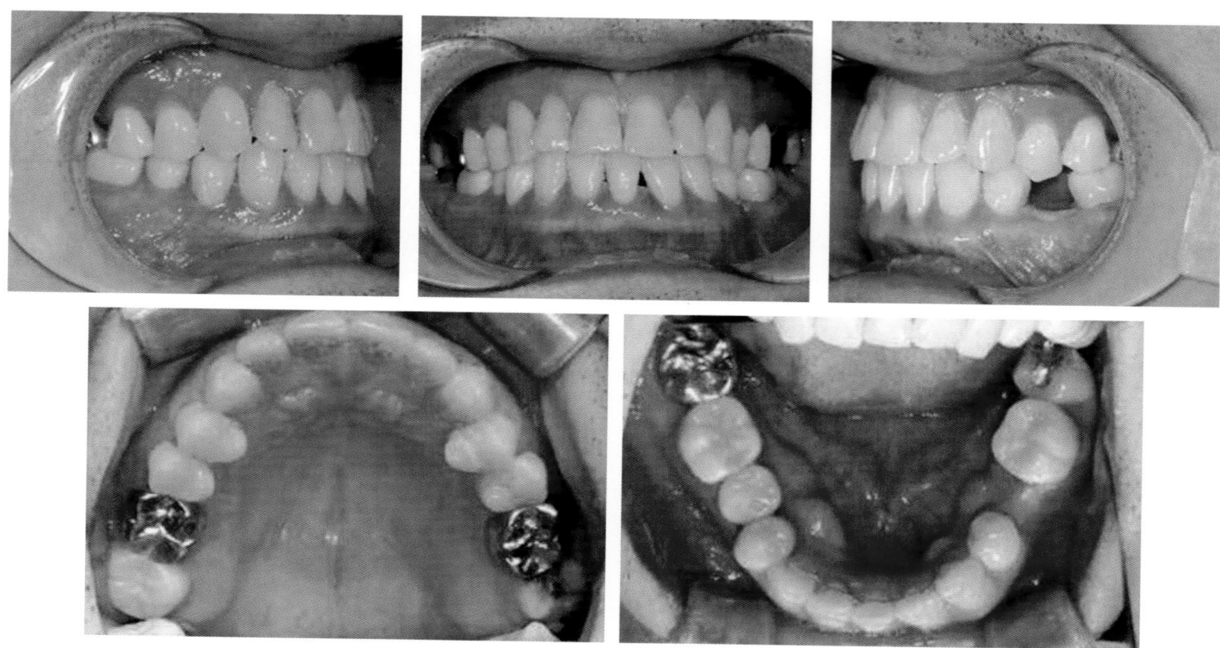

치료 후 구강내사진: 공간 폐쇄 후 절치간 관계가 양호하여 하악측절치(#32)의 추가적인 치축개선을 진행하지 않았고, 발치공간 폐쇄 후 잔존한 블랙 트라이앵글은 치료 전 충분한 설명으로 수용하기로 하였다.

하악 3전치 증례 2

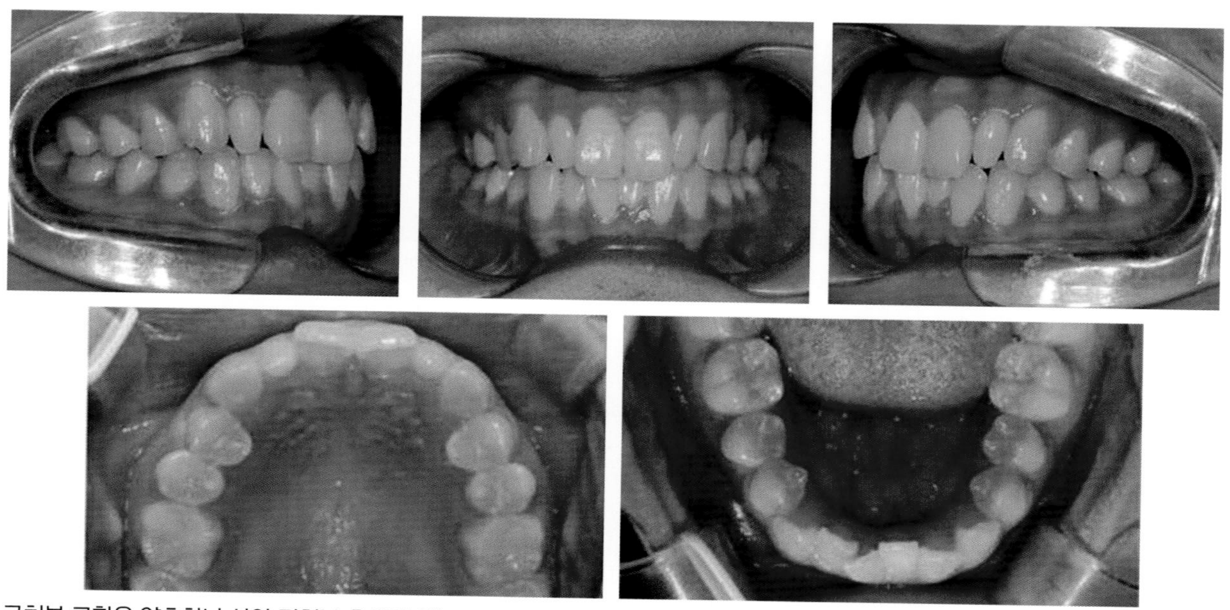

구치부 교합은 양호하나 상악 전치부 총생이 있는 초진 시 구강내사진(15세 여성). 상악측절치(#12, 22)가 왜소치이므로, 하악을 비발치 확장배열을 한다면, 상악측절치(#12, 22)는 근원심 공간을 확보하여 보철 혹은 보존적 치료를 해야 수평피개도를 유지할 수 있음을 설명하였다.

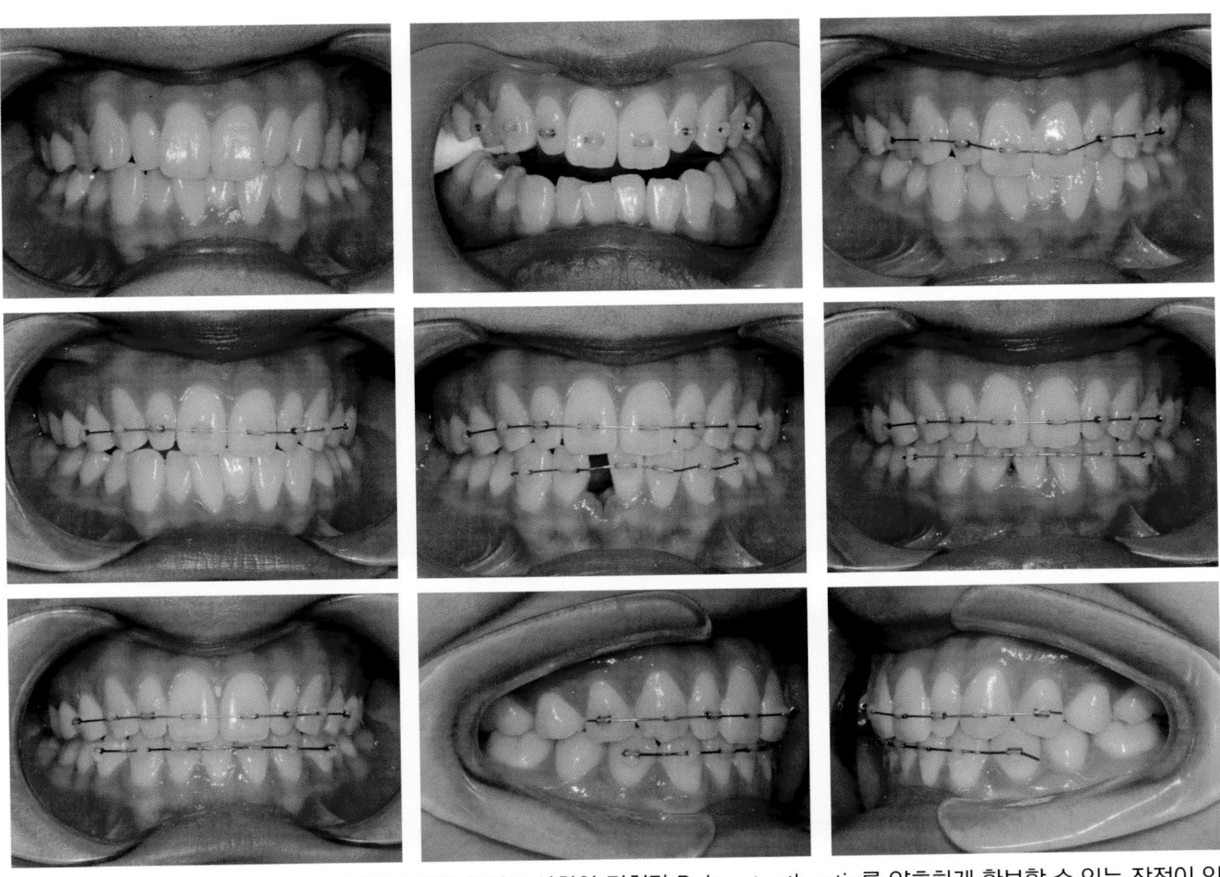

상악측절치(#12, 22)가 왜소치로 하악3절치화 후에도 상하악 견치간 Bolton tooth ratio를 양호하게 확보할 수 있는 장점이 있어, 상의 결과 하악중절치(#41) 발치하기로 하였다. 상악 전치부 먼저 배열하였고 상악측절치(#12, 22)는 왜소치로 인한 순면의 폭경적 편차를 고려해서, 상악중절치는 미니튜브, 상악측절치는 폐쇄형 코일을 부착하였다. 상악 전치부 가시적인 배열 후, 하악중절치(#41) 발치하여 장치 부착하였다. 발치 공간 폐쇄하는 과정에서 발치 부위의 치간치은 재형성으로 자연스럽게 블랙 트라이앵글이 감소하였다.

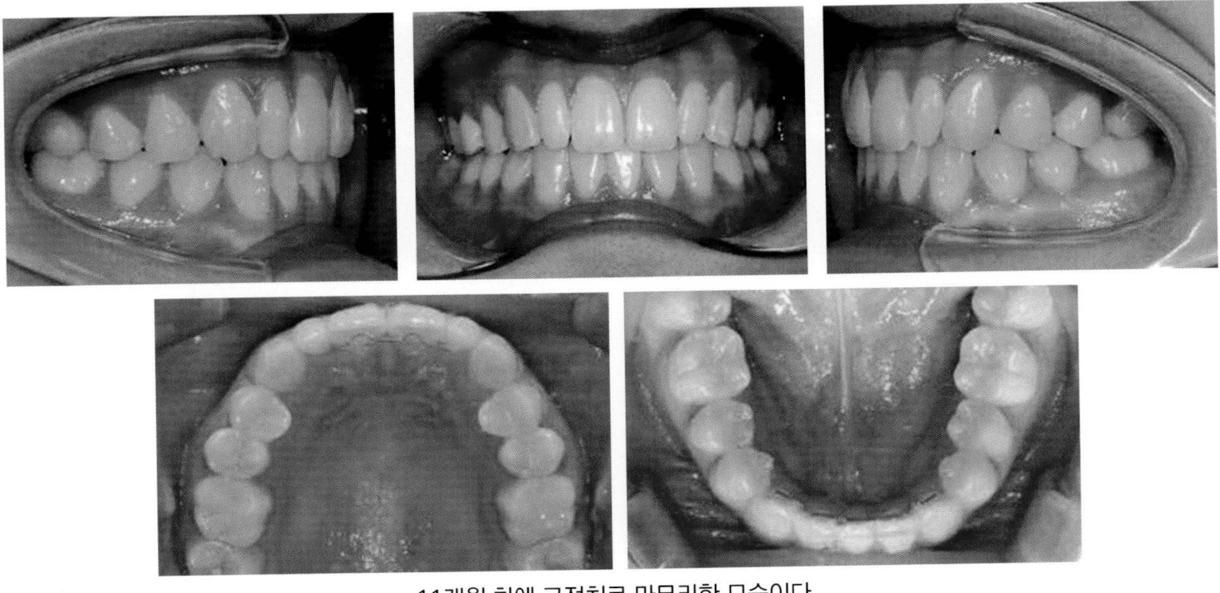

11개월 차에 교정치료 마무리한 모습이다.

반대교합

미니튜브를 활용한 반대교합의 치료는 아주 제한된 범위의 치료이다. 대부분의 경우는 골격적 문제를 동반한 경우가 많으므로 포괄적인 교정치료의 초기 단계로 적극적인 교정적 개입이 필요하다. 그러나 간혹 치성으로 한두 개 치아의 반대 교합을 해결하는데 있어 미니튜브를 사용할 수 있다. 특히 초기 혼합치열기의 경우, 작고 낮은 유치에 큰 브라켓을 부착하는 것보다 작은 미니튜브를 부착하는 것이 좀더 용이하고, 치료의 효율도 높일 수 있다. 다만 반대교합의 치료는 포괄적인 진단과 치료계획이 전제되어야 한다는 것을 잊어서는 안된다.

반대교합 증례 1

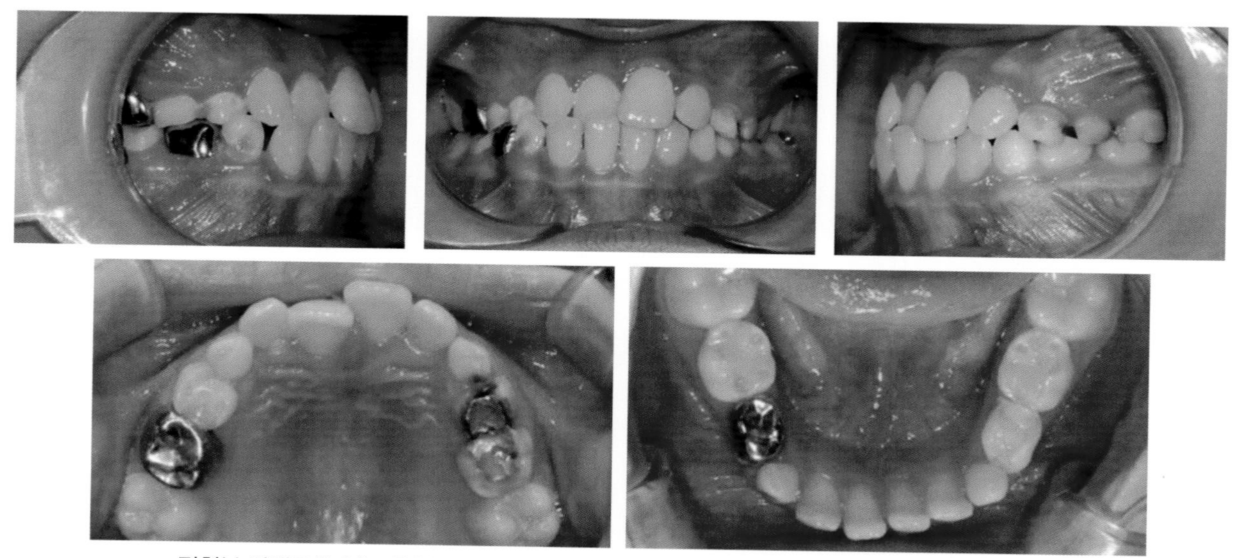

전치부 반대교합 있는 혼합치열기. 상악중절치, 측절치(#11, 12) 구개 측 경사로 부분적으로 반대교합이 있으며 대합되는 하악중절치, 측절치(#41, 42) 순측변위 및 치간공극이 있는 상태이다.

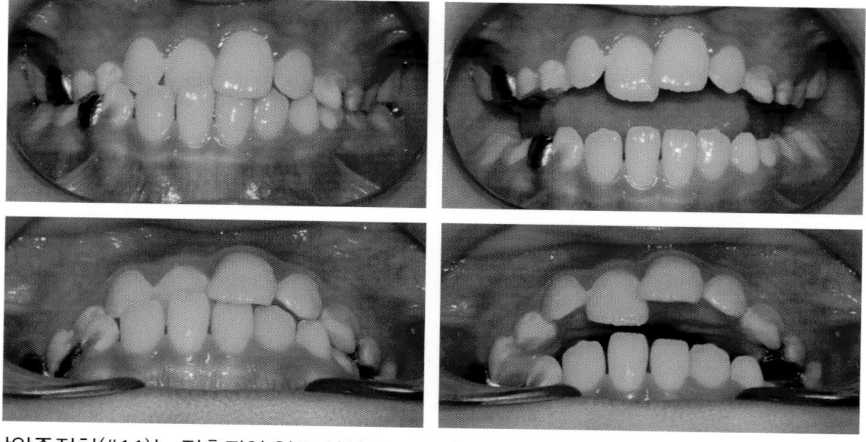

상악중절치(#11)는 정출되어 있고 상악중절치들(#11, 21) 간 순설 측 편차가 있는 모습이다.

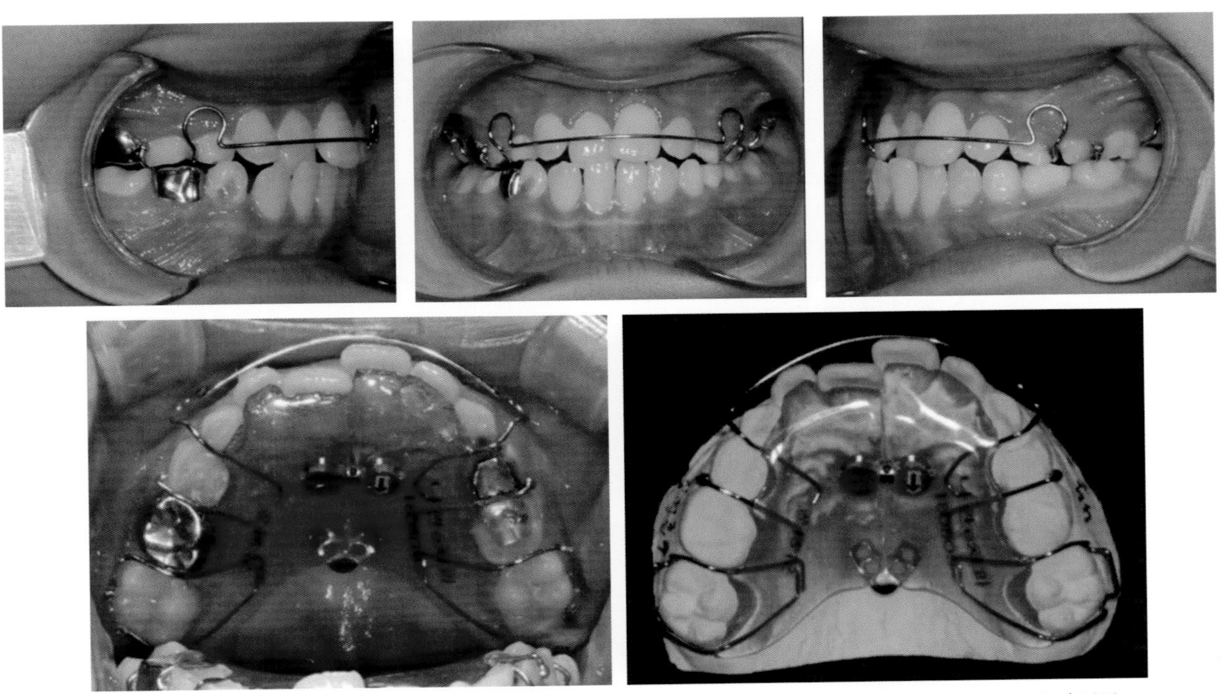

상악중절치(#11) 순측 이동 위한 공간을 마련하기 위해 착용한 액티브 플레이트(fan-type expander)이다.

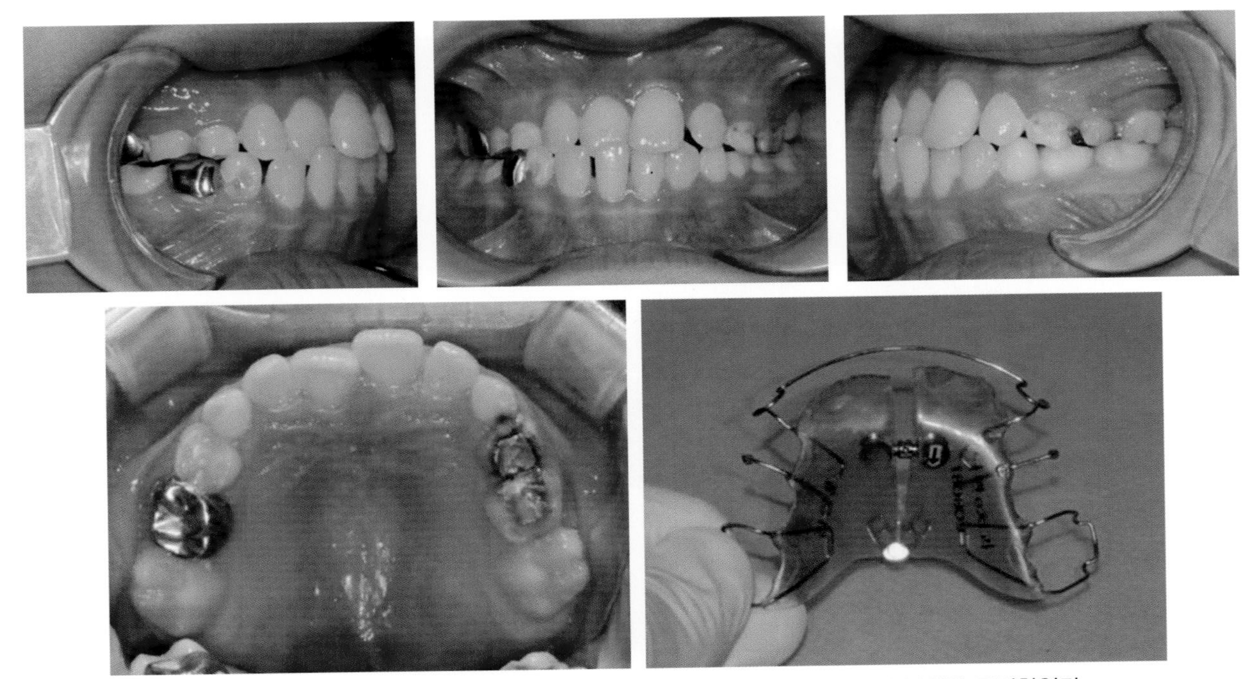

1주일마다 1회, 스크류를 활성화한 후 모습: 장치 확장에 따라 상악 전치부 부위를 조절하였다.

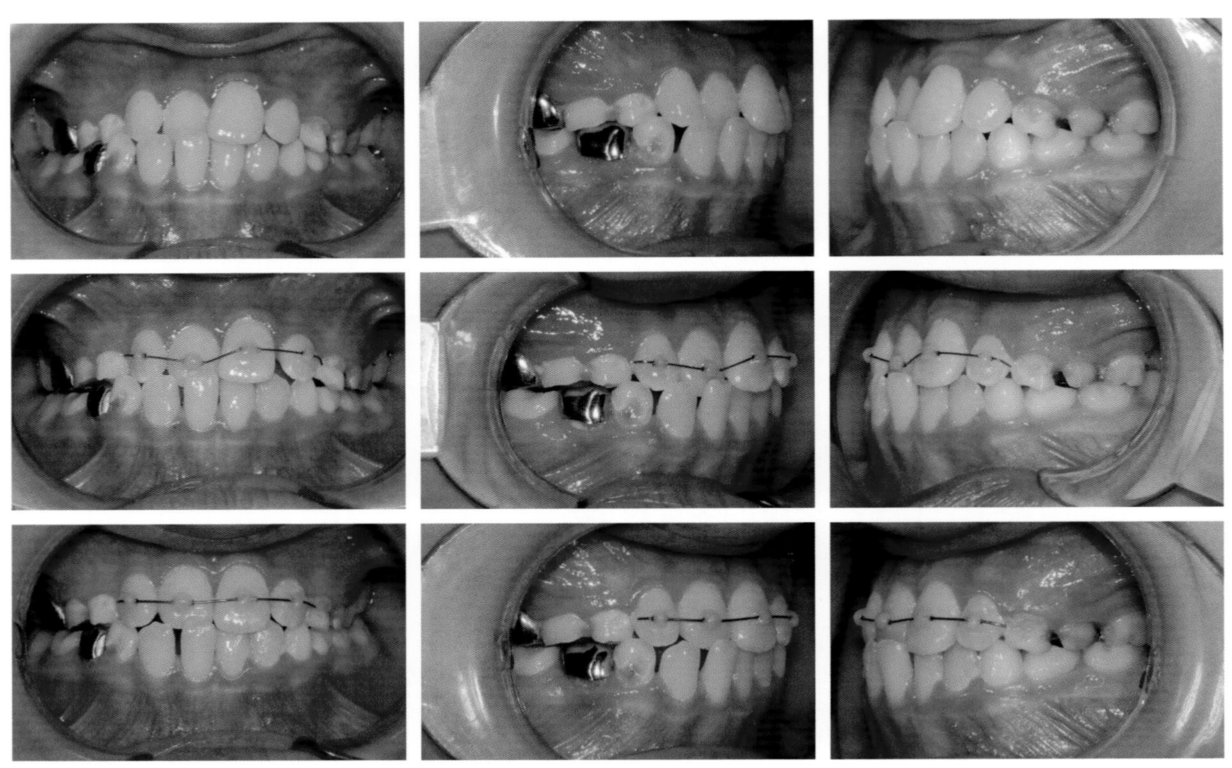

상악중절치(#11) 순측 이동을 위한 공간이 마련되었다고 판단한 후, 상악 전치부에 장치를 부착하여 상악중절치(#11)의 순측 이동을 도모하였다.

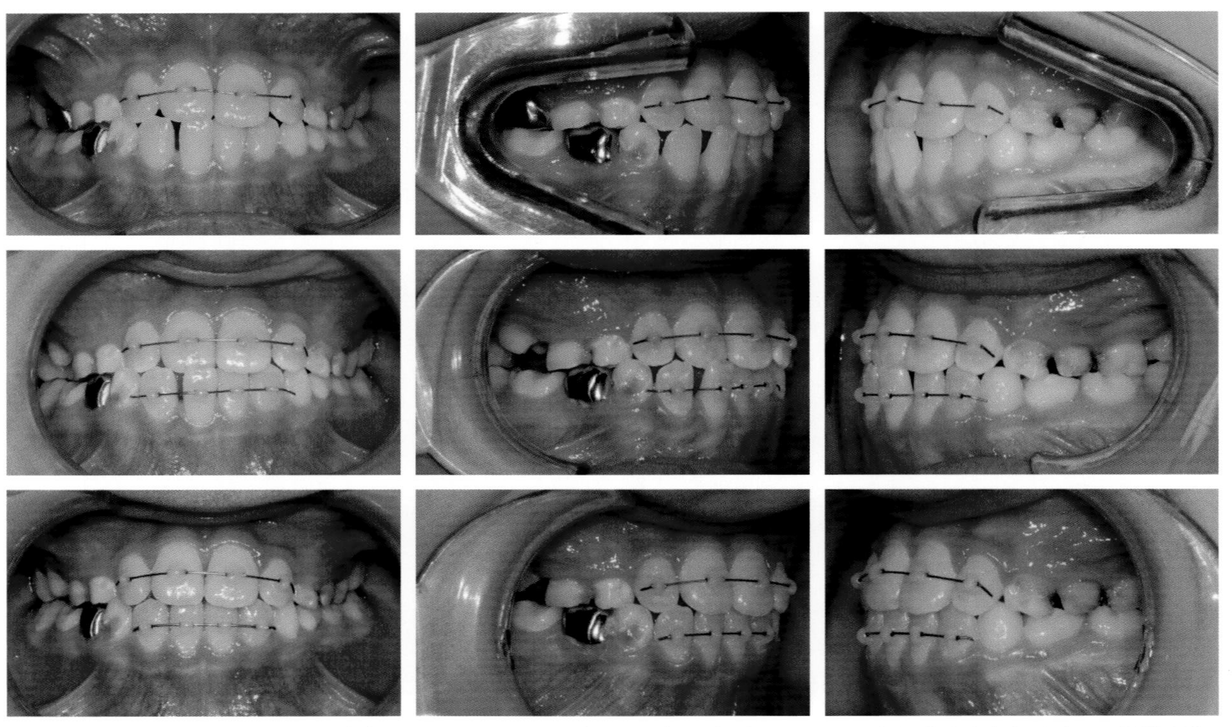

상악절치 배열을 어느 정도 이룬 후(위), 하악중절치, 측절치(#41, 42) 반대교합 개선하기 위해 하악절치에 장치를 부착한 후(중간), 상하악절치 간 관계가 개선된 모습이다(아래).

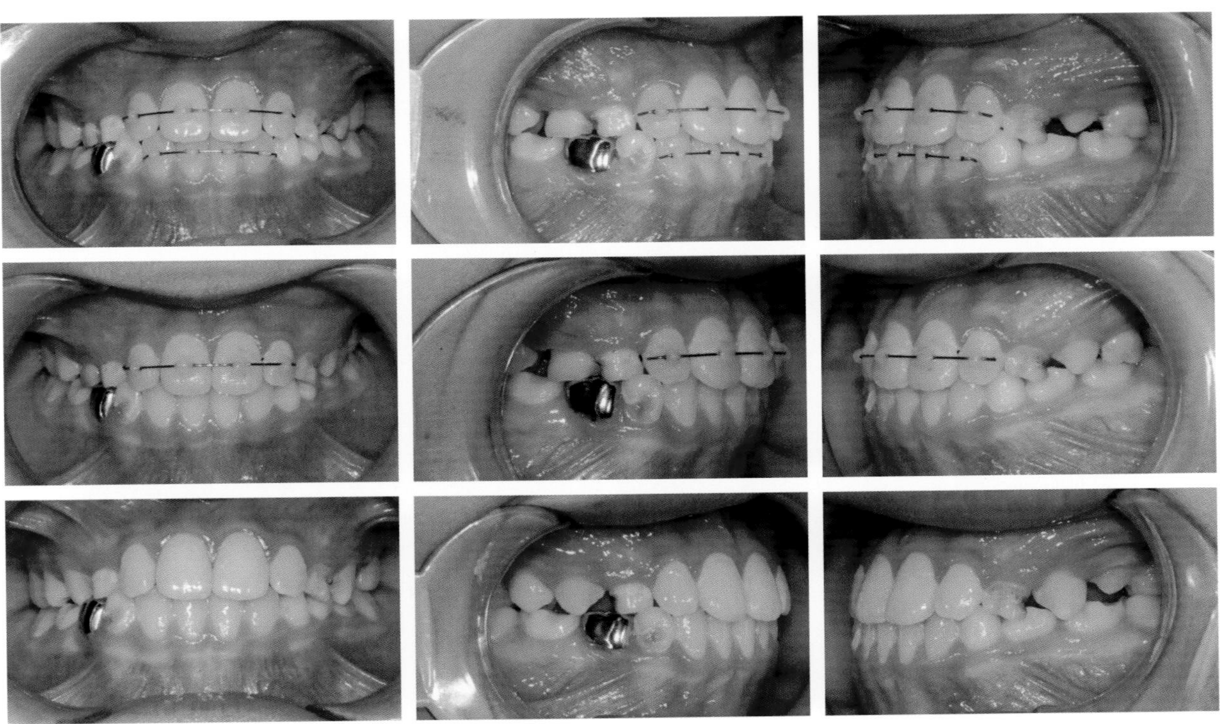

안정화 단계를 거치는 과정에서 유구치 교환이 이루어지고 있는 모습이며, 하악 절치 장치를 먼저 제거하였고, 차후 상악절치부도 장치를 제거하였다.

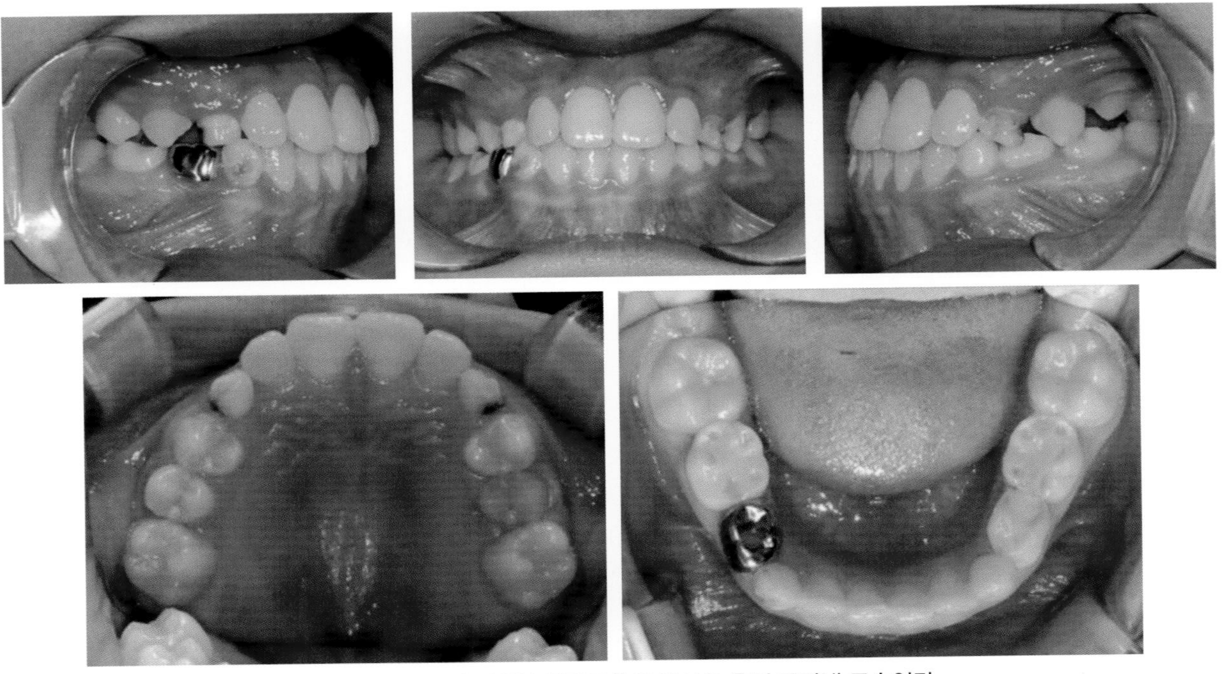

혼합치열기 상하악 전치부 반대교합을 개선한 후의 구강내 모습이다.

반대교합 증례 2

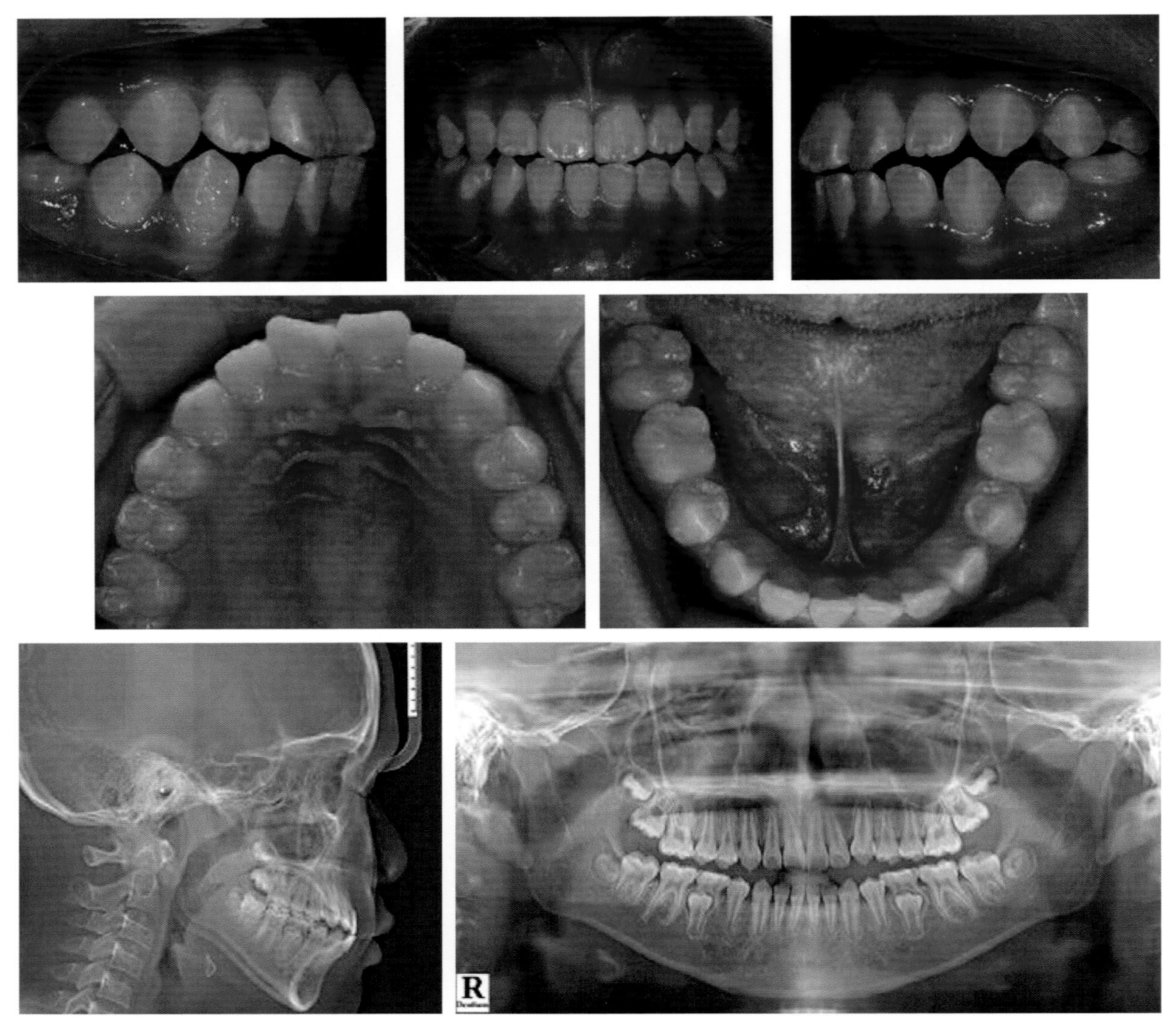

초진 시 구강내사진 및 방사선사진: 전치부 절단 조합과 혀의 저위로 하악 전치부 사이 틈이 관찰된다. 임상 검사에서 혀의 위치가 낮았다.

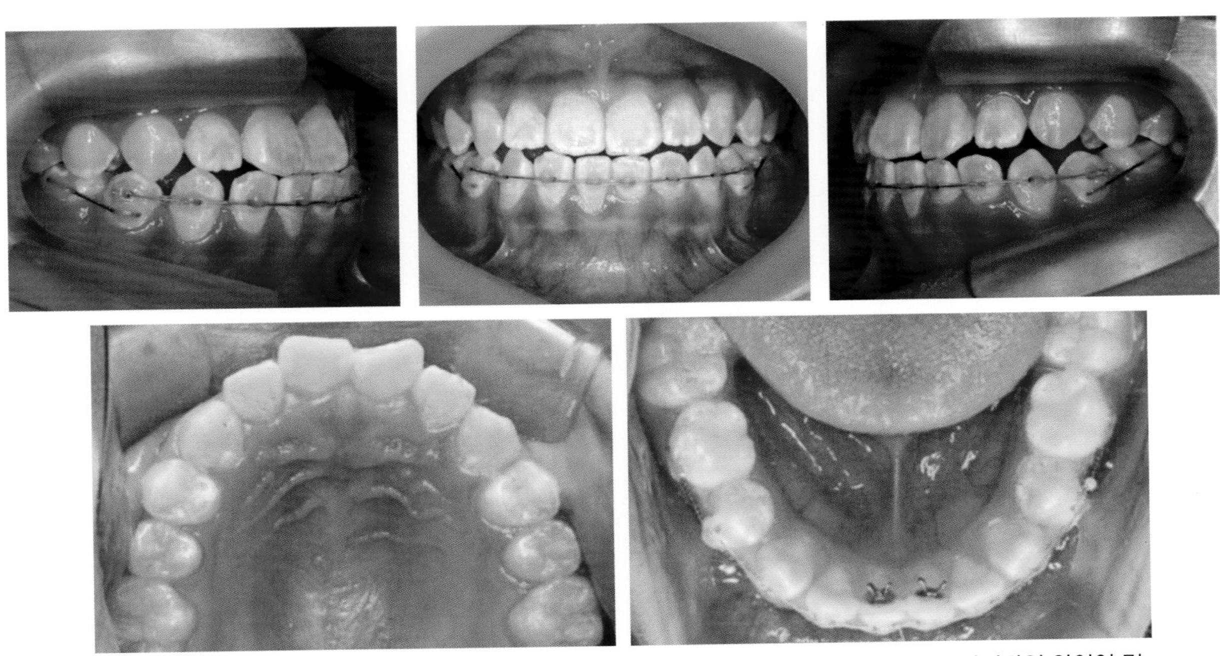

장치 부착 후 구강내사진: 하악전치부의 공간 폐쇄를 위해 미니튜브 장치를 부착하고, 012 나이타이 와이어 및 약한 파워체인으로 공간 폐쇄 시행하였다. 혀의 위치 개선을 위해서 하악 설측에 clear 장치 부착하였다.

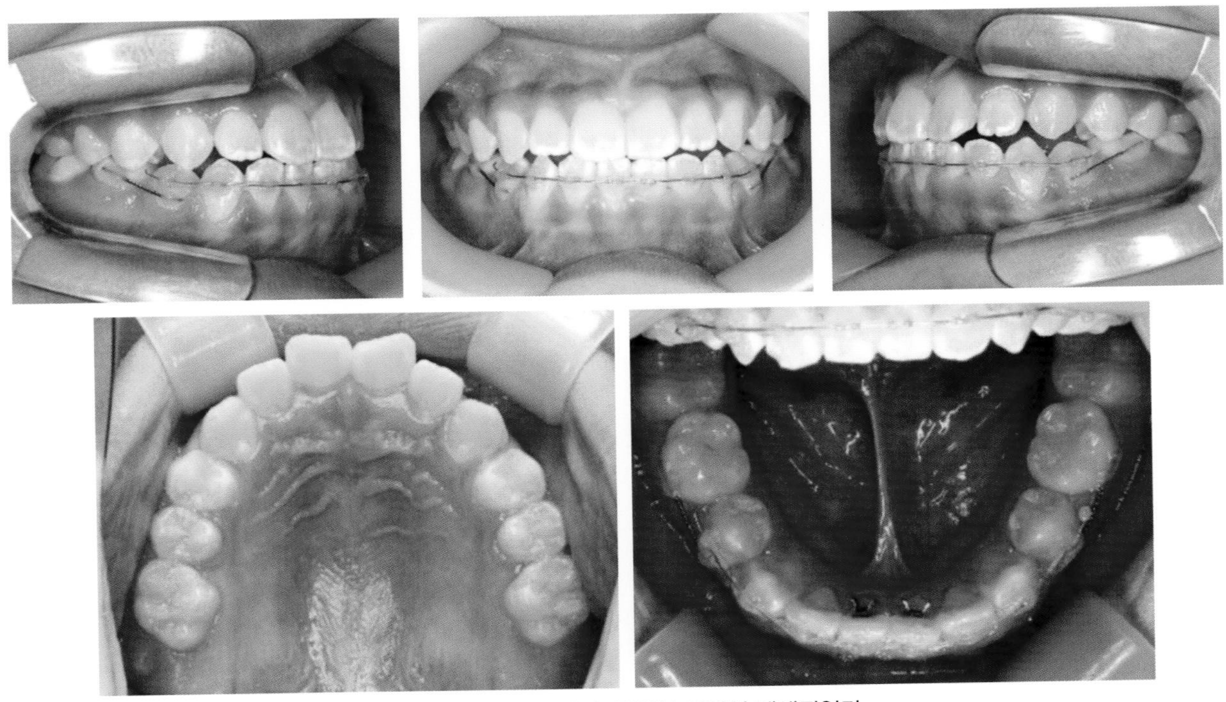

치료 2개월 구강내사진: 전치부 공간이 폐쇄되었다.

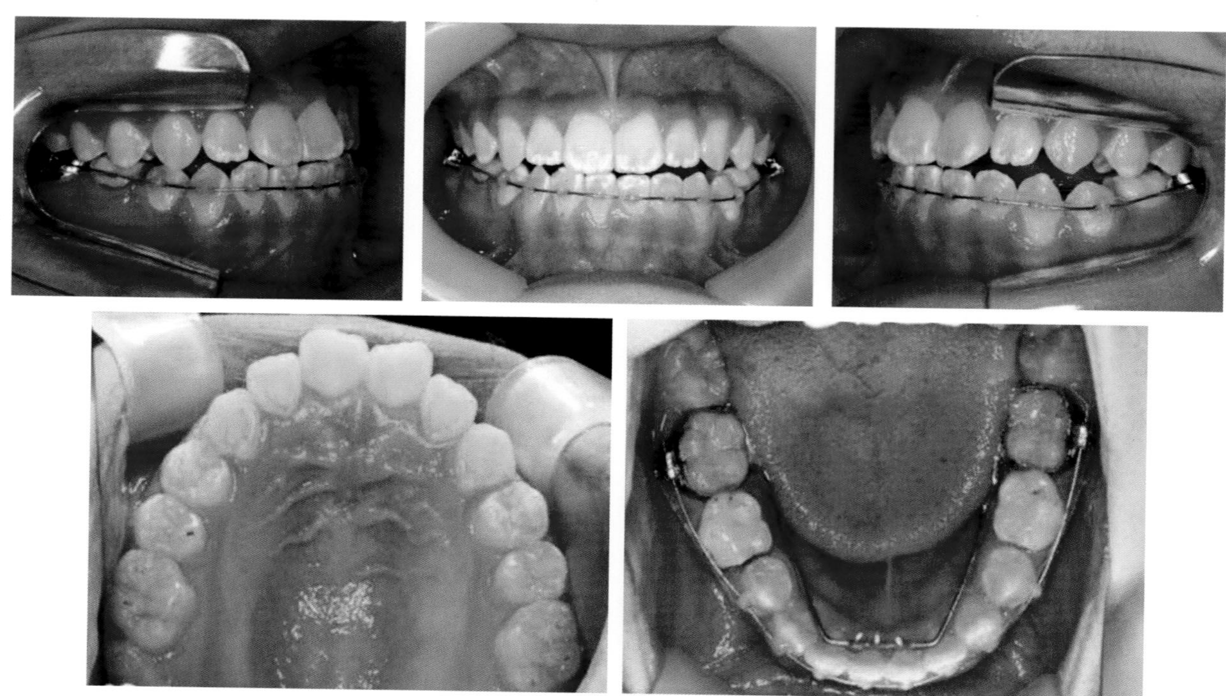

치료 3개월 후 구강내사진: 유구치 공간을 활용하여 전치부를 후방이동하기 위해서 설측 호선에 혀의 위치 개선 위한 스퍼(Spur)를 부착하여 삽입하였다. 하악제2유구치(#75, 85) 근심면을 삭제하고 공간을 폐쇄하였다.

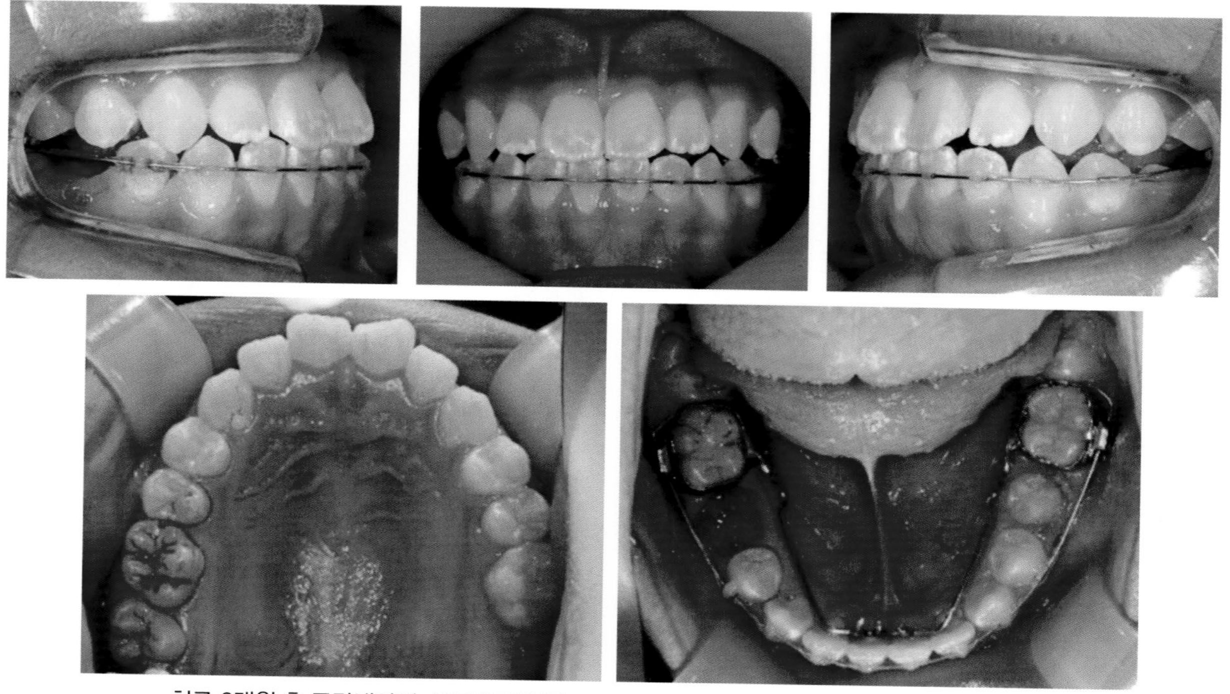

치료 6개월 후 구강내사진: 유구치 발치하고 발치공간을 활용하면서 공간 폐쇄 시행 중이다.

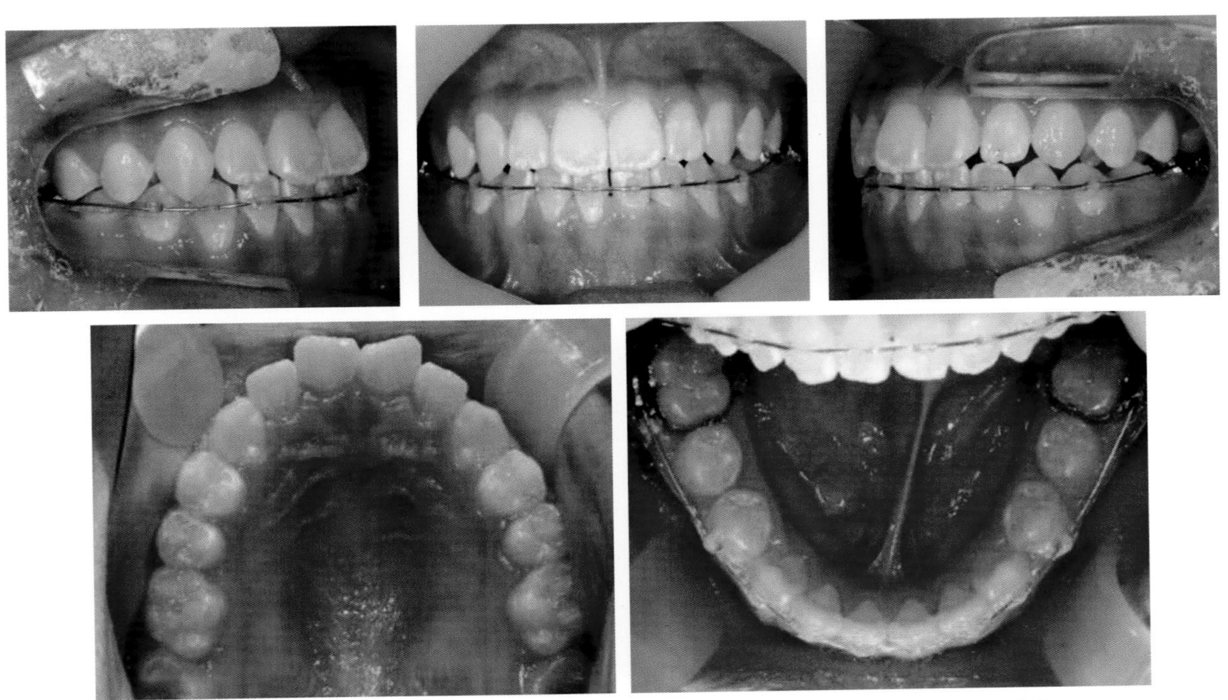

치료 8개월 후 구강내사진: 하악제2소구치(#35, 45) 맹출하였으며, 공간 폐쇄 시행 중이다.

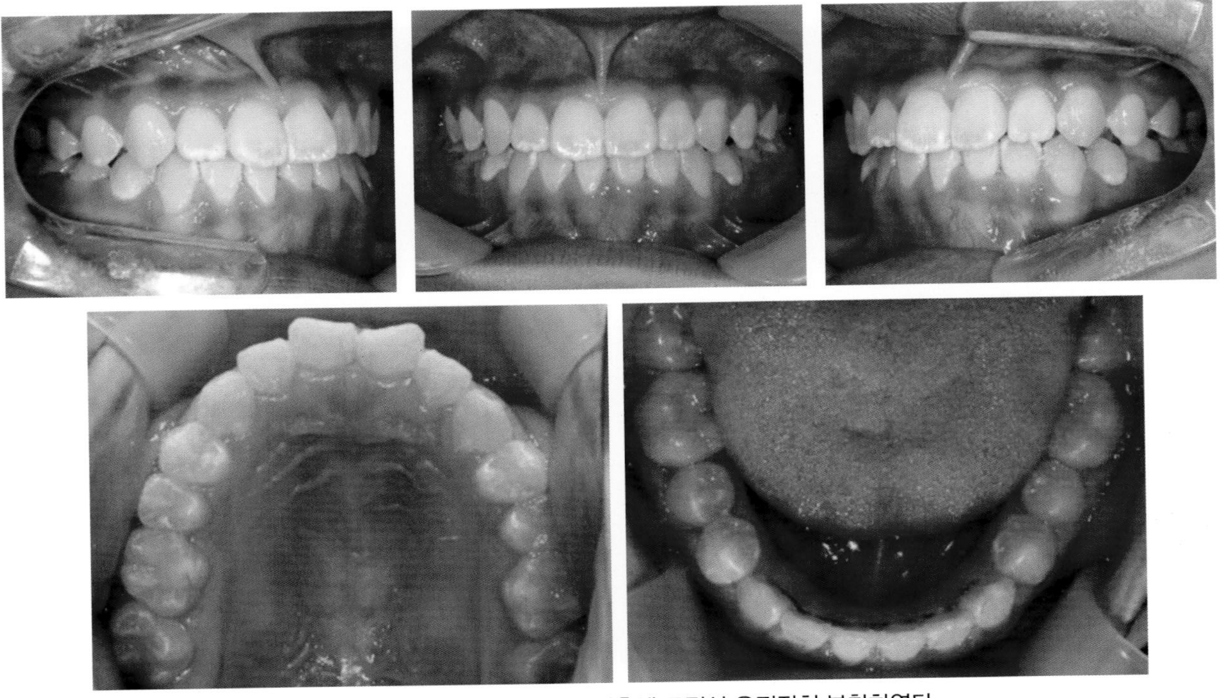

장치 제거 후 구강내사진: 하악 설측에 고정식 유지장치 부착하였다.

반대교합 증례 3

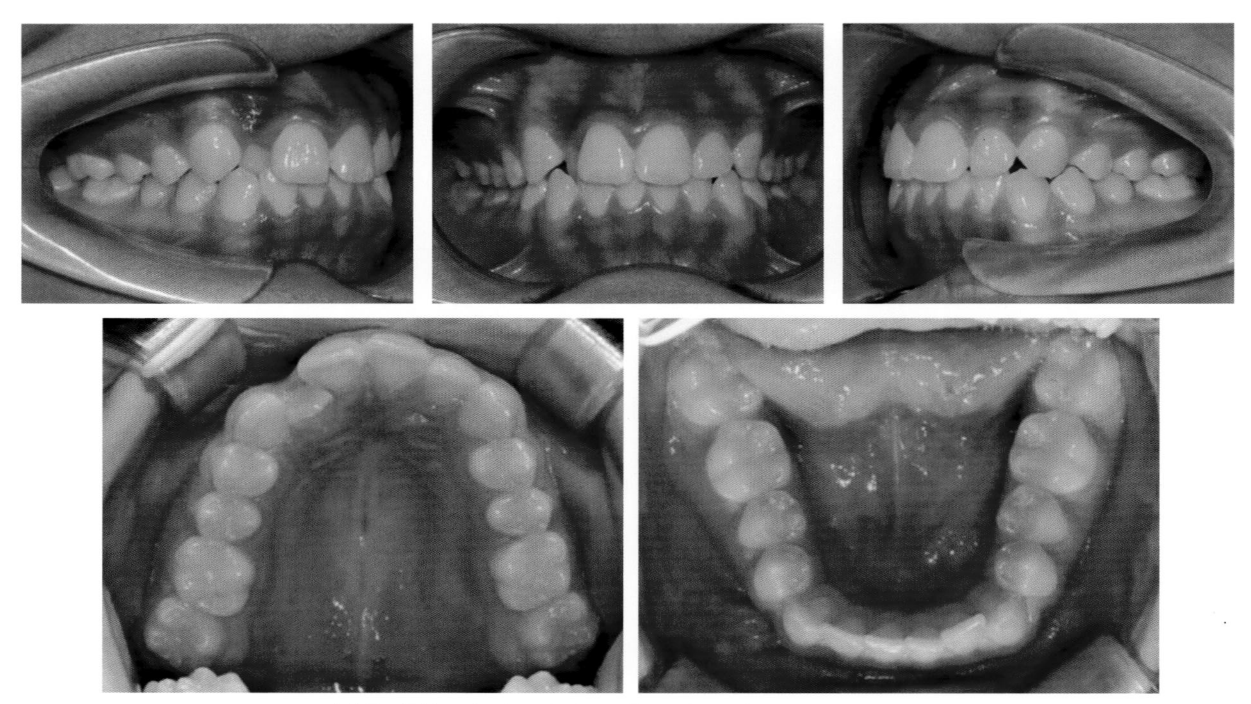

상악측절치(#12) 단일치 반대교합 증례. 구치부 교합은 양호하고
상악측절치(#12) 반대교합에 따른 상악 치열정중선의 우측 편위가 있다.

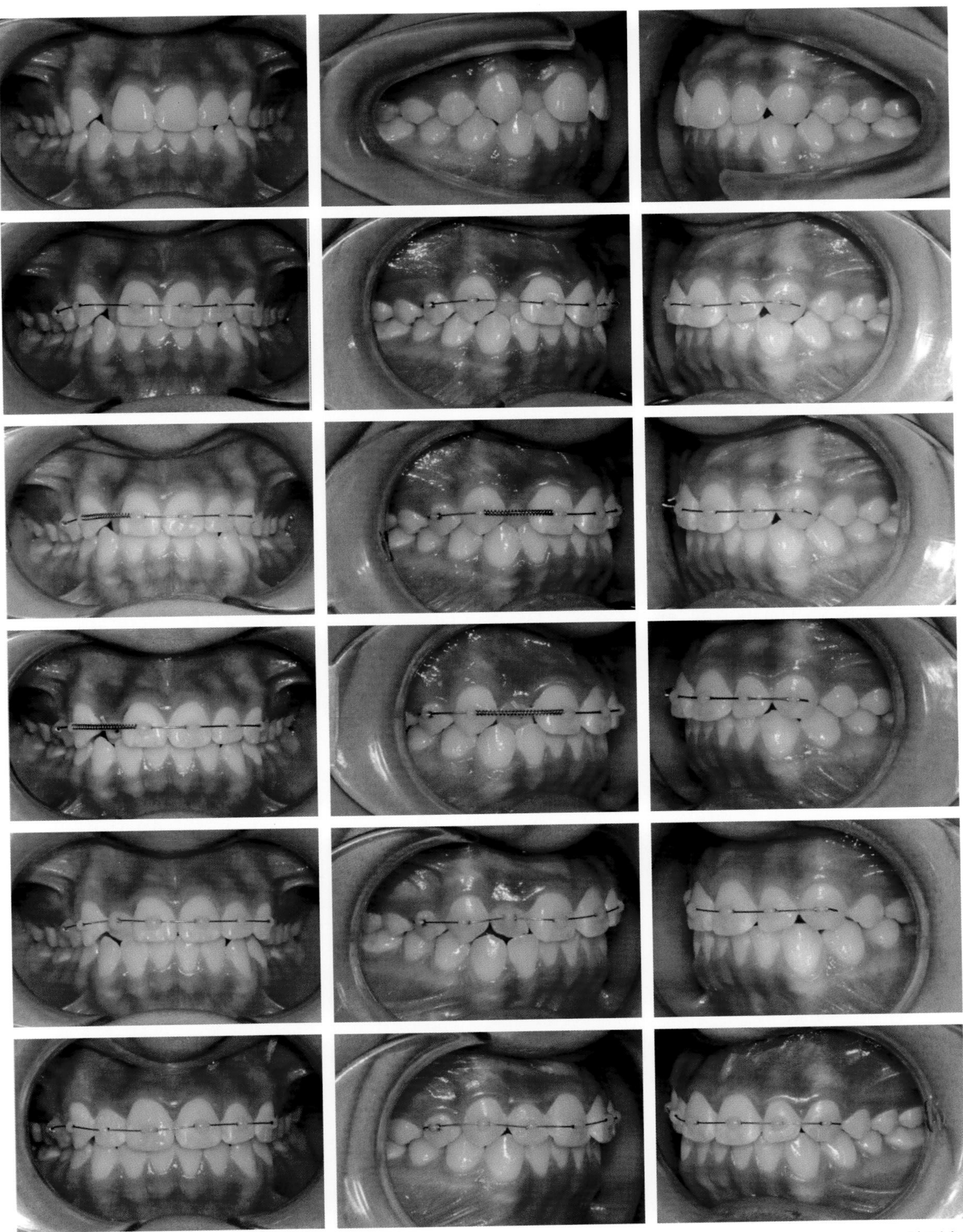

경험상 부분교정으로도 가능했었기에, 전체교정을 전제로 한 부분교정을 먼저 진행해보고 재평가해보기로 하였다. 소치구부 임상치관이 낮지만 교합이 양호한 전치부 경도-중도 총생은 미니튜브를 이용하기에 좋은 조건이다. 상악 장치 부착하고 상악측절치(#12) 공간을 확보하기 위해 개방형 오일 스프링을 적용하였다. 이때는 내원 시마다 코일을 점차 증가시키고, 와이어는 한쪽에서 다른 쪽으로 바느질하듯이 장치에 넣는 방법을 사용한다. 공간이 마련되었다고 판단되면 상악측절치(#12)에 폐쇄형 코일스프링을 부착하고 고무줄(super-thread)를 이용하여 견인을 시행한다. 상악측절치(#12)가 치열궁에 근접하면 스프링을 제거하고 상악측절치(#12)에 와이어를 넣어 바로 반대교합 개선을 꾀한다(초기에는 상악측절치(#12) 반대교합 개선을 위해 상악 구치부에 Bite-raising을 추가하였으나, 최근에는 bite-raising 없이도 약한 와이어를 이용한 약한 힘 적용으로 개선이 잘 되는 것을 경험하였다).

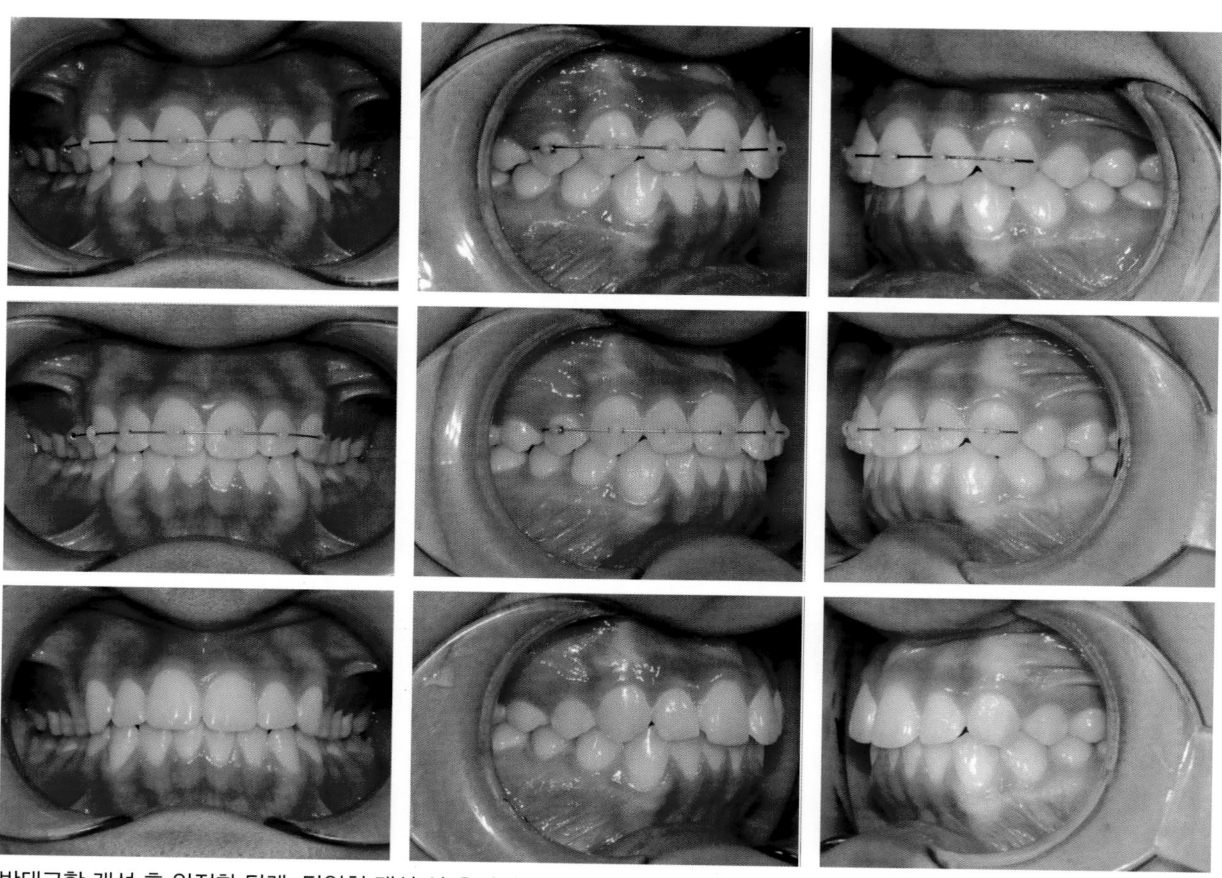

반대교합 개선 후 안정화 단계. 단일치 개선 시 우려되는 반대 측 동일치아와의 치축각 차이가 크게 나타나지 않았음을 관찰할 수 있다. 정중선도 초진과 비교하여 개선되었다.

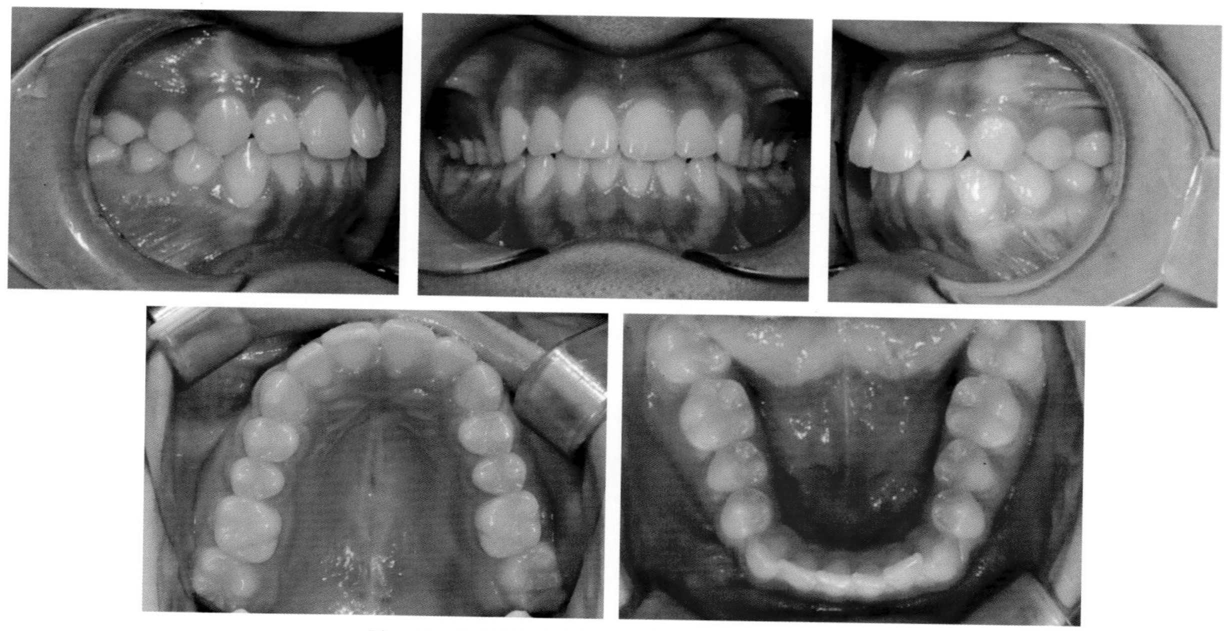

치료 후 구강내사진: 치료 기간 11개월 소요되었다.

포괄적인 교정치료에서의 미니튜브 역할

미니튜브는 크기가 작고, 낮은 프로파일로 이물감이 적어 브라켓 대용으로 다양하게 적용할 수 있다. 다음 증례는 하나의 예시일 뿐이고, 다양한 방법으로 교정치료에서 활용될 수 있다. 진료실마다 특성에 맞추어 다양하게 활용해 볼 것을 추천한다.

포괄적인 교정치료에서 장치로써 미니튜브의 활용

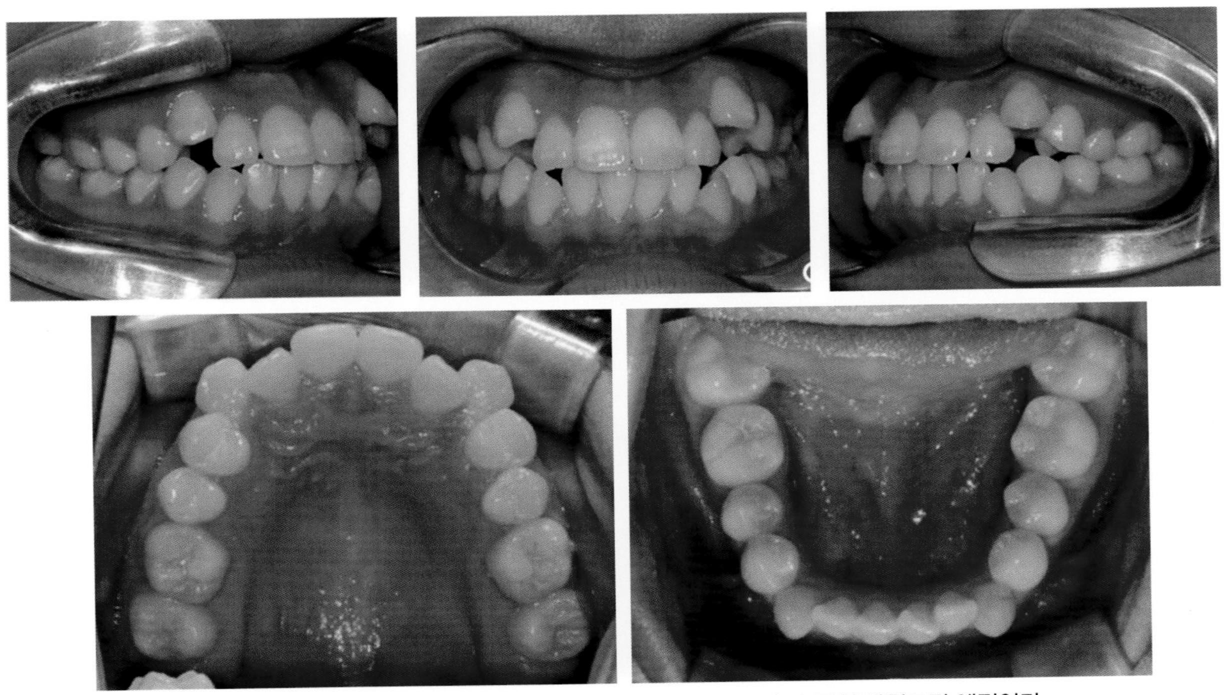

상악견치(#13, 23)의 이소성 맹출을 동반한 전치부 돌출 증례. 소구치 발치교정 예정이다.

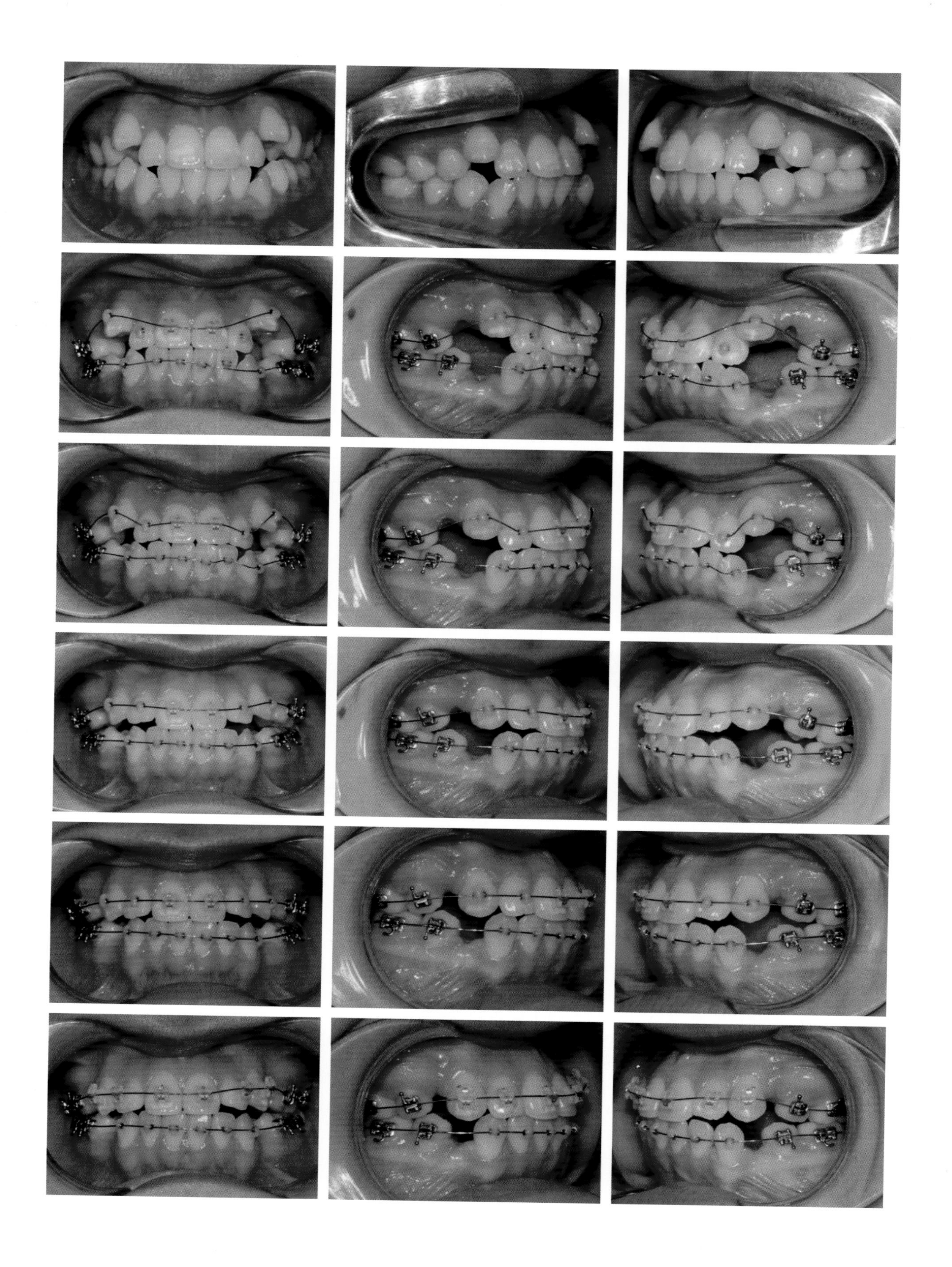

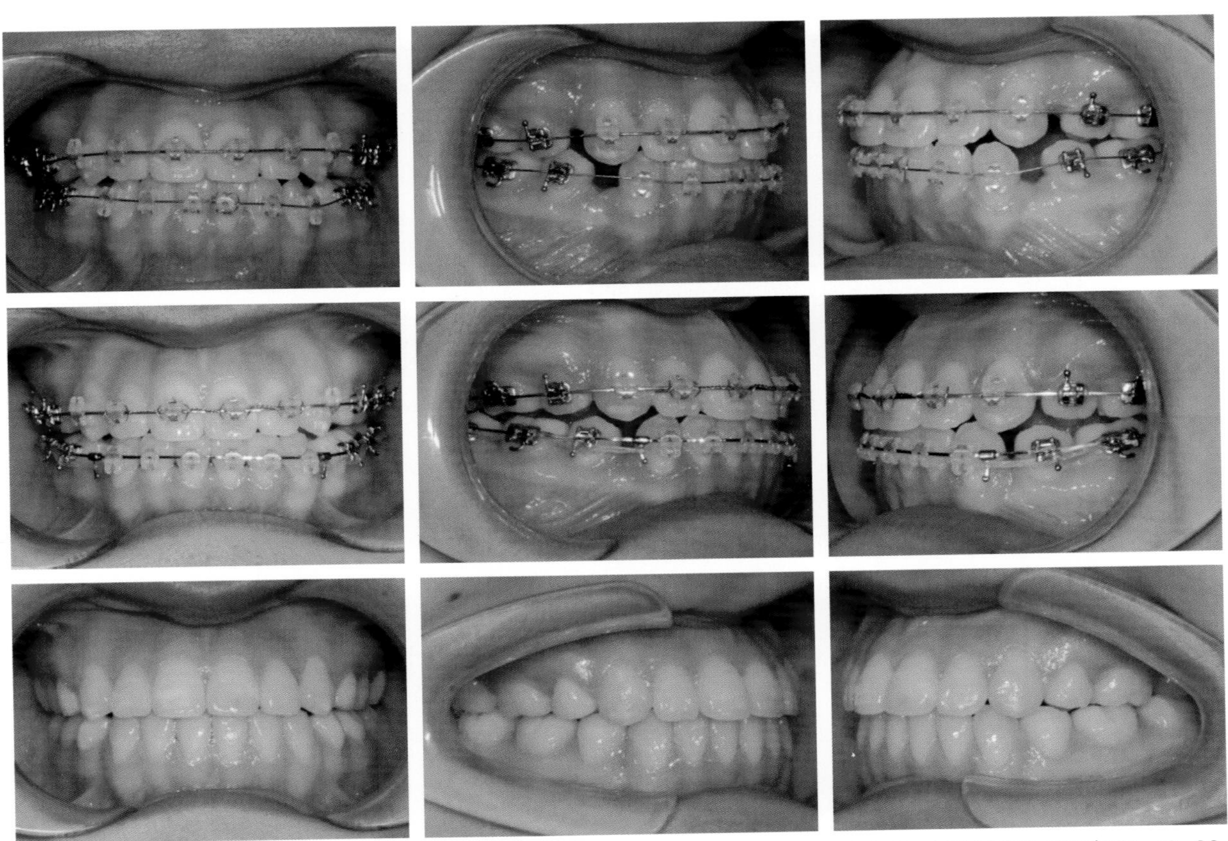

통상적으로 4개의 제1소구치를 발치하고 교정장치를 부착하여 치료를 진행하였다. 상악에서는 상악측절치, 견치(#12, 13, 22, 23)에는 폐쇄형 코일을 부착하여 치아배열을 진행하였다. 덧니에 브라켓을 부착하여 진행하는 경우보다 입술의 불편감을 줄일 수 있고 배열도 수월하며, 전치부 가시적인 배열이 이루어진 후, 치관 및 치축을 확인하여 최종적인 장치를 부착하는 장점이 있다.

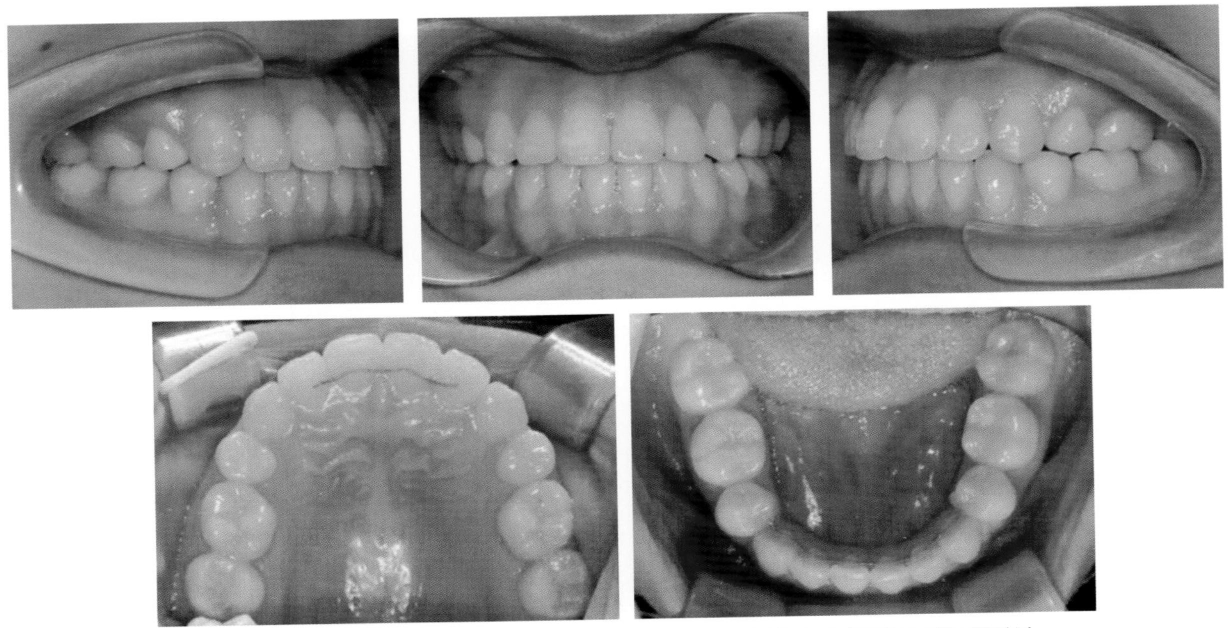

코일(Coil)을 이용하여 전치부 예비배열을 진행한 후, 계획했던 브라켓으로 재부착하여
공간 폐쇄 후 교합 마무리하여 치료를 종결한 모습이다.

미니튜브를 활용한 치주-교정치료

중장년층에서 가장 호발하는 치과 질환은 치주질환이다. 치주질환으로 치료받는 환자 수는 매년 증가하고 있고, 치주질환으로 인한 병적 치아이동과 이로 인해 발생한 총생으로 인해 교정치료를 필요로 하는 수요도 동시에 증가하고 있다. 그러나, 중장년층에서 쉽게 포괄적인 교정치료를 선택하는 경우는 많지 않다.

미니튜브 장치는 치주질환으로 변위된 치아 위치를 개선하고, 절충된 치료목표를 제시하는데 장점을 지닌다. 약한 힘의 적용과 작은 크기의 장치는 구강위생 관리 측면에서 기존의 장치보다 우수한 장점을 가지고 있고, 심미적인 부분과 불편감에서도 장점이 많다. 다만 치주질환은 지속적인 관리가 필요한 질환이므로 쉽게 교정적 접근을 시행하는 것보다, 우선 병적인 치주 환경을 개선하고, 구강위생 관리가 충실히 이행된다는 전제하에 교정치료를 시작하는 것이 좋다. 미니튜브 장치는 약한 힘으로 치아이동을 도모하므로, 치조골 높이가 낮은 치주질환자에서는 고정원으로 사용할 치아와 치아이동이 필요한 치아들로 구분하여 접근하는 것도 필요하다.

미니튜브로 치료를 마무리하고 유지장치를 부착하더라도, 낮은 치조골 높이는 잦은 유지장치의 탈락을 유발한다. 이것은 치료 후 환자를 지속적으로 관리하는 측면에서 그리고 치료를 받으러 오는 환자 측면에서도 큰 스트레스 요인이 된다. 따라서 치주-교정치료 후 유지기간 동안에 발생할 수 있는 불편감이나 문제점들을 사전에 충분히 환자와 논의하는 것이 중요하다.

치주-교정 증례 1

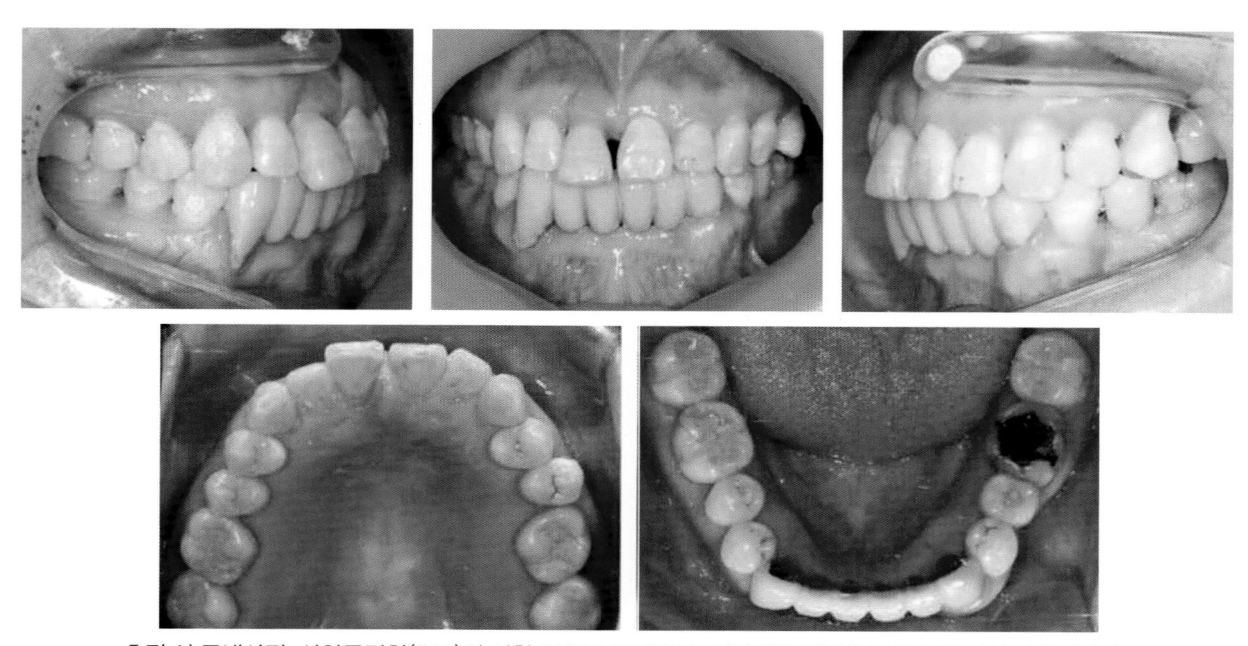

초진 시 구내사진: 상악중절치(#11)의 심한 동요도 존재하고, 인접치아 기준으로 정출된 것이 관찰되었다.

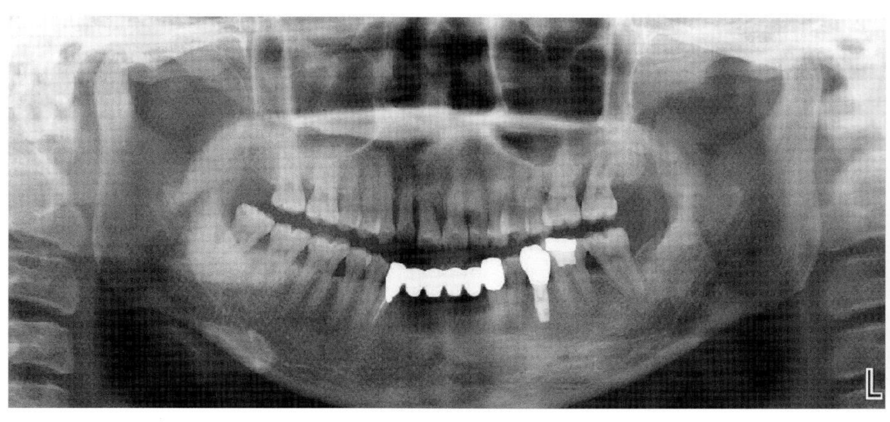

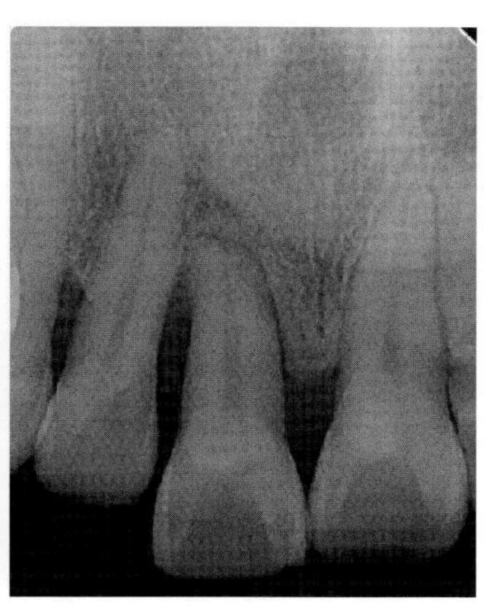

초진 시 방사선사진: 상악중절치(#11) 치아 주위 심한 수직적 골소실과 치근첨 부위 치근 흡수 관찰되었다. 불량한 예후에 대해 충분히 설명드리고 치료를 진행하였다.

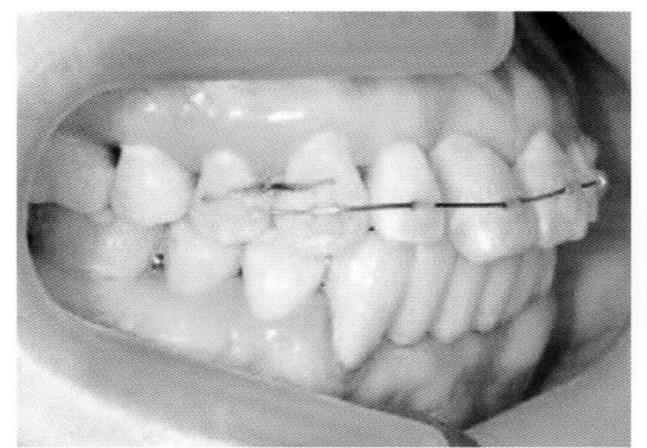

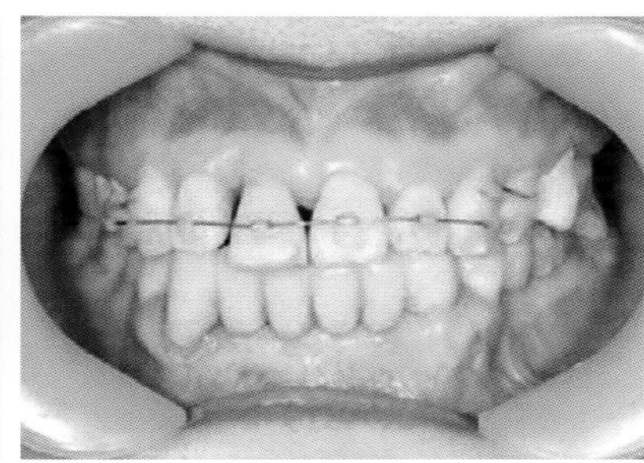

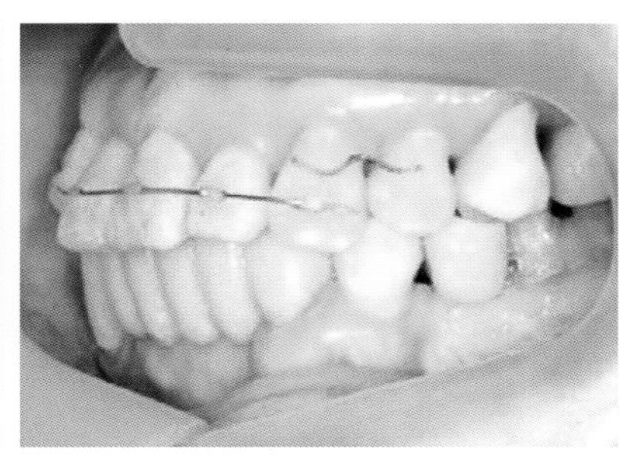

초진 후 장치 부착사진: 치료 첫날 미니튜브 장치를 부착하고, 0.0195" 트리플렉스 와이어를 이용하여 수동적으로 와이어 부착을 시행하여 고정원을 보강한 후, 012 나이타이 와이어를 적용하였다.

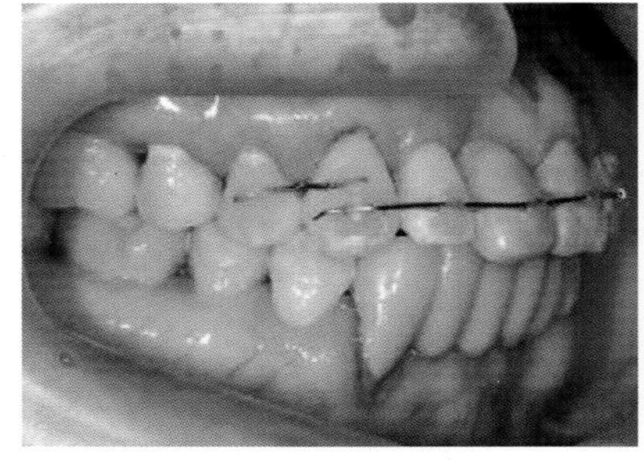

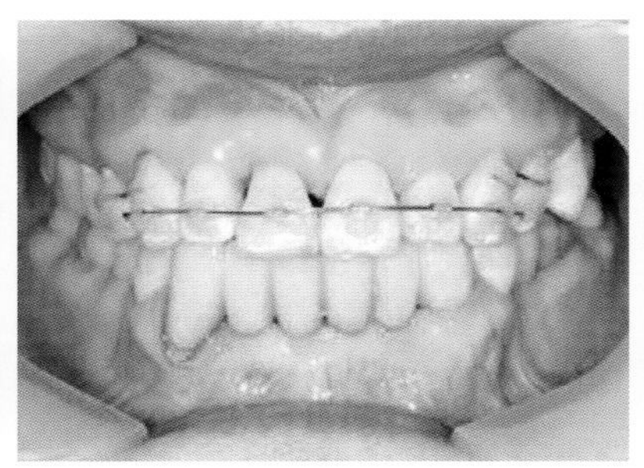

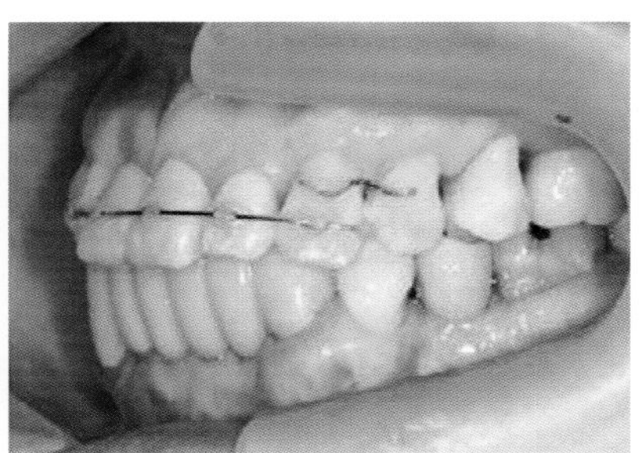

치료 4개월 경과 후 구내사진: 치료 시작 3개월 때 014 나이타이 와이어로 교환하였으며, 4개월째 배열이 이루어진 것을 볼 수 있다. 잔존 공간을 폐쇄하기 위해 약한 힘의 파워체인을 사용하여 공간을 폐쇄하였다.

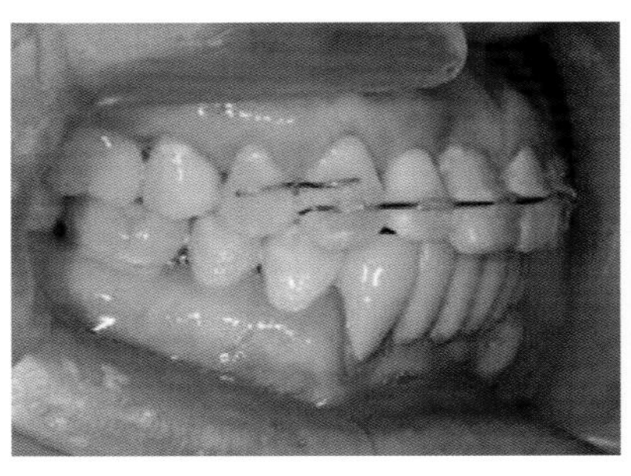
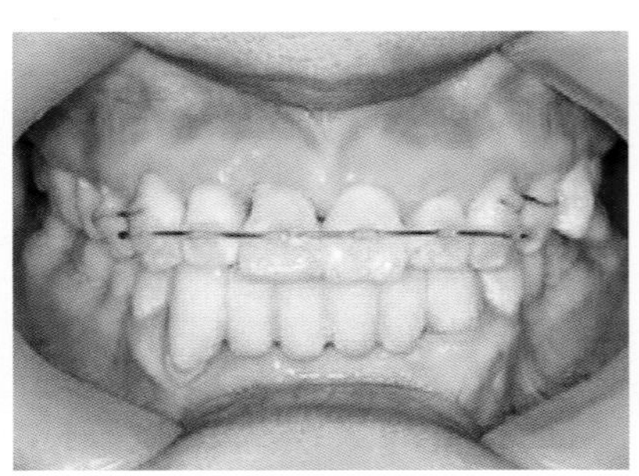
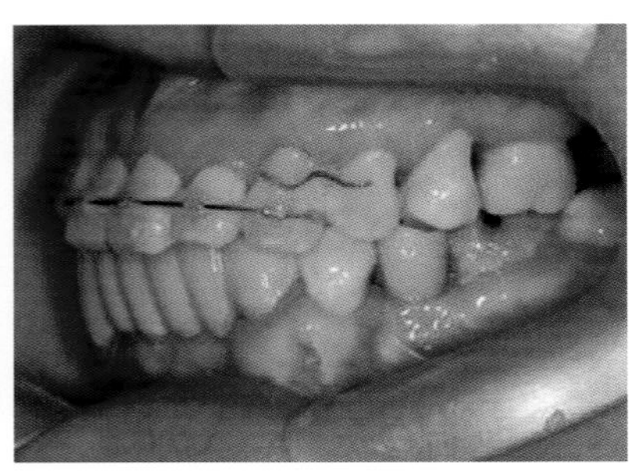

치료 7개월 경과 후 구내사진: 배열 및 공간 폐쇄가 완료 후 충분한 유지기간을 거쳐 안정적으로 치아 배열이 유지되는 것을 확인 후, 치료 7개월째 구개면에 0.0195” 트리플렉스 와이어를 이용하여 고정식 유지장치 부착하였다.

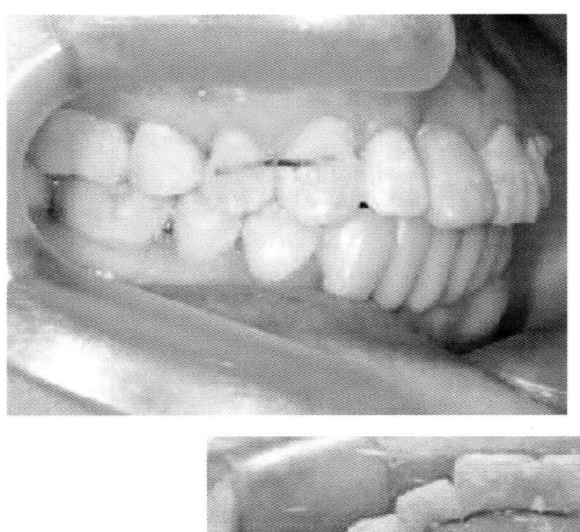
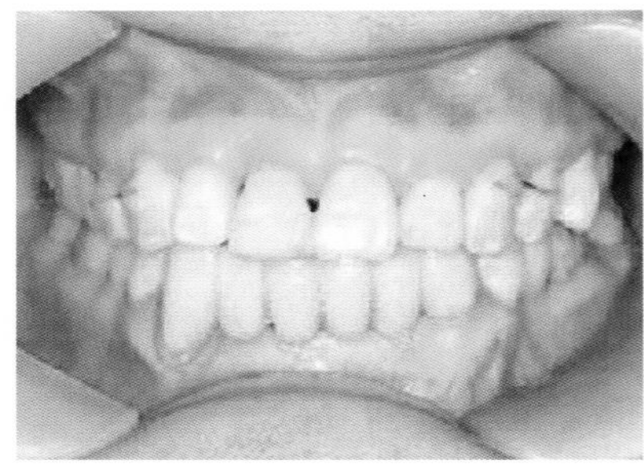
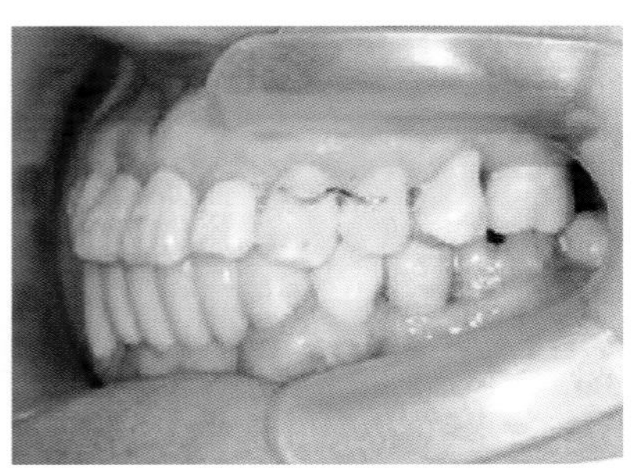
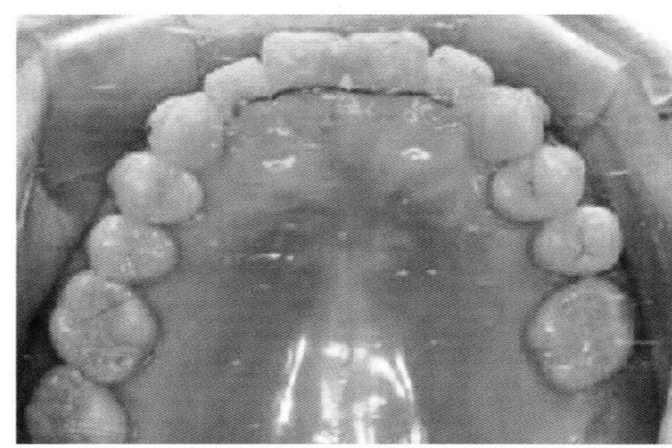
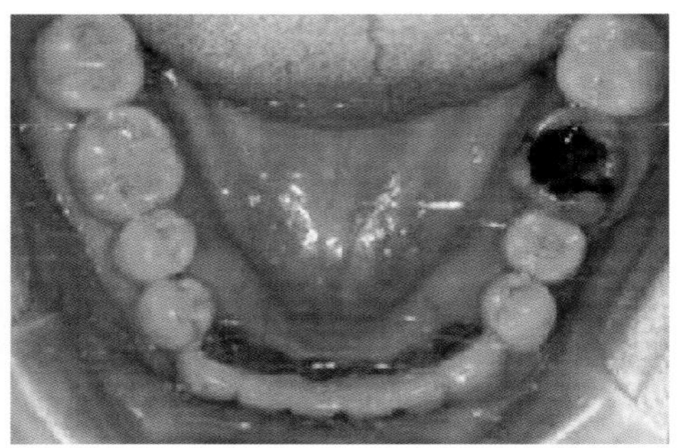

치료 종료 후 구내사진: #12-22 구개면에 고정성 유지 장치 부착 1달 후, 치열과 고정성 유지 장치가 안정적으로 유지되는 것을 확인 후 미니튜브 장치를 제거하였다. 총 치료 기간은 8개월이었으며 짧은 치료 기간 동안 정출된 상악중절치(#11)의 심미 개선이 이루어졌다.

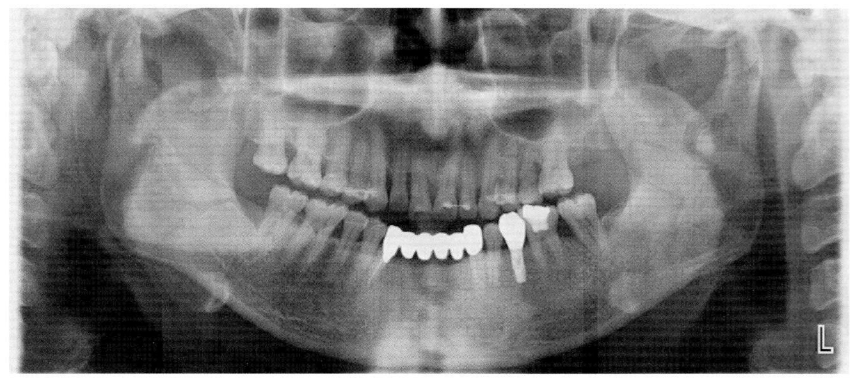

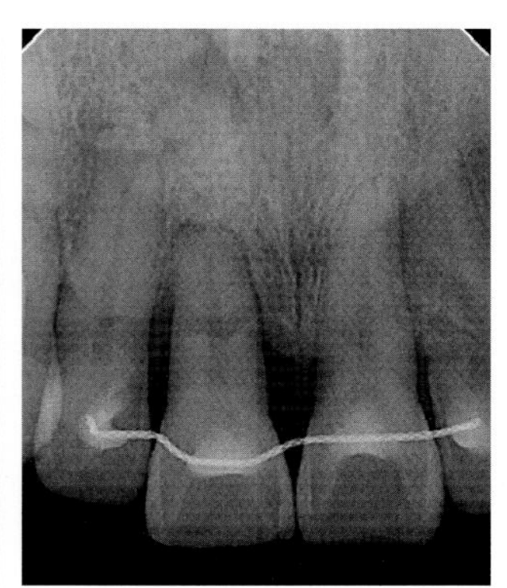

치료 종료 후 방사선사진: 증례의 환자와 같이 심한 수직적 골 소실과 중등도 이상의 치아 동요도를 가진 환자에서 고정성 유지 장치 탈락 및 안정적인 유지의 실패 가능성이 높으므로 치료 종료 후 주기적 경과 관찰이 필요하다.

치주-교정 증례 2

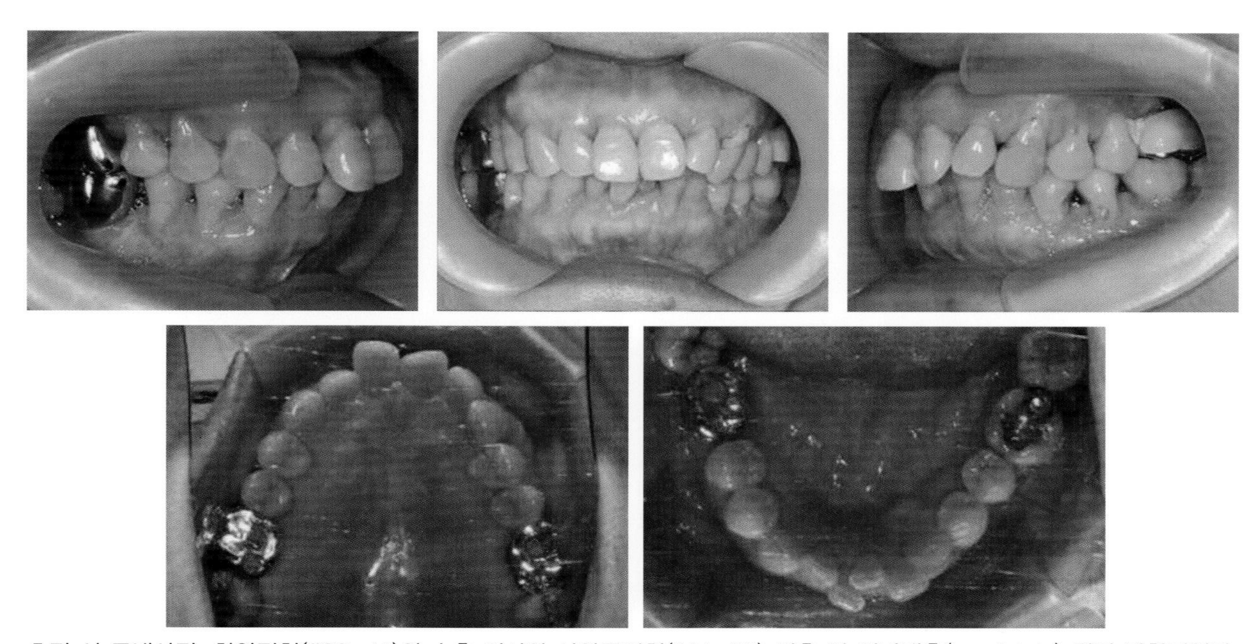

초진 시 구내사진: 하악절치(#32, 41)의 순측 경사와 상악중절치(#11, 21) 정출 및 전방내축(mesial-in) 회전 관찰되었다. 상하악 전치부의 심한 수평, 수직피개와 상악 치열에 경미한 총생, 하악 치열에 중등도 총생이 관찰되었다.

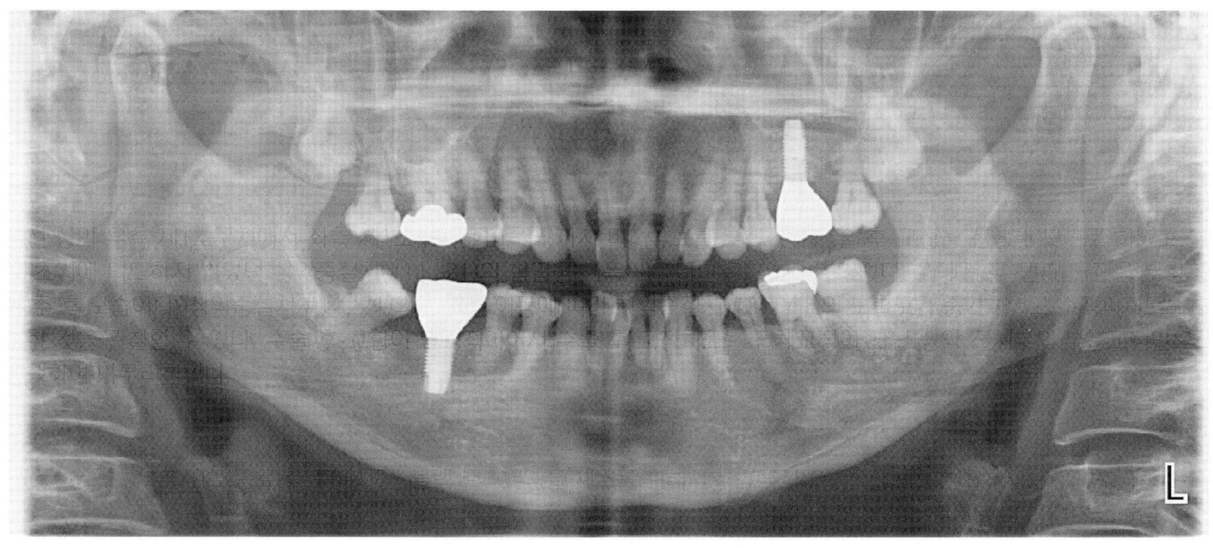

초진 시 방사선사진: 치주염으로 인해 전반적으로 심한 치조골 흡수 관찰되었고, 특히 상악중절치(#11) 원심 치조골의 심한 수직적 골 결손이 관찰되었다.

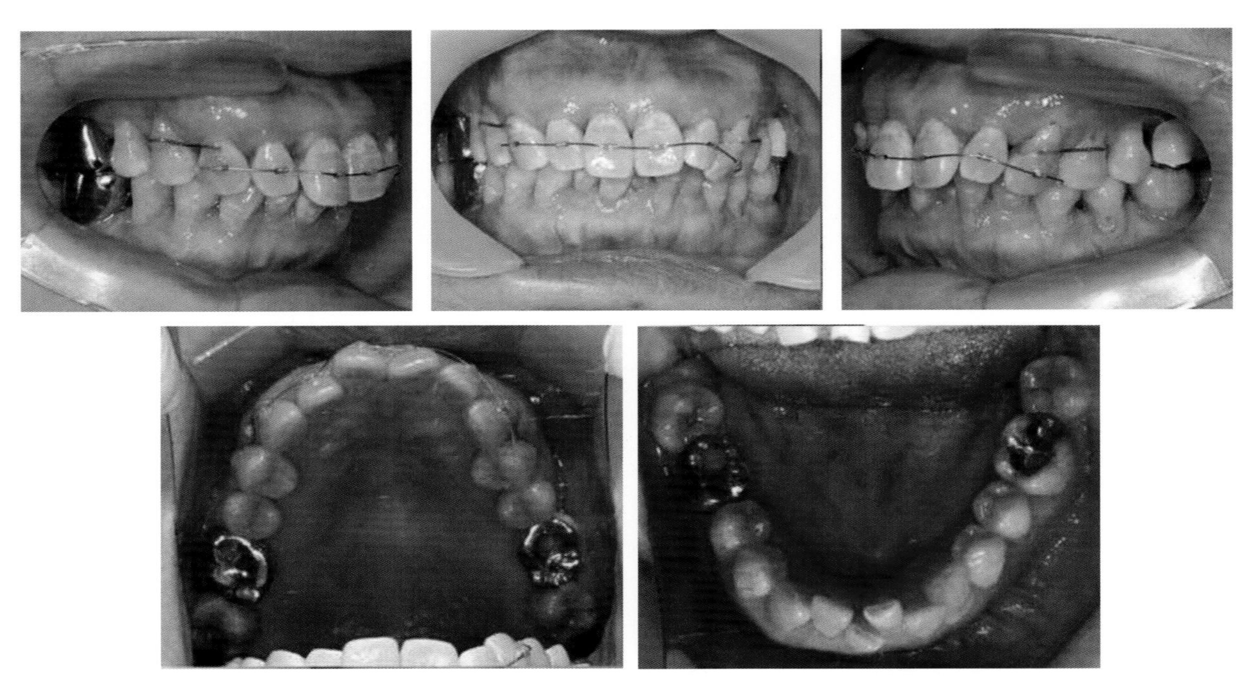

치료 첫날 구내사진: 미니튜브를 부착하였다. 상악 견치(#23)이 정출되어 있지만, 현재의 견치 교합 관계를 유지하고자 하였으므로 상악 견치와 제1소구치에 0.0195" 트리플렉스 와이어를 이용하여 고정원을 보강한 후, 012 나이타이 와이어를 적용하였다.

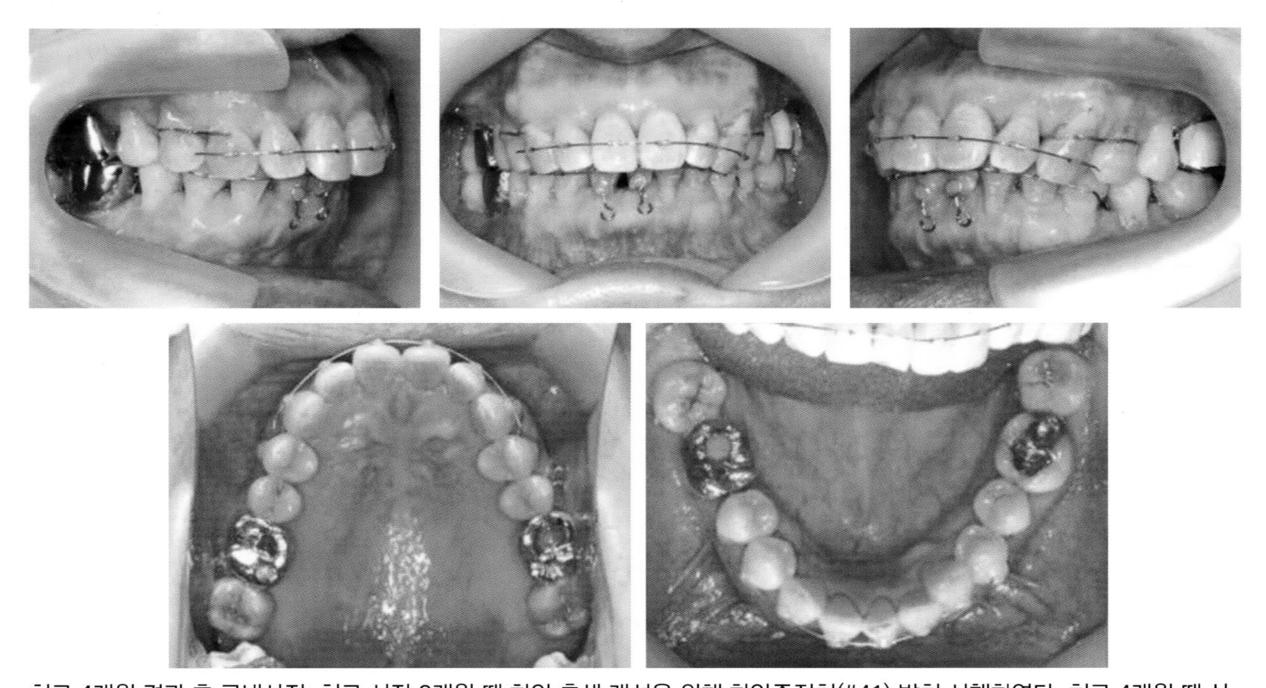

치료 4개월 경과 후 구내사진: 치료 시작 2개월 때 하악 총생 개선을 위해 하악중절치(#41) 발치 시행하였다. 치료 4개월 때 상·하악 전치부 배열이 완료되었다. 하악 발치공간 폐쇄 시 경사 이동을 최소화하면서 하악절치(#31, 42)의 치체 이동을 위해 해당 치아의 저항 중심 부근에 힘이 전달될 수 있도록 순측 치면에 긴 훅(hook)을 부착 후, 약한 힘의 파워체인을 사용하여 공간 폐쇄하였다. 또한 상악중절치(#11, 21)의 적극적인 치간삭제를 시행하였다.

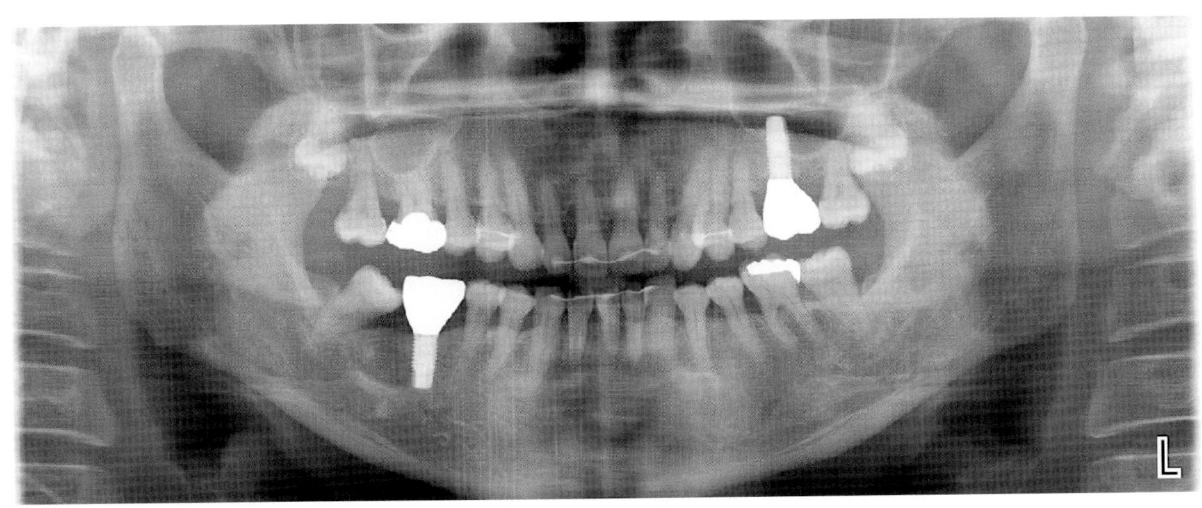

치료 종료 후 방사선사진

치주-교정 증례 3

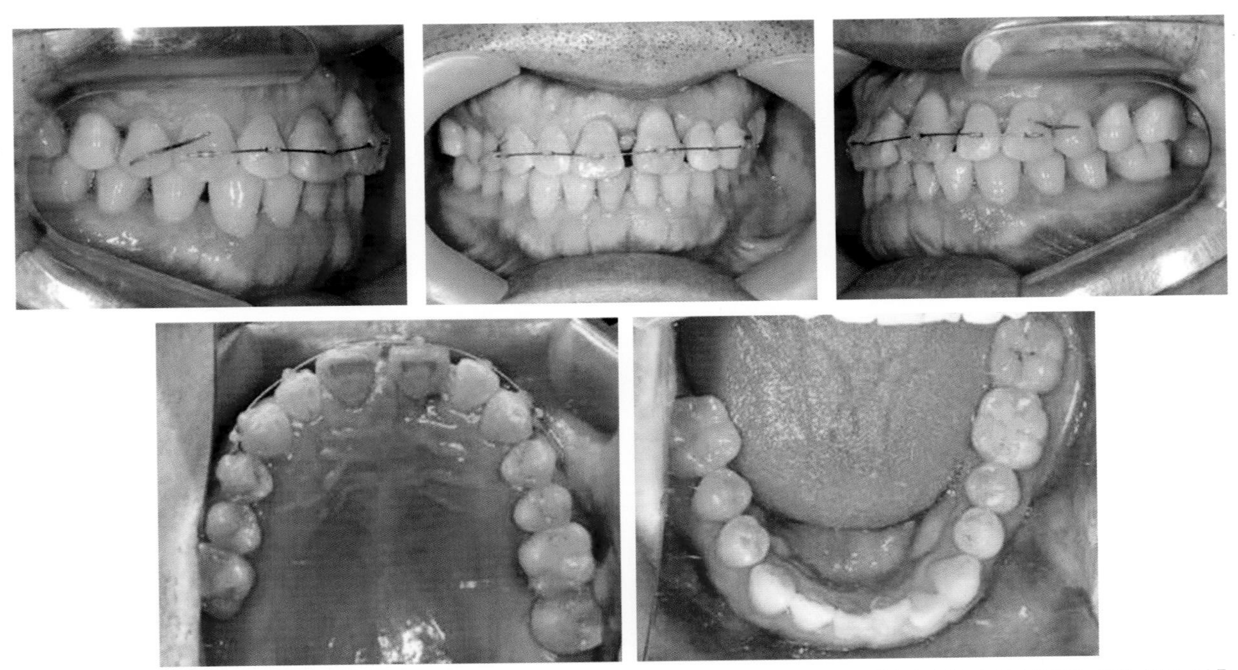

치료 첫날 구내사진: 임상검사 결과 상악중절치(#11, 21) 치간 공극이 존재하고, 상악중절치(#21)의 순측 부위에 심한 치은 퇴축 및 중등도의 치아 동요도가 관찰되었다. 과거 상악중절치(#11, 21)의 외상 기왕력과 상악중절치(#21)의 농양(pus discharge)으로 인해 신경 치료 및 치주과적 처치 받은 기왕력이 있었다. 교정치료 완료 후에도 상악중절치(#21)의 예후 불량으로 인한 발치 가능성 존재하였으나 환자분은 교정치료 진행을 원하였고, 해당 치아의 예후불량으로 발치하더라도 심미적인 보철 치료 결과를 위해서 치간 공극 폐쇄가 필요하였으므로 예후 불량 가능성에 대해 충분히 설명하고 치료를 진행하였다.

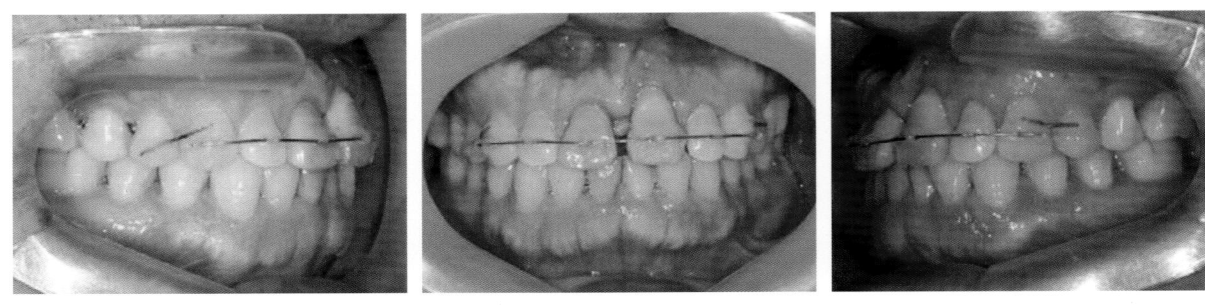

치료 1개월 경과 후 구내사진: 치료시작 1개월부터 잔존 공간을 폐쇄하기 위해 약한 힘의 파워체인을 사용하여 공간 폐쇄를 시행하였다.

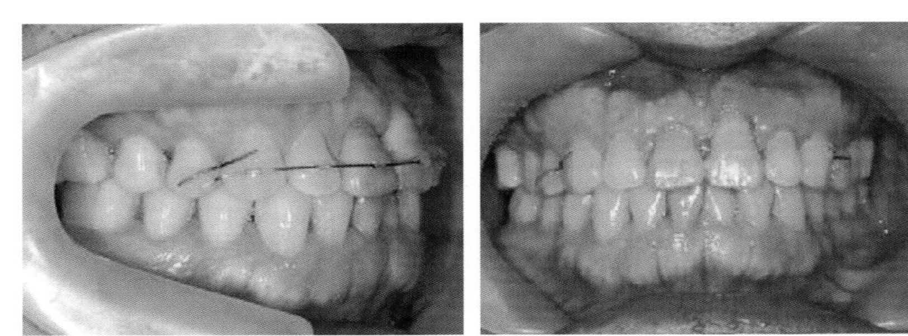

치료 3개월 경과 후 구내사진

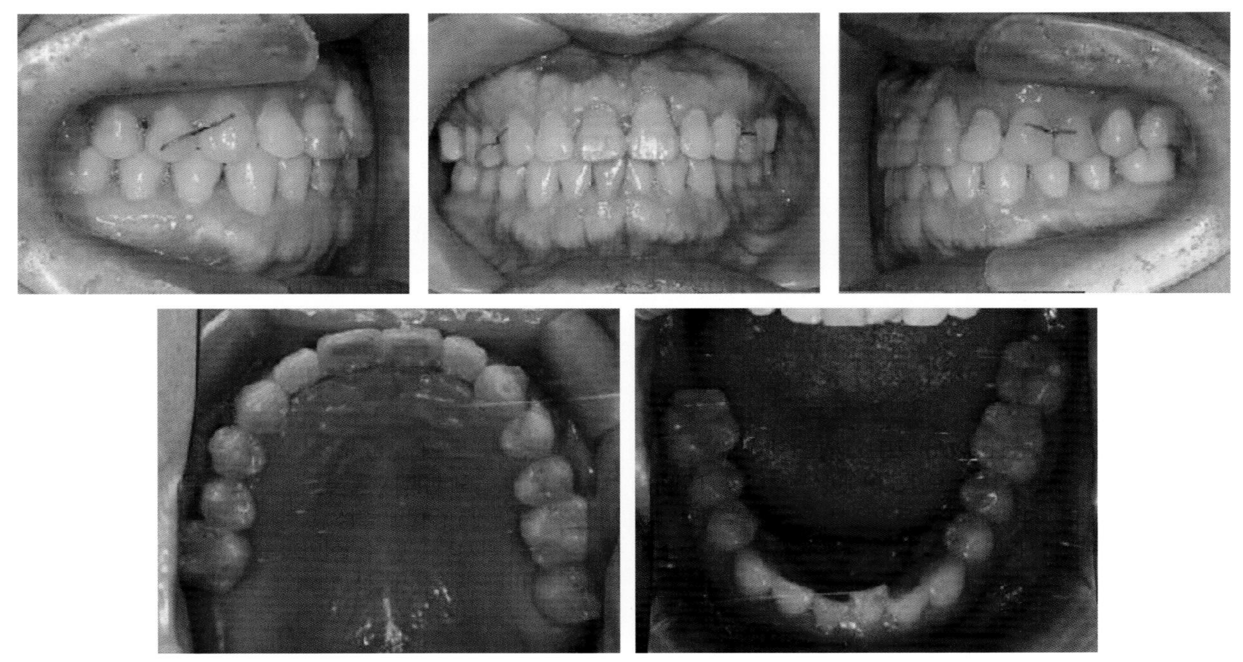

치료 종료 후 구내사진: 치료 시작 5개월 시 배열 및 공간 폐쇄가 완료되어 고정식 유지장치 부착하고 장치 제거하였다.

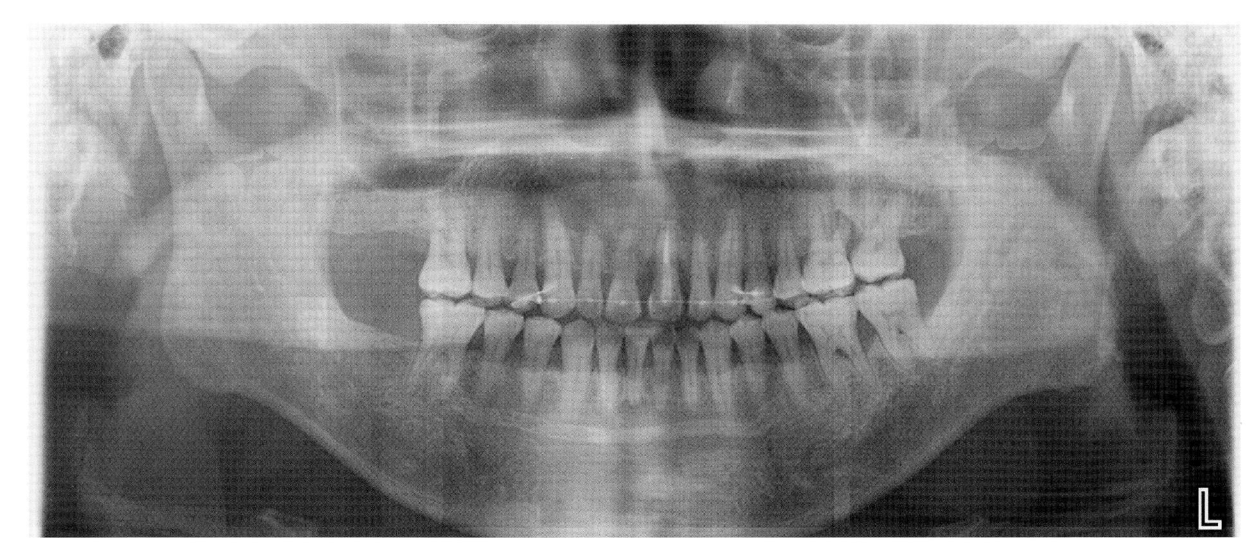

치료 종료 후 방사선사진

치주-교정 증례 4

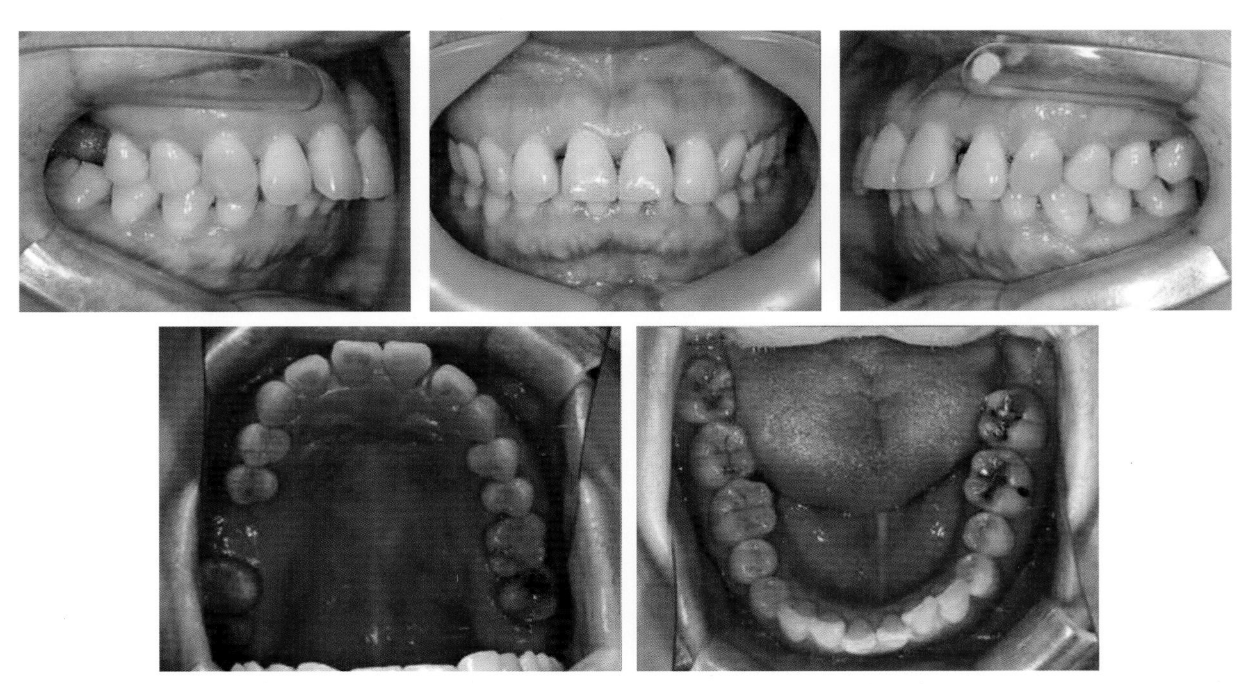

초진 시 구내사진: 상악중절치(#11, 21)의 순측 경사와 상악중절치와 측절치(#11-21, 21-22) 사이 치간 공극, 하악 전치부 정출로 심한 스피 만곡(curve of spee)이 존재하고 하악 전치부에 경미한 총생 관찰되었다. 부분교정치료 한계상 상악 전치부 돌출감 해소의 어려움과 상하악 전치부 교합간섭 시 하악 전치부 치관부 삭제 가능성에 대해 설명하였다.

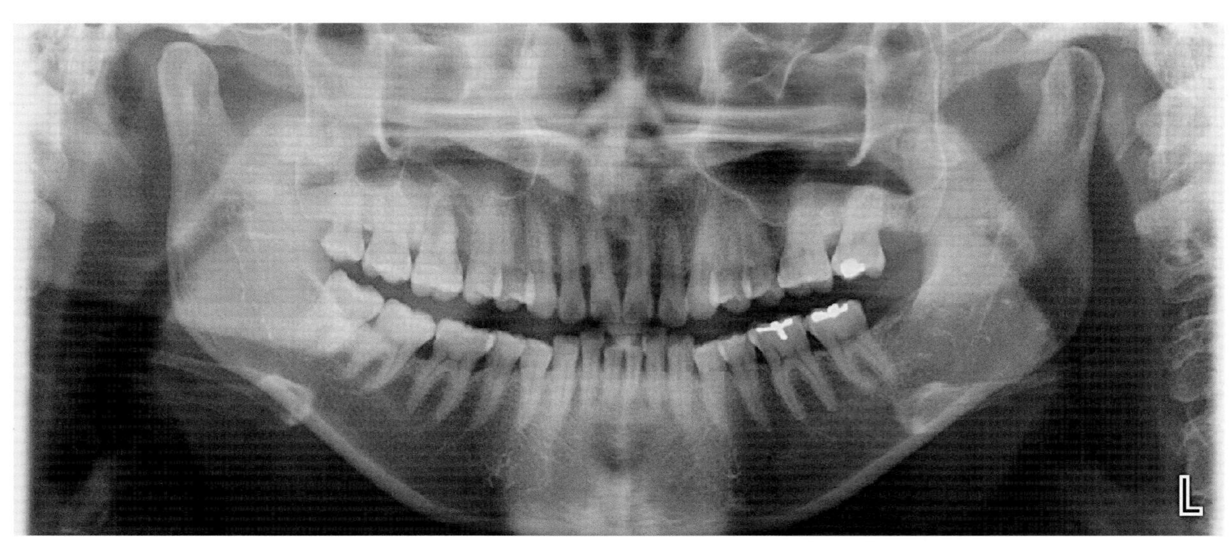

초진 시 방사선사진: 치주염으로 인한 전반적인 중등도의 치조골 소실이 관찰된다.

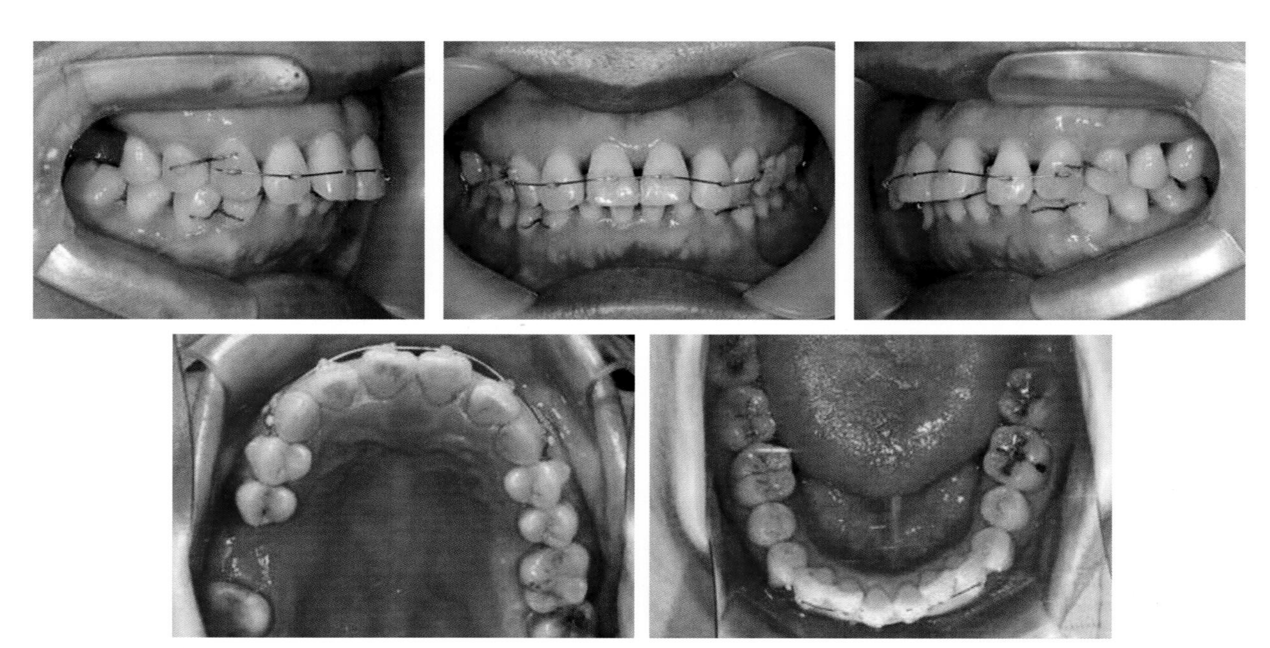

치료 첫날 구내사진: 미니튜브를 부착하고 고정원을 보강한 후, 012 나이타이 와이어를 적용하였다.
하악 총생 개선 및 배열 시 상하악 전치부 교합 간섭이 없도록 하악 전치부 치간삭제 시행하였다.

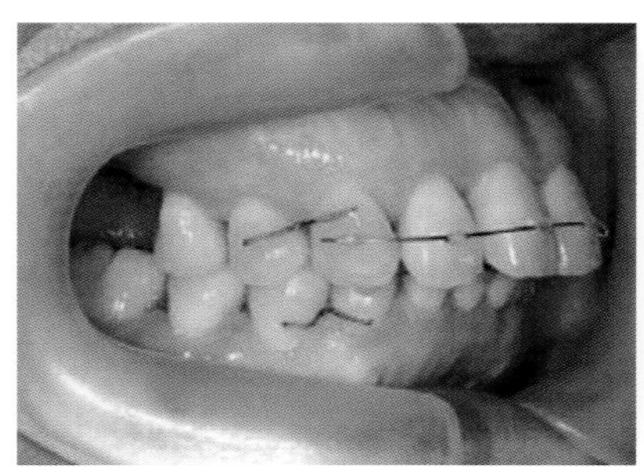
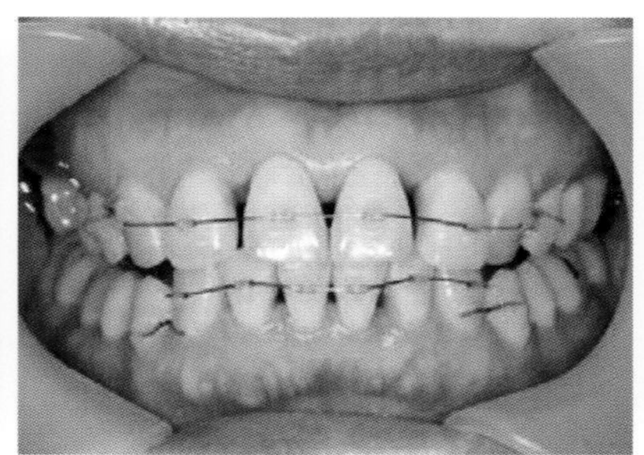
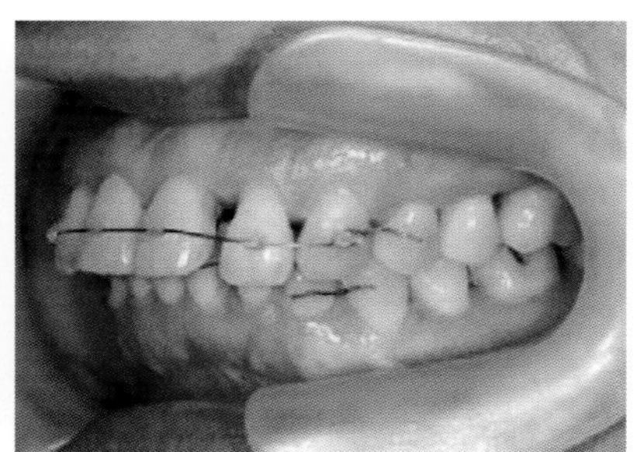

치료 1개월 경과 후 구내사진

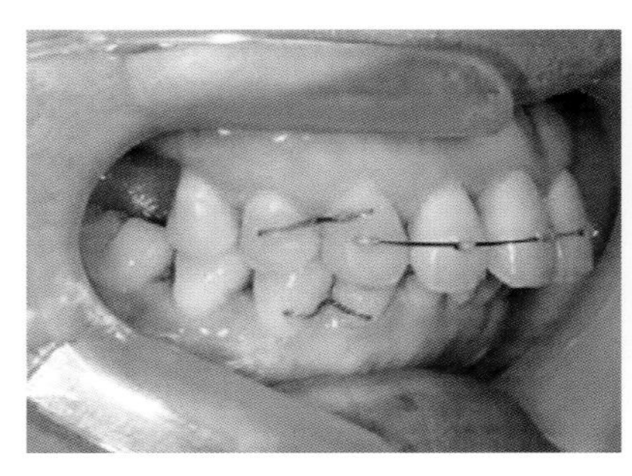
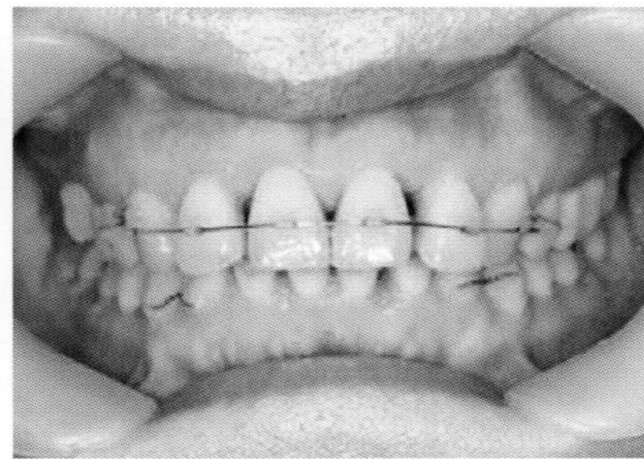
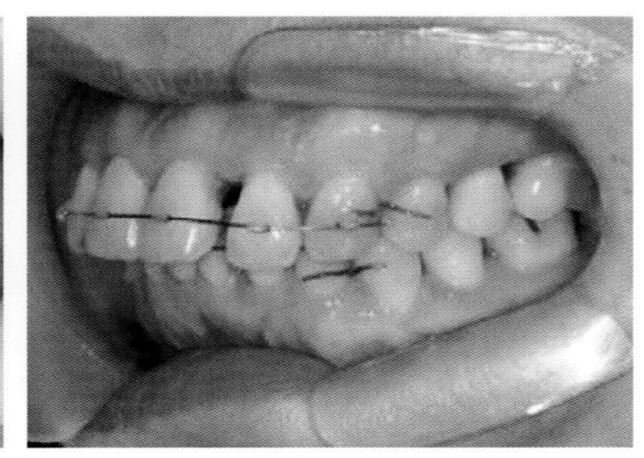

치료 2개월 경과 후 구내사진

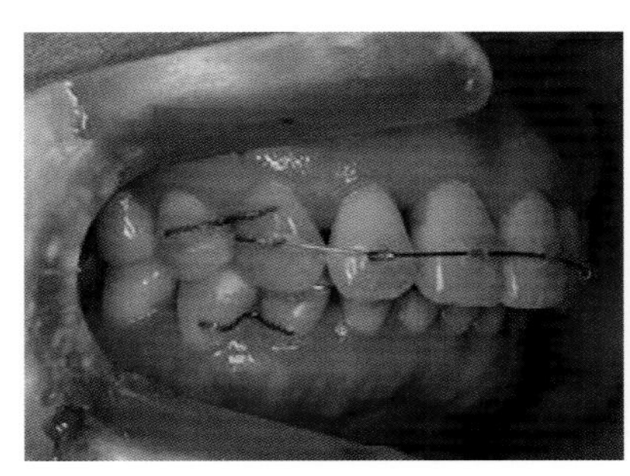
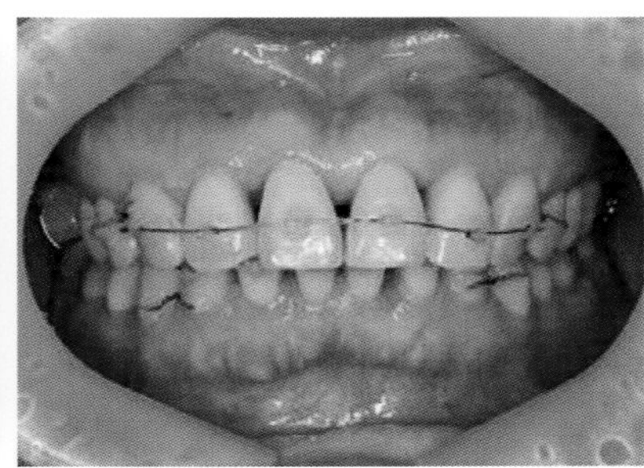
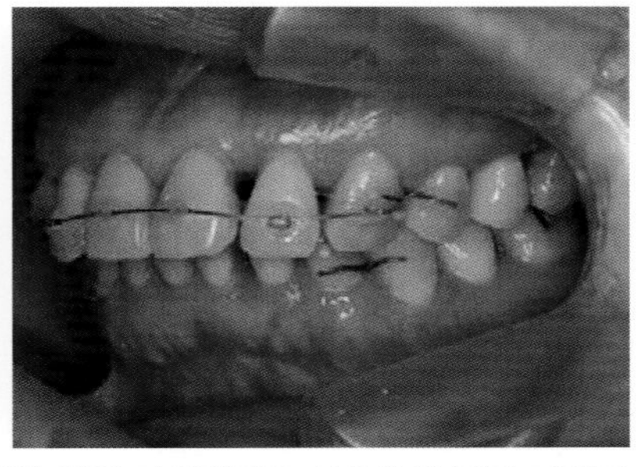

치료 3개월 경과 후 구내사진: 치료 종료 시까지 상악의 치간 공극을 폐쇄하기 위해 약한 힘의 파워체인을 사용하여 공간 폐쇄를 시행하였고 하악의 총생 개선과 스피 만곡 개선을 위해 치간삭제를 주기적으로 시행하였다.

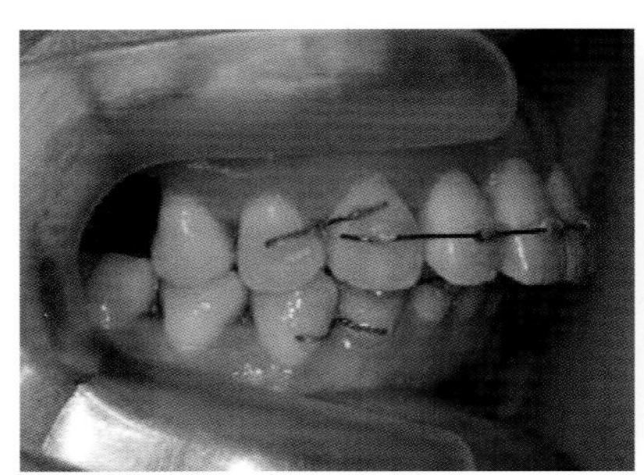
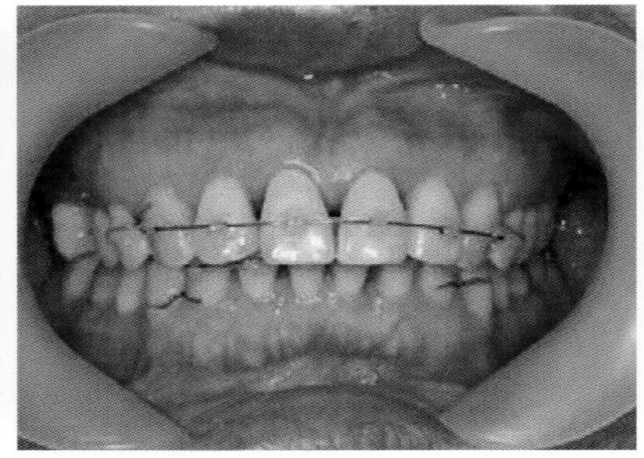
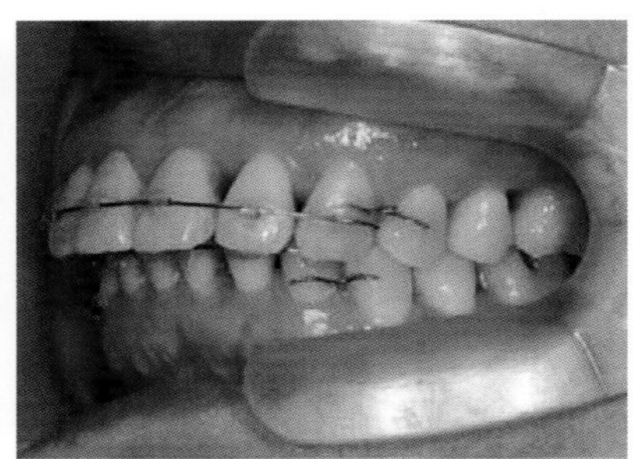

치료 6개월 경과 후 구내사진

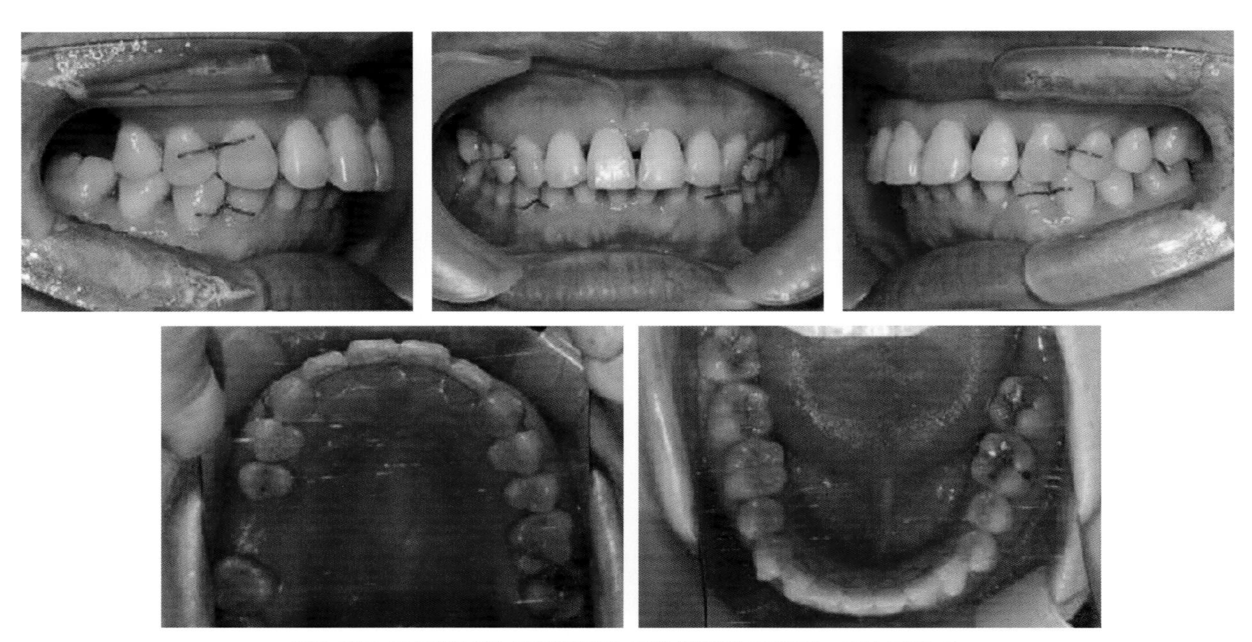

치료 종료 후 구내사진: 안정적으로 치아 배열이 유지되는 것을 확인 후,
치료 7개월째 고정식 유지장치 부착 및 장치 제거를 시행하였다.

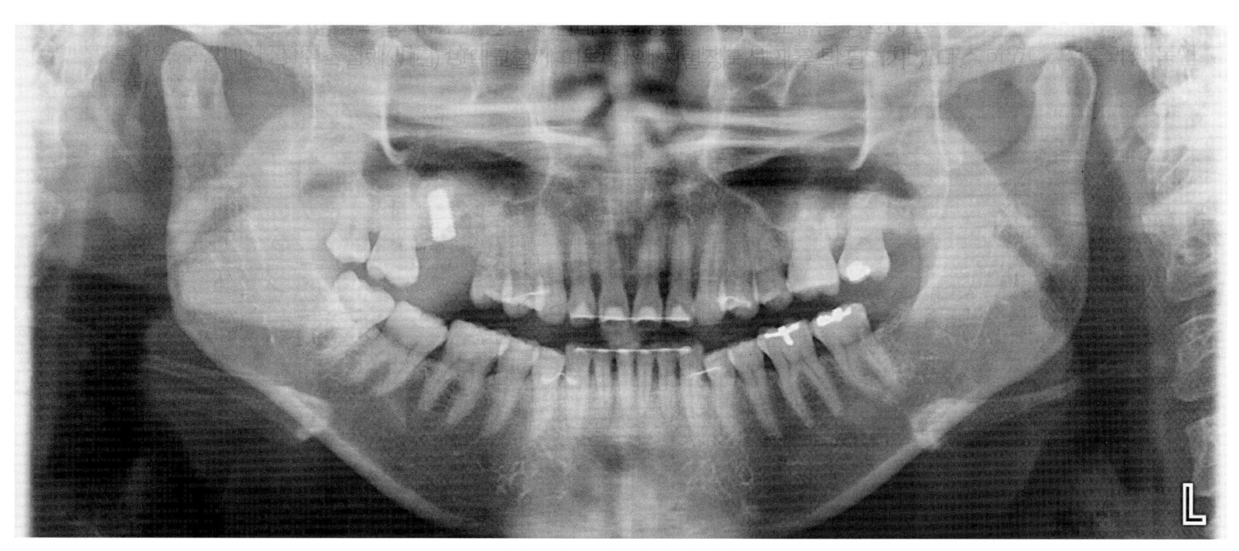

치료 종료 후 방사선사진

치주-교정 증례 5

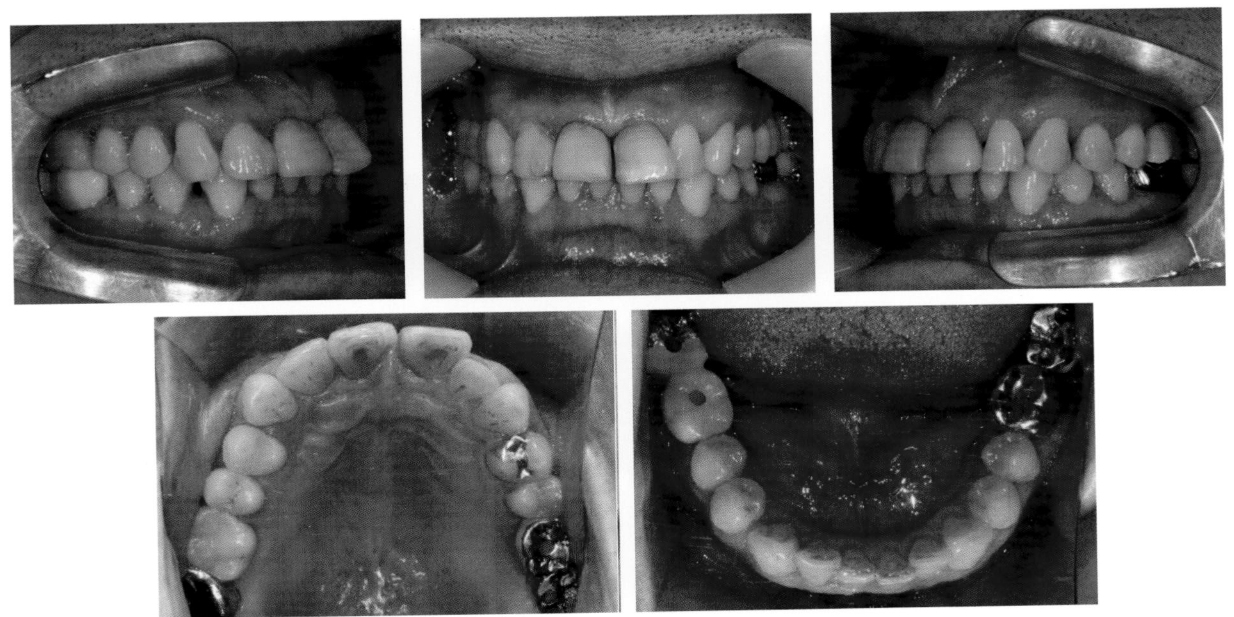

초진 시 구내사진: 상악중절치(#11, 21)의 순측 경사와 치간사이 공극. 공간을 폐쇄하기 위해 레진을 수복한 상태였다.

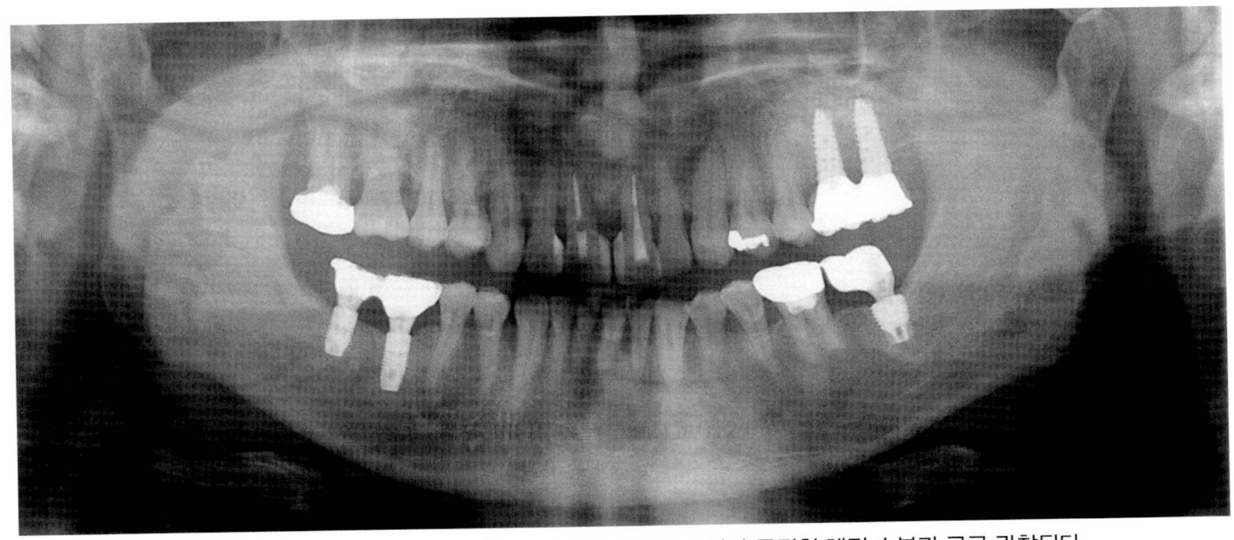

초진 시 파노라마사진: 상악중절치(#11, 21)의 치조골 소실과 중절치 레진 수복과 공극 관찰된다.

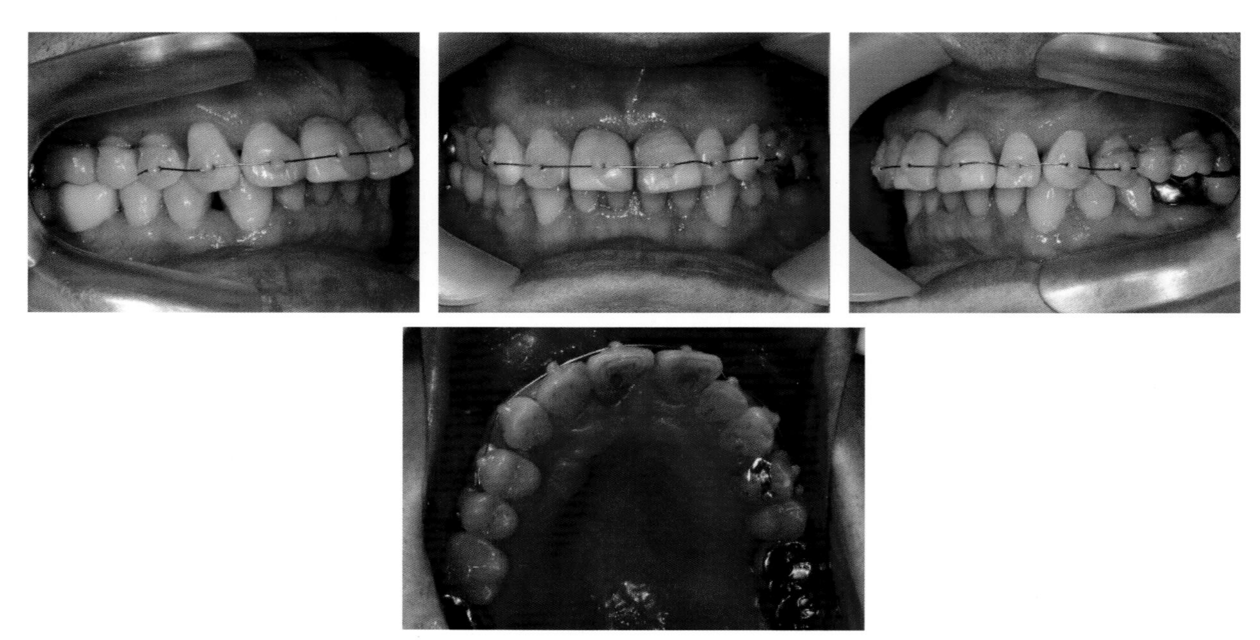

치료 첫날 구내사진: 미니튜브 장치를 부착하고 고정원을 강화하기 위해 상악제1소구치부터
제1대구치까지 고정하였다. 012 나이타이 와이어 적용하였다.

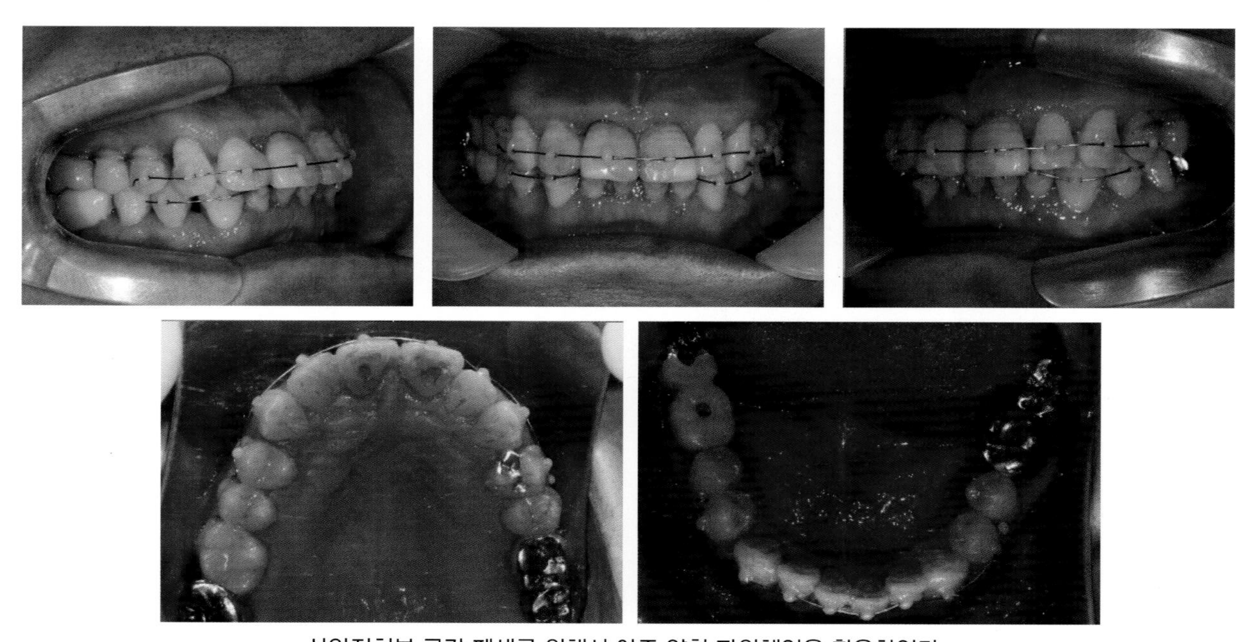

상악전치부 공간 폐쇄를 위해서 아주 약한 파워체인을 활용하였다.
하악의 총생해결을 위해서 장치 부착하고 치간삭제 시행하였다.

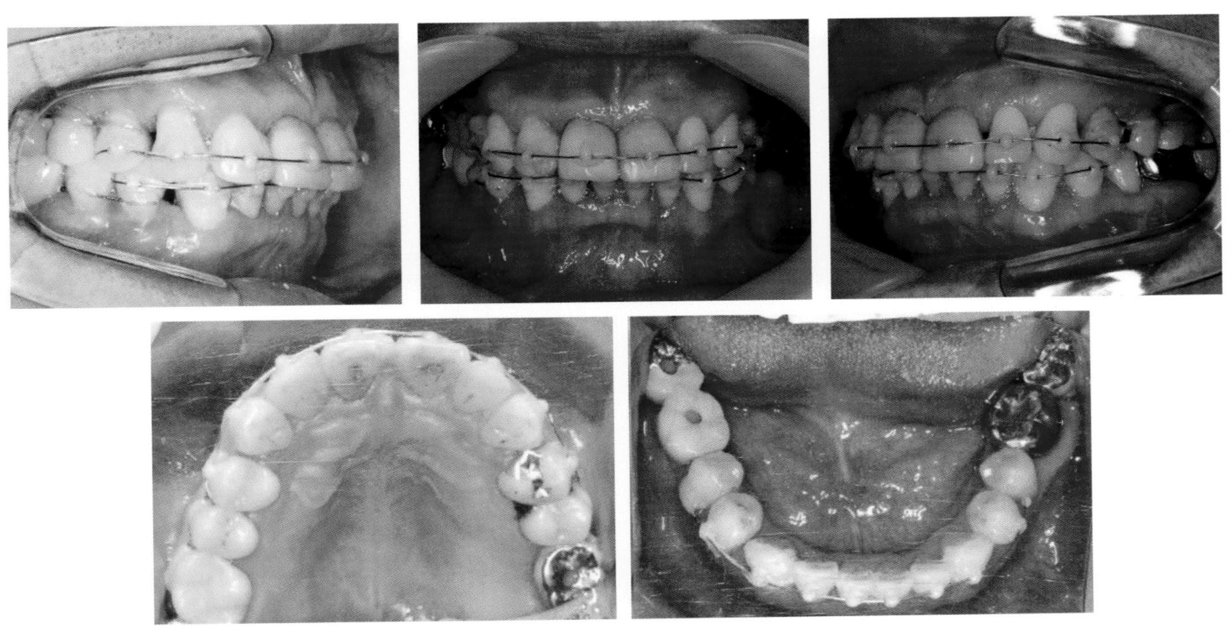

상악전치부 공간완료되고 하악의 배열이 진행 중이다.

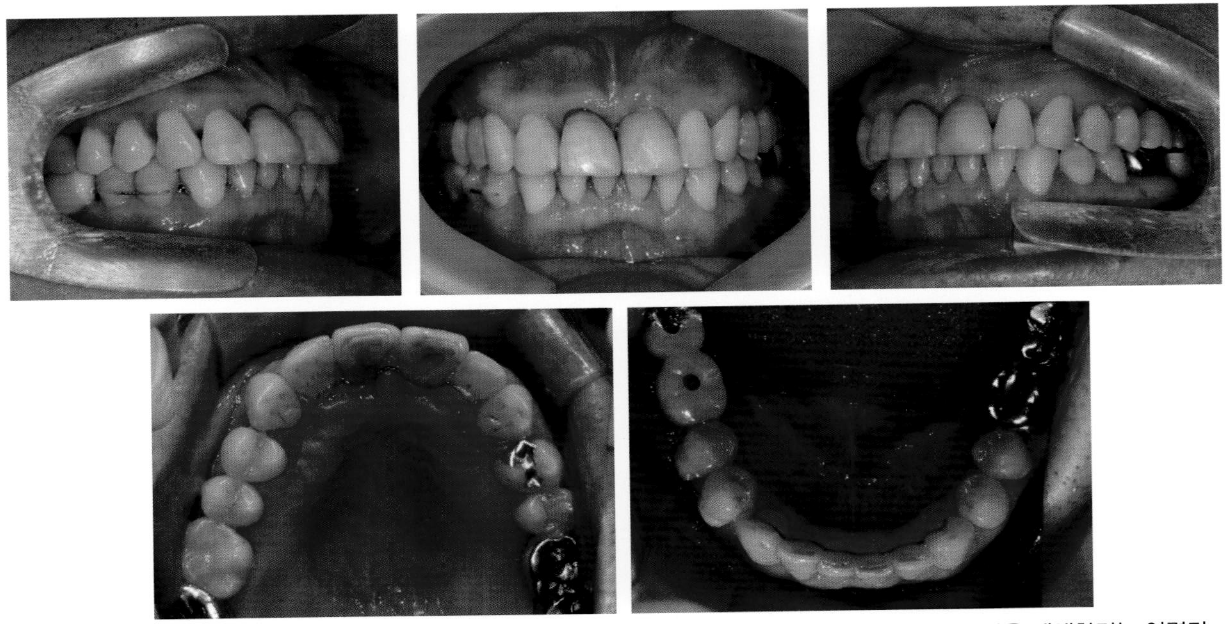

치료 종료 후 구내사진: 상악 공간은 어느정도 폐쇄가 가능하였으나, 레진을 수복하기 전 상태까지 공간을 폐쇄하기는 어렵다.
상하악 전치부의 깊은 수직피개로 인해 고정성유지장치는 치은에 가깝게 부착되어 있어, 주의 깊은 유지관리가 필요하다.

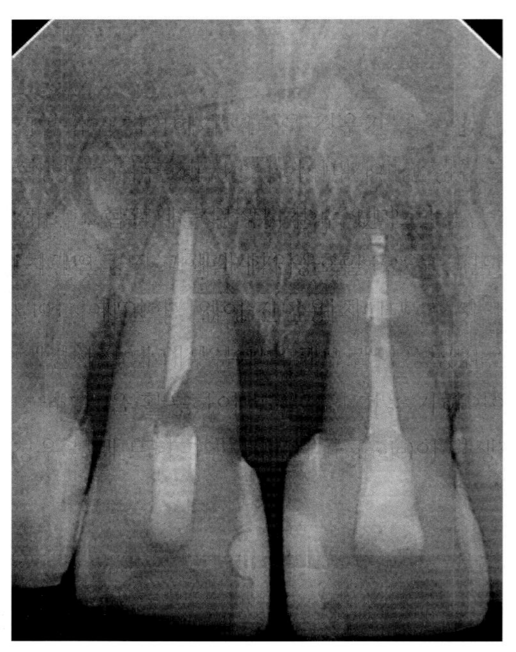

치료 종료 후 6개월 구내 방사선사진: 고정식 유지장치가 탈락하고 상악 전치부 재발이 된 상태로 치주과에 내원하였다.
치주상태가 불량한 경우 재발의 가능성이 높고, 동요도로 인해 유지장치의 탈락이 자주 발생한다.

치주-교정 증례 6

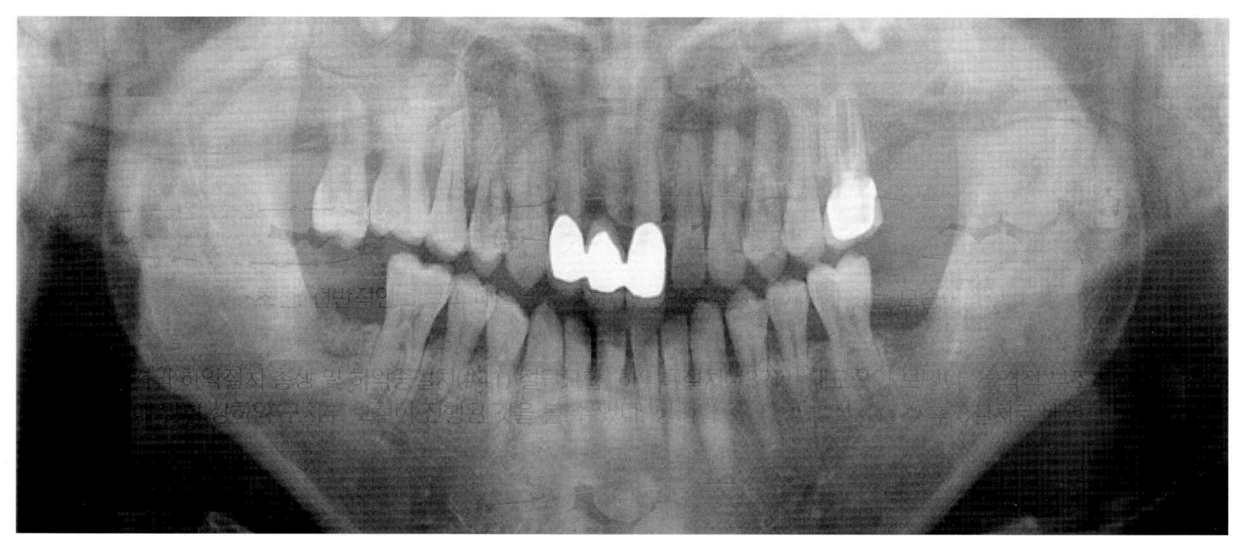

초진 시 방사선사진: 치주염으로 상하악 전치부 공간과 대합치 결손으로 인한 상악제2대구치(#17) 정출이 관찰된다.

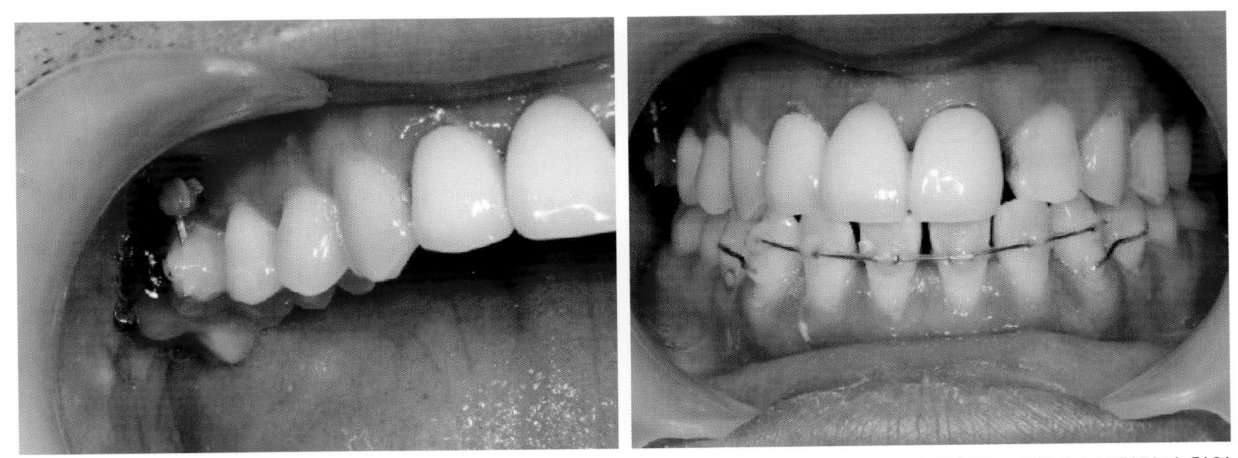

치료 첫날 구내사진: 상악 제2대구치(#17)의 합입을 위하여 상악 협설에 마이크로임플란트 식립하였고, 장치를 부착하여 합입 시행하였다. 하악 전치부의 공간 폐쇄를 위해서 미니튜브를 부착하고 하악견치와 제1소구치는(#3-4) 고정원으로 활용하였다.

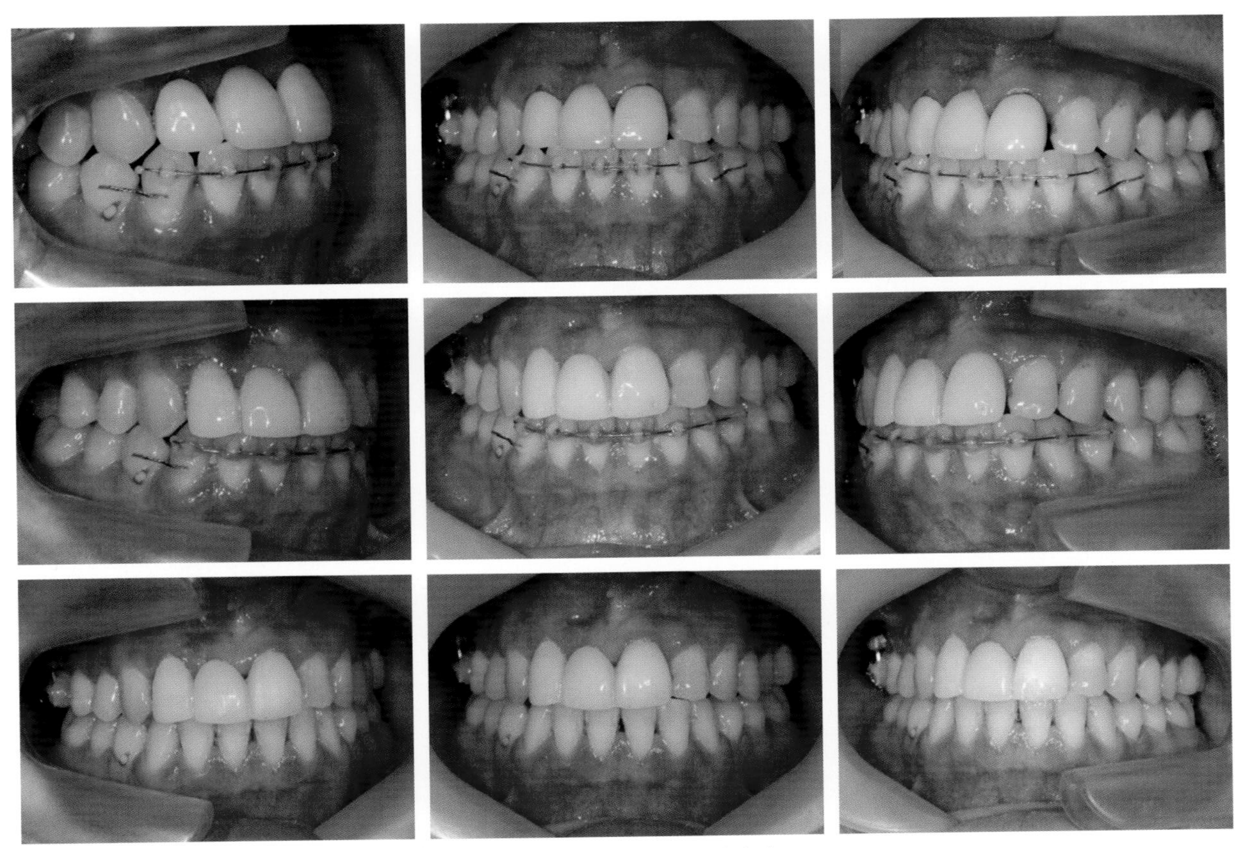

치료 경과 및 치료 후 구내사진

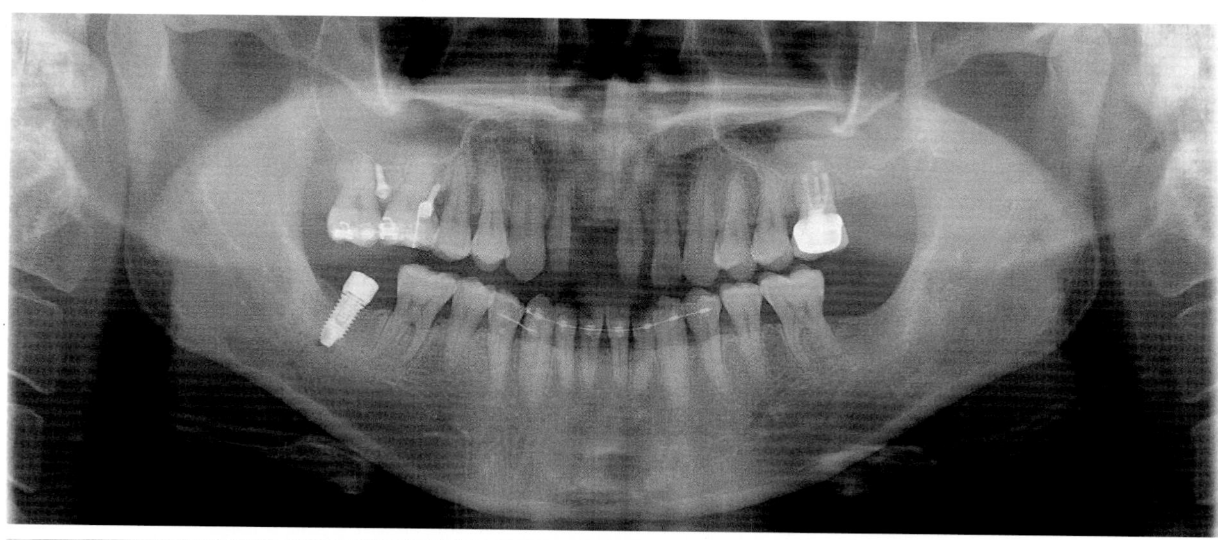

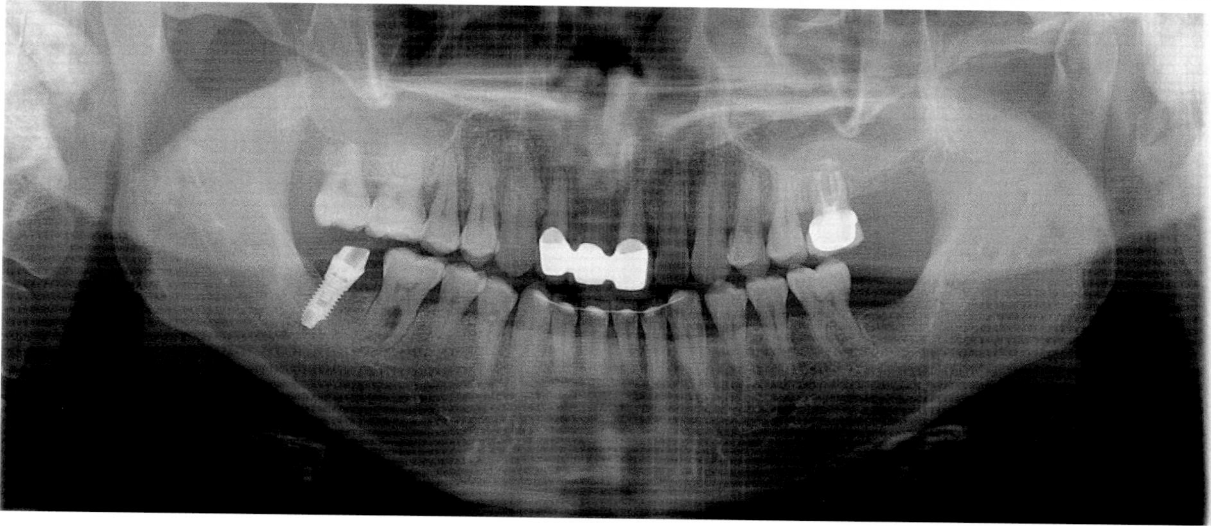

치료 경과 및 치료 후 파노라마사진: 상악 제2대구치(#17)가 합입 되었다.

치주-교정 증례 7

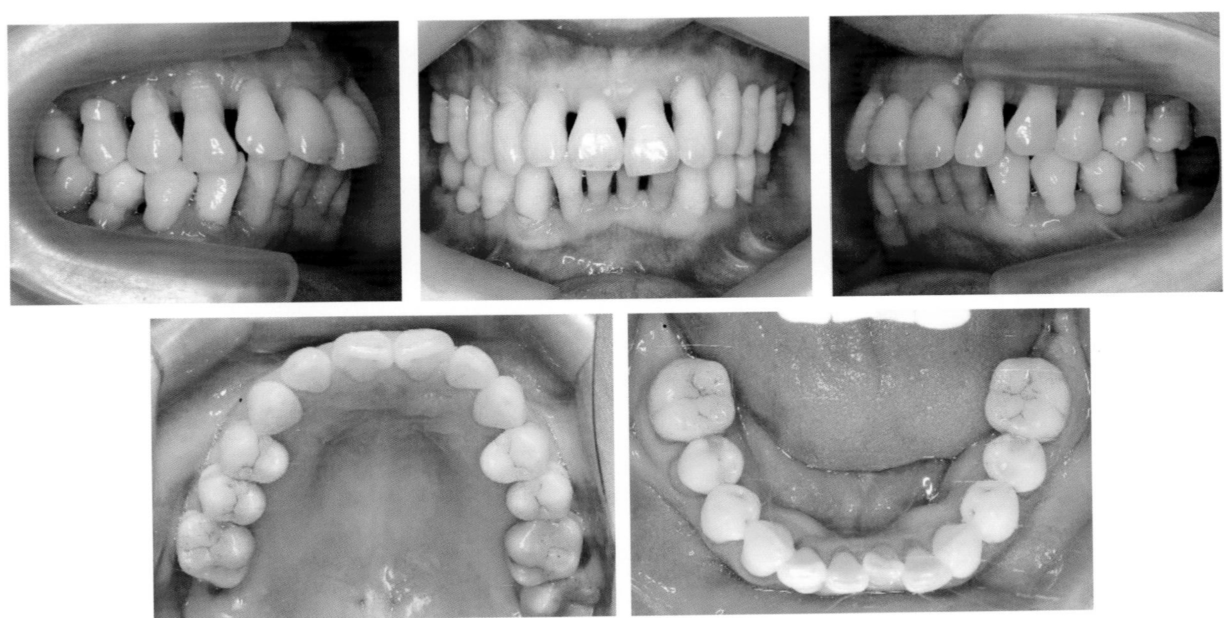

초진 시 방사선사진: 치조골이 전반적으로 흡수되어 치근 노출도가 상당하며 총생이 관찰된다.

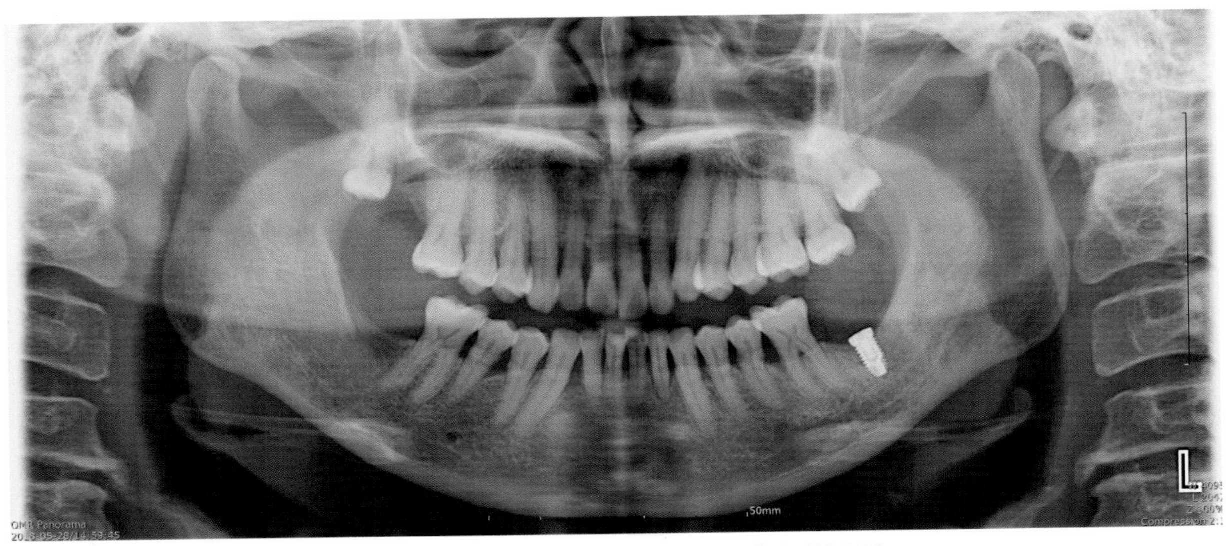

초진 시 방사선사진: 치조골이 전반적으로 흡수되어 있다.

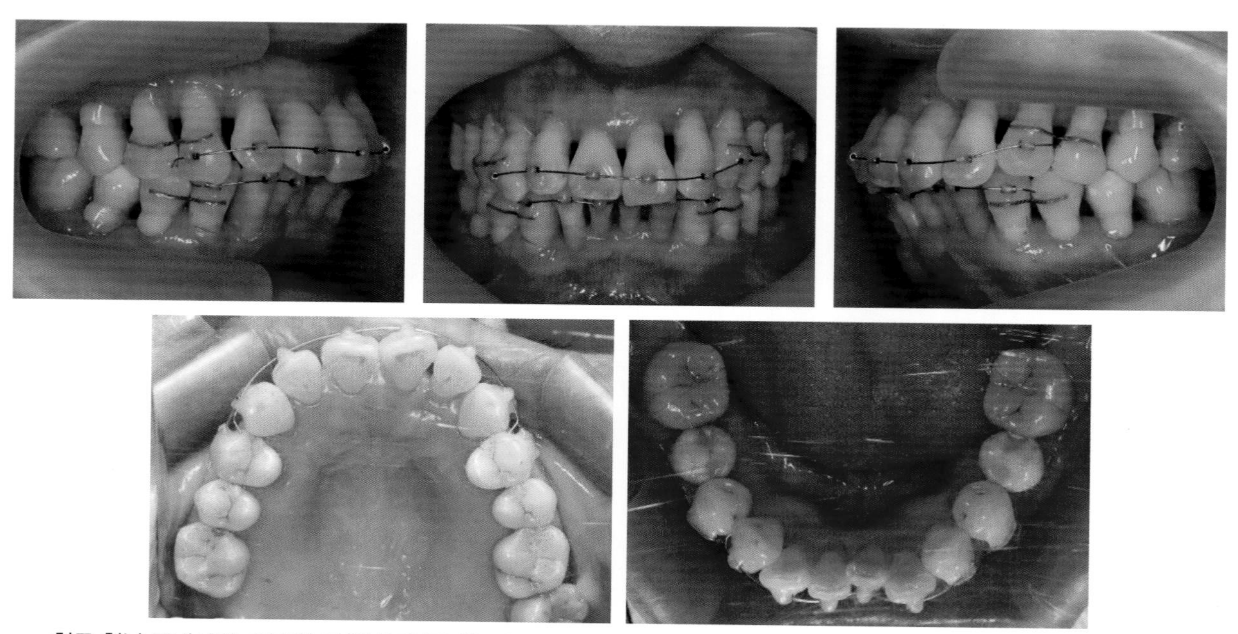

치료 첫날 구내사진: 현재의 구치부교합관계는 유지하고 전치부의 총생 및 배열을 개선하기로 하고 장치를 부착하였다.

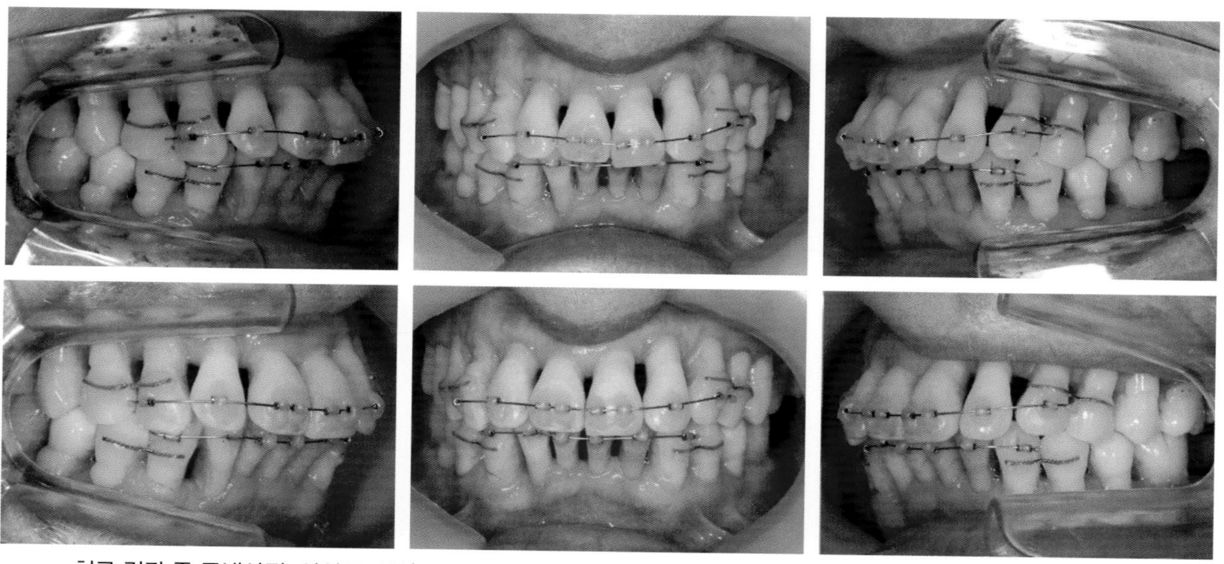

치료 경과 중 구내사진: 상악중절치(#11, 21)의 치축을 효율적으로 개선하기 위해서 장치를 두 개씩 부착하였다.

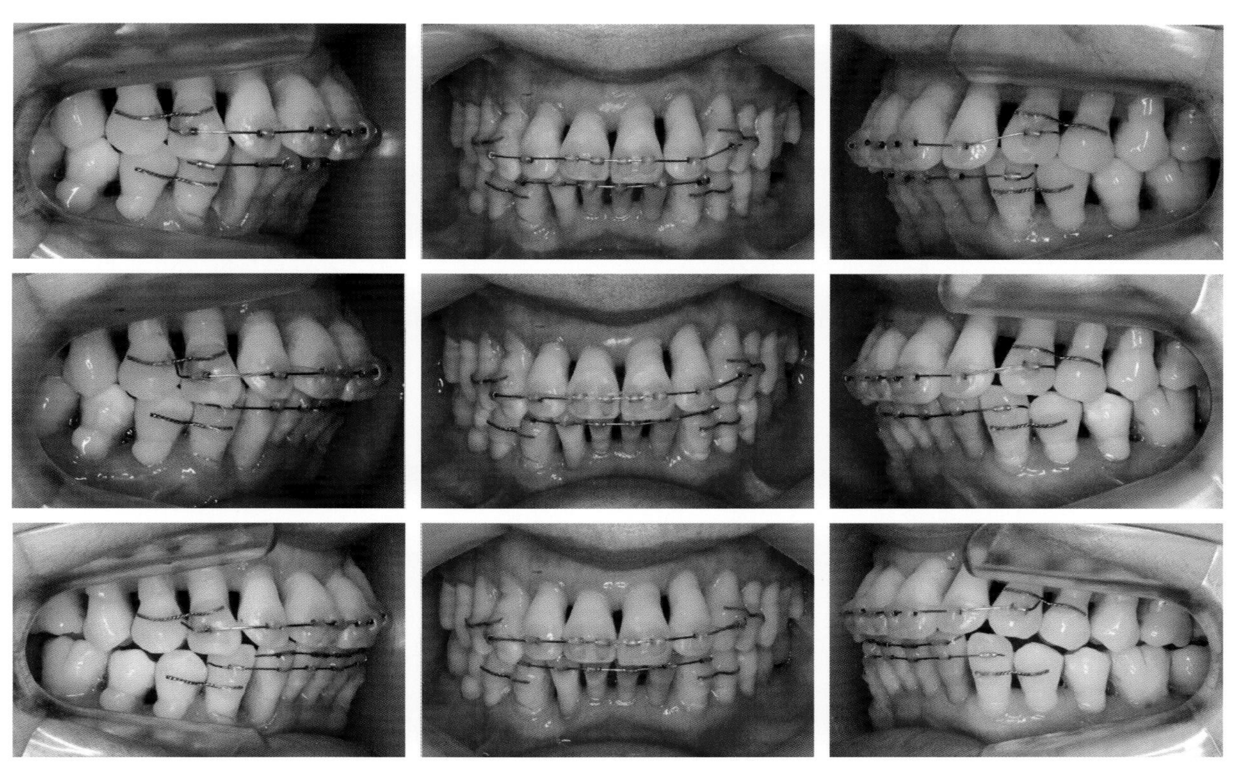

치료 경과 중 구내사진(치료 4-6개월): 상악중절치(#11, 21)의 치축을 효율적으로 개선하기 위해서 장치를 두 개씩 부착하였다.

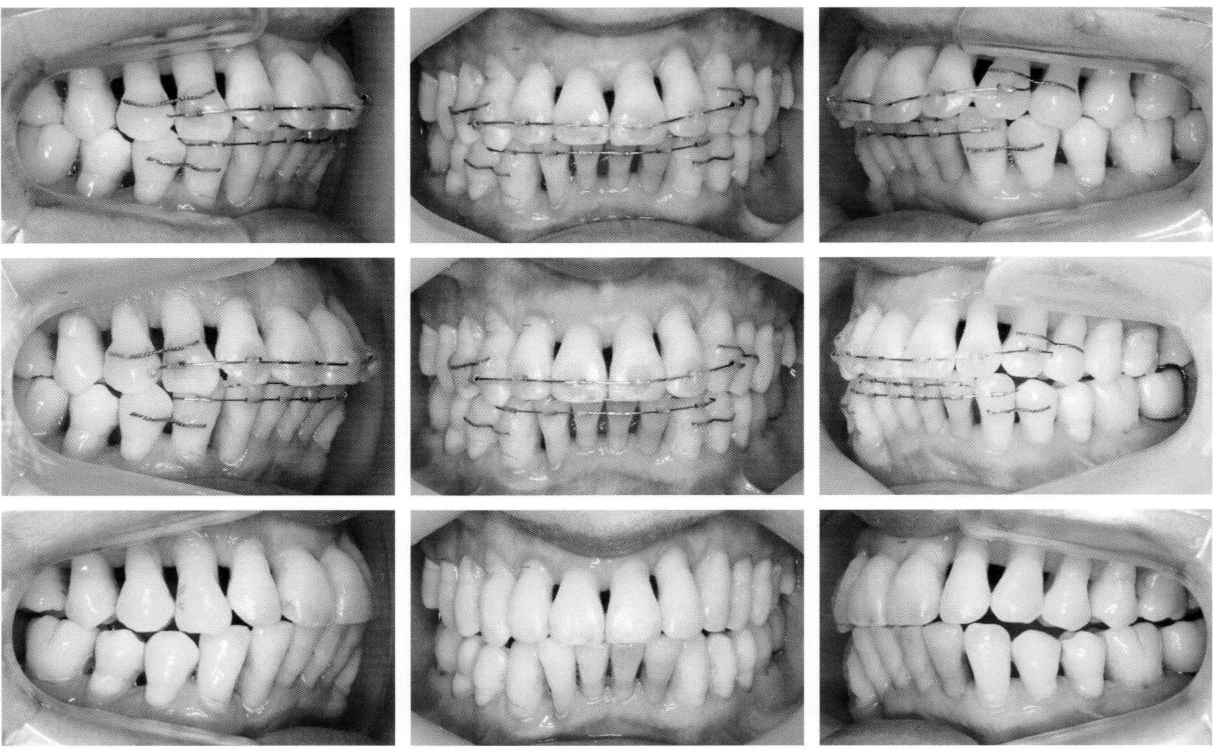

치료 경과 및 치료 후 구내사진(치료 7-9개월까지의 사진)

혼합치열기 증례

혼합치열기 초기에 상악중절치의 회전변위 맹출을 흔하지 않게 관찰할 수 있다. 기능과 심미성 회복을 위해 조기개입이 필요하나 회전 개선을 위한 고정원 확보가 어렵고, 중절치의 영향으로 측절치 역시 변위가 함께 동반되는 경우가 많아 추가발육을 기다리는 경우도 많다. 인접치인 유견치, 유구치까지 장치 부착의 범위를 확장하는데 이 경우에는 중절치 개선력에 대한 반작용으로 유치의 동요도 발생하고 조기에 탈락할 우려가 있어 치료 방법과 개입시기 결정이 쉽지 않다. 선택적으로 유치를 고정원으로 추가 확보하여야 한다.

혼합치열기 증례 1

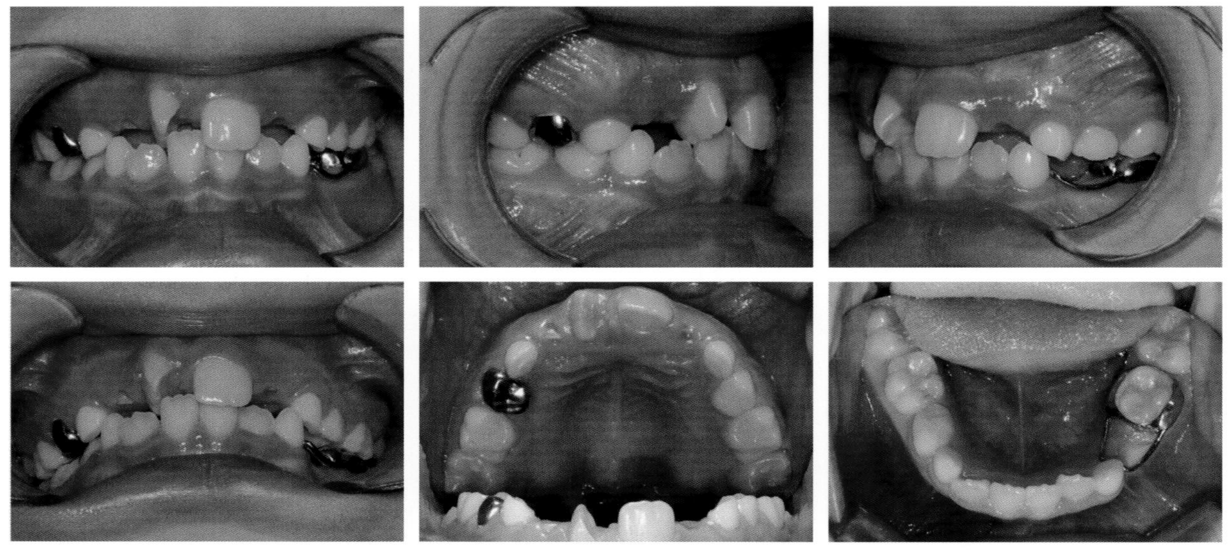

초진 시 구내사진: 혼합치열기 초기로 상악중절치(#11)가 90° 가까이 원심내측 회전하여 맹출하였고, 하악중절치(#41)과 조기 접촉된 상태.

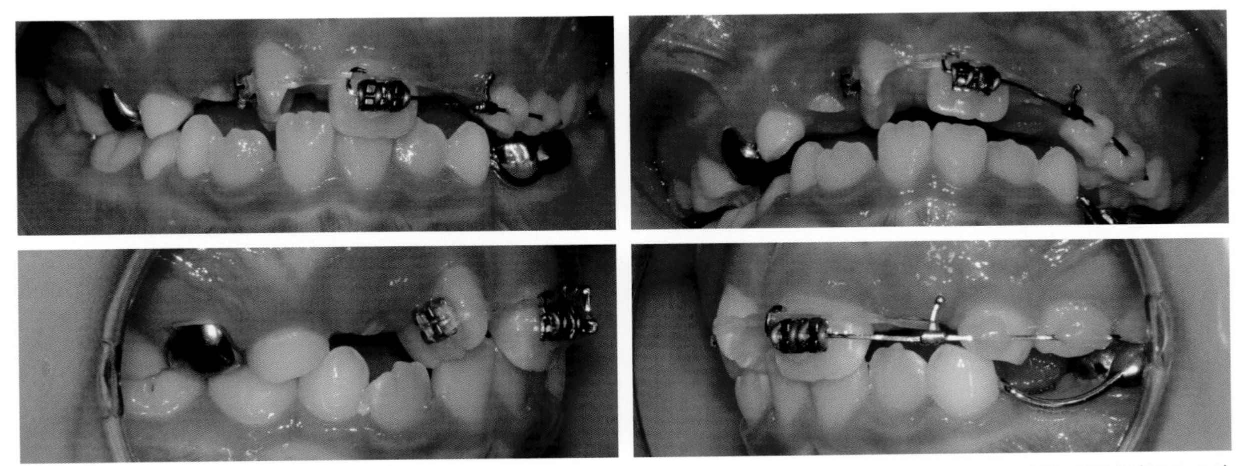

상악 좌측 고정원 확보 후 상악중절치(#11)에 회전력 적용. 016×022 스테인레스스틸 와이어를 상악유견치, 유구치(#63, 64)에 직접 부착하였고, 첨가한 훅(hook)을 이용하여 상악중절치(#11)에 회전력으로 적용.

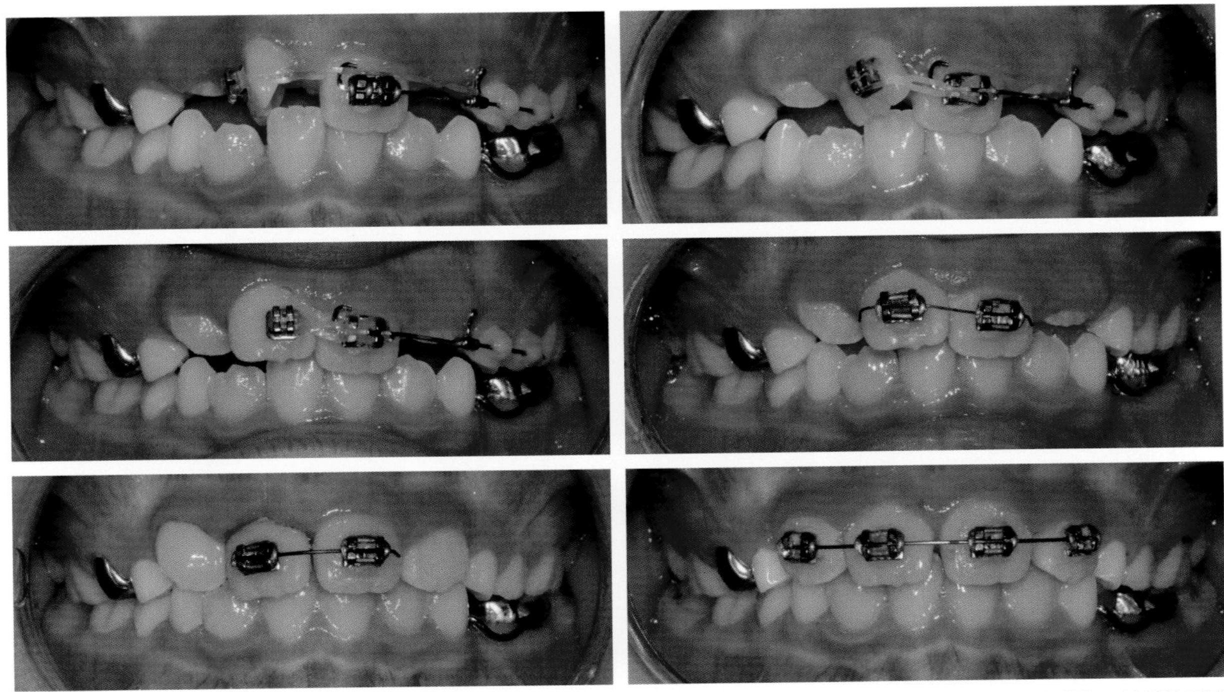

상악중절치(#11) 회전 개선 과정(정면). 상악중절치(#11) 회전 개선이 이루어진 후, 직접 부착한 와이어를 제거하고 상악측절치(#12, 22) 추가 맹출을 기다린 다음 상악절치(#12-22)를 배열하였다.

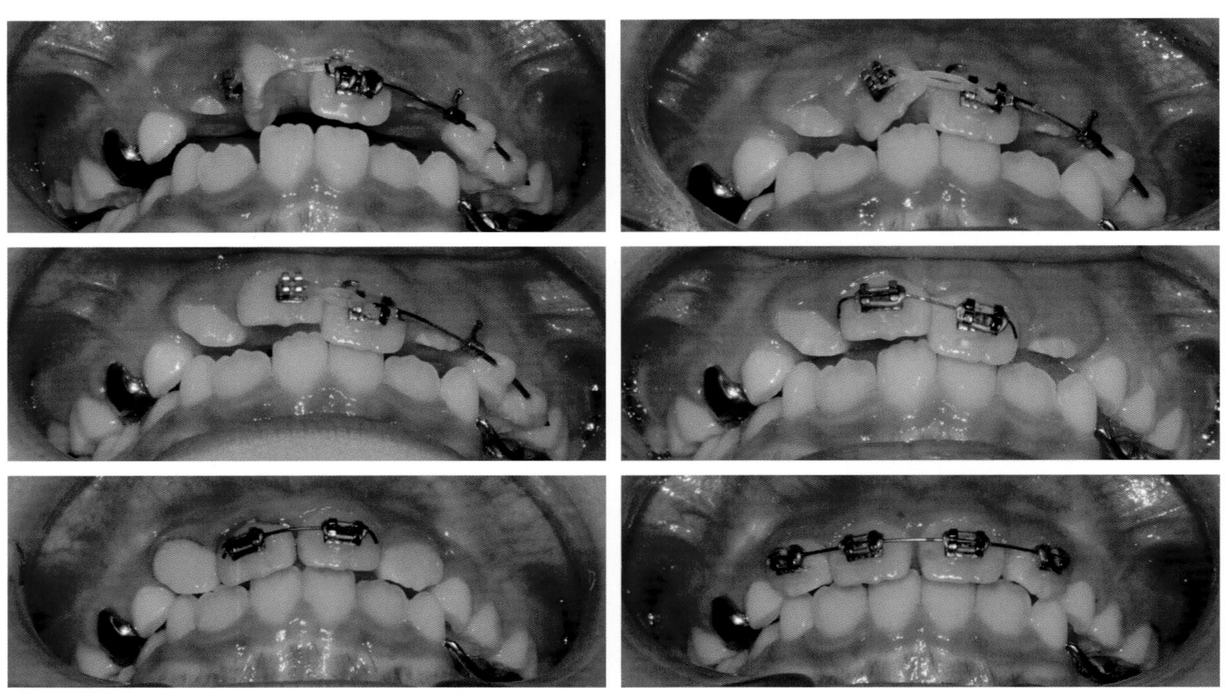

상악중절치(#11) 회전 개선 과정(정면 하부). 상악 전치의 배열을 이룬 모습이다.

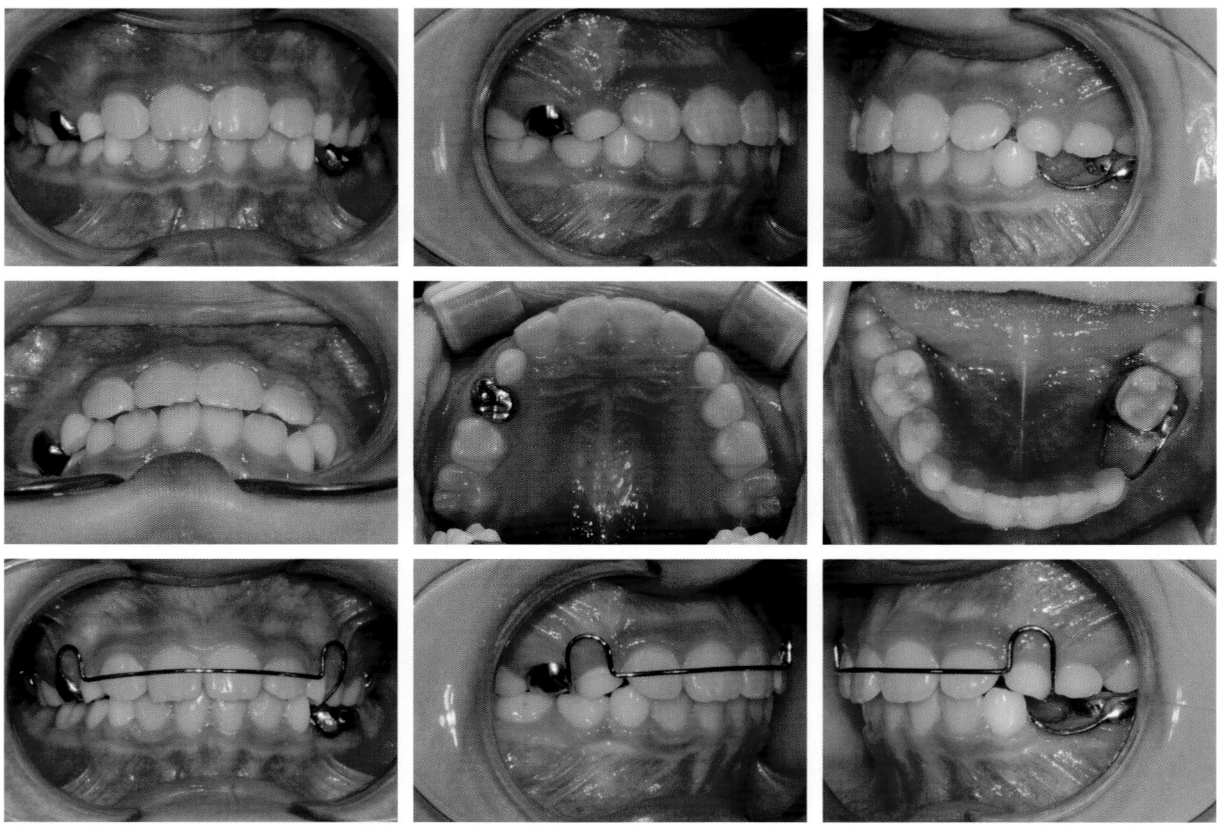

상; 치료 종료 후 구강내사진(13개월 후). 하; 가철성 유지장치 착용 모습(고정식 유지장치는 미부착)

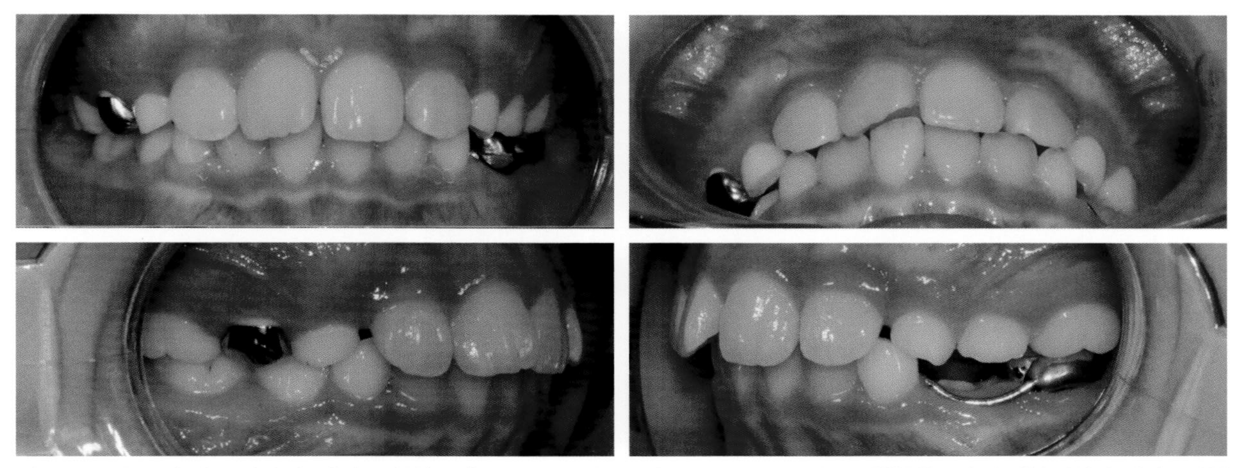

치료 종료 후 1년 뒤 구내사진. 상악중절치(#11) 회전변위 재발 경향이 있고, 그에 따른 대합치(#42)의 설측변위와 상악중절치(#41)의 상대적 순측변위가 나타났음을 확인할 수 있다.

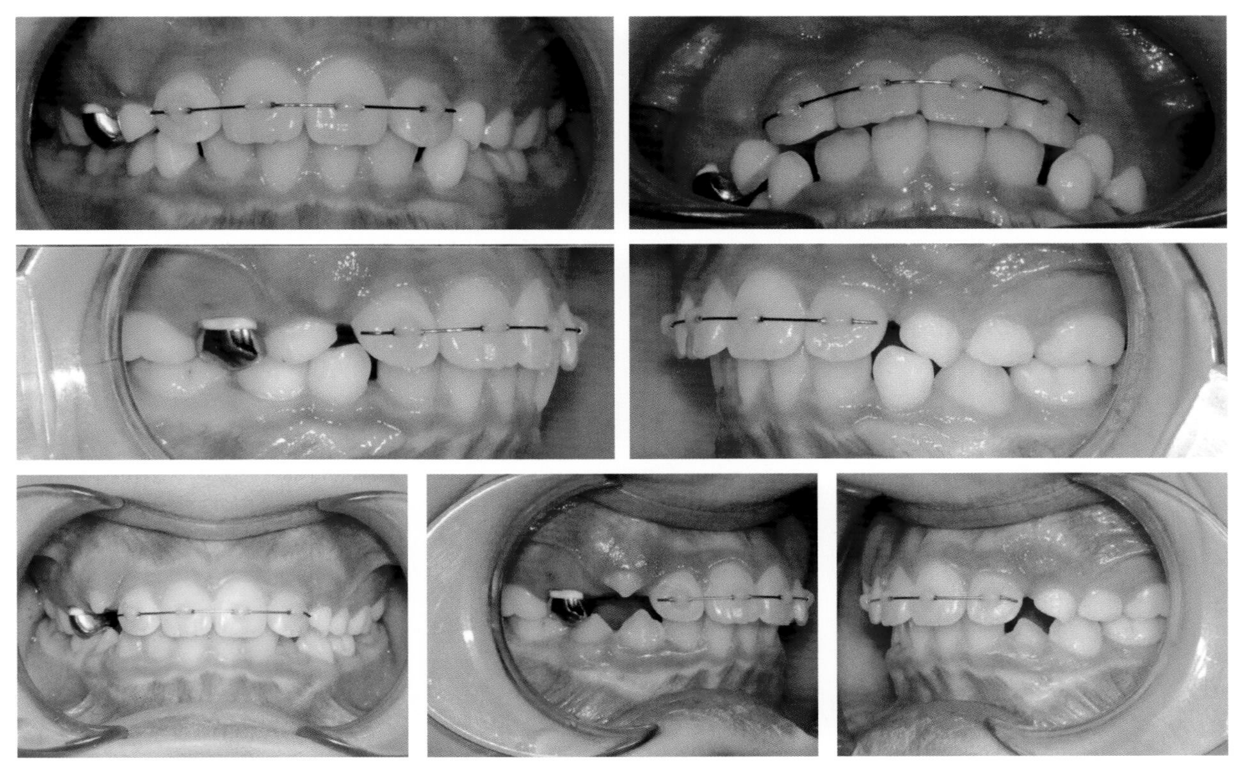

(위) 재부착 후 10주 뒤, 초기 개선이 이루어진 모습. (아래) 재부착 후 6개월 뒤, 개선 후 위치를 유지하는 과정이다.

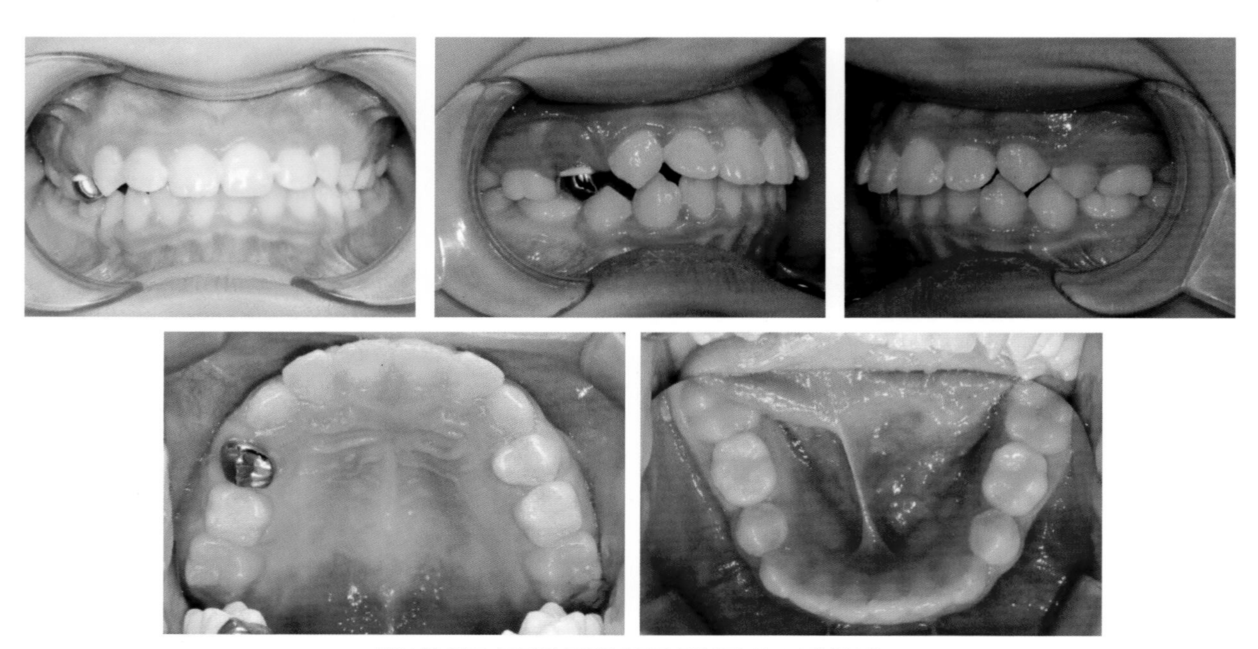

재부착 치료 종결한 구강내사진(재부착 후 14개월 뒤)

색인